森山明子

Jun-ichi ARAI : The Dream Weaver

新井淳一——布・万華鏡

……あらゆる文化遺産のうち、染織品ほど豊かなものはない。布ほど暖かなものはない。

人が生まれてから死ぬまでの間、包みこむ肉体に宿る思想を育みつづけてきた……

……かつて、時が今のように早く過ぎ去らぬ頃、多くの布たちは美しかった。

日常と非常は心地よく同居していた……

……日常性を取りこみつつ非常な表現、非常な風合を求めること……

……現代の布の形式は、時にはピンセットでつまみあげる細心さと、

プリミティヴな布たちのもつ大胆不敵さとを両立させねばならない……

……未来を「未来」として語ることはできない。未来は今生きる私たちの紡ぐ糸で織り成される。

未来は「未来」からやって来はしない。未来は私たちの手の中で育まれる……

p.5,p.6 photo : Ishiuchi Miyako 「絹の夢」シリーズより、2010

……「天衣無縫」。好きな言葉である。
好きではあるが、空おそろしき表現である……
……寒風の中、ち切れるほどに打ち振る旗を持ちたいと思う。
旗印が欲しいと思う……

……確かに人は夢みて来た。
これからも夢みるであろう。
夢みることほど人を人たらしめてきたことはない……
……なべてゆめはうえとかわきのものがたり……

新井淳一――布・万華鏡［目次］

［凡例］

一、引用文献は本文中では省略して表記しており、巻末の「新井淳一年譜・書誌」「参考文献・引用文献」を参照されたい。

二、出典なしの引用は筆者による取材、談話による。先行文献で新井の発言として「」で記載されたものでも、筆者が確認した内容については引用表記しないものがある。

三、登場する人物の年齢は、満○歳と特記したもの以外は、記述する事象が起こった年から生年を単純に引き算して表記してある。

四、本文中の書籍・雑誌名は『』、記事名および引用箇所等は「」、註番号は★で示した。

プロローグ

ジャパン・テキスタイル・コンテスト

毛織物の産地として知られる愛知県一宮市が開催する「ジャパン・テキスタイル・コンテスト」の審査を七年ほど担当する機会があった。装いを新たに開催されたコンテストの初年度は二〇〇二年、大賞をはじめ、デザイン賞、テクノロジー賞、トレンド賞の三賞が設けられていて、デザイン賞の選考を新井淳一と担当するのだという。

それ以前に二度、「布の詩人」と評される新井の作品に対して短い文章を綴ったことがあった。「萬華鏡」(Kaleidoscope)と「火の鳥」(Stainless Steal Fiber)が題名で、デザイン雑誌の編集を仕事としていた当時、新井がみずからをテキスタイルデザイナーとは称さず、テキスタイルプランナーを肩書きとしていた理由を聞いてみたくもあった。だが、それを果たさないまま雑誌の現場から離れた。それから数年後の、思いがけない審査の依頼だったのだ。

デザインコンペの審査はそれまでにも経験していた。けれど、実際に織られたテキスタイル数百点の中から賞の対象を選びだすことなどはじめてで、その作業には大いにとまどった。アイディアの斬新さ、完成度、市場性を考慮し、指で触りながらの選考は、譬《たと》えるならば「盲、蛇に怖じず」しかなかった。

前年に肺がん、次いで胃がんの手術を受けていた新井だが、二日間の審査の折々に発する言葉は含蓄に富んでいて、テキスタイルというものに目を開かされるに充分だった。賞の選考終了二―三時間後には記者発表を行なうというタイトなスケジュールの関係から、専門家にまじっての審査に不慣れな分、講評文作成には編集者としての経験をいかす余地があった。

初年度のグランプリ作品は二十代の若者が応募した「ウイング」。アフリカに誕生した人類が「グレート・ジャーニー」の果てに到達した南アメリカ、その土地のアルパカと、日本の誇る縞とが結ばれて生まれた。控え目な表面光沢が、今をまとう表情を伝統の唐桟《とうざん》に与えている——そんな声が挙がった。準グランプリ作品はウールの「透かし」で、温暖化する地球の冬に着てもらうことを意図し、下につけたものが透けるチュール（六角形の隙間が連続する薄布）は革新的とのことで、こちらも柄はストライプ——。

これら二作品は、織の組成は異にしながら、縞という意匠、軽さという特性において共通し、テキスタイルの存在感を主張しながら、それを服にしてまとう人には光と風を感じさせてくれそうだった。

新井と担当したデザイン賞に選んだのは「樹皮」だ。テキスタイル素材の長い歴史の始まりは、樹皮だったのではなかろうか——新井は会場でそう囁《ささや》いた。今でもアマゾン流域に住む人々は、若木の皮を剥ぎ、スリットせずに丸のまま、思い思いの模様をそこに描いて、子供を背負う紐帯《ひもおび》とするのだという。山形と新潟の県境近くに、古代織の一つである「しな布」を訪ねたことを思い出した。しな布はしなの木の皮を剥いでつくる。

次なる世代を育む源初的なテキスタイルが紐、そして帯だというのは示唆的である。織の前に編、その前には紐帯……。インドシルクの糸を束ねて縫いあわせる手法が野性味をたたえ、物にあふれた現代を撃つかのような作品に贈賞できることを新井は素直に喜んでいた。

コンテストの審査員一同による初回の総評のタイトルは、「テキスタイルという長い旅の明日《あした》」となった。安土桃山時代に発祥した尾州産地で、南アメリカのアルパカや、テキスタイルの原点である樹皮に思いを馳せるといった審査会の成り行きに、それまでに経験したデザインコンペにはない不思議な感慨を覚えていた。「テキスタイルという長い旅の明日、人は再び記憶に帰る。人は再び光と風に帰る。それを実現するのは布の構造であり、色であり、サーフェス。それらすべてにイノベーションが求められている。尾州発のテキスタイルコンテストは、新しいデザインを世界に発信し、世界のクリエーションを刺激するものでありたい」。これが総評の末尾であった。

この年の審査委員を当時の所属とともに記しておきたい。委員長の恵美和昭（ファッション産業人材育成機構専務理事兼ＩＦＩ総合研究所所長）をはじめとして、デザイン賞に新井淳一と筆者、テクノロジー賞に伊藤香代子（ナイガイアパレル）と今井博（オンワード樫山）、トレンド賞には新井明子（アコスファブリックハウス）と藤巻幸夫（キタムラ）。委嘱された審査委員は、筆者以外、テキスタイルとファッションの専門家ばかりなのである。メンバーの異動や賞の追加はあったものの、コンテストは二〇〇八年まで、この体制で七年間つづいてゆく。

一宮での審査の二日間は、テキスタイルの秋期集中講義を受けているようなものだった。講師は六人、それに審査会場に詰めてどんな質問にも答えてくれる実行委員会と事務局のメンバーがいた。ここで学んだことは実に多い。

紡績から織、編、染色、整理加工に至るまでの産業集積が残り、技術が伝承されている国はわが国だけになりつつあるということ。確かに、紙、竹、金属、山繭など多彩な原材料と、仕上げの完成度にはいつも驚かされた。新井が先鞭をつけ、国際競争力充分な燃えにくい布の新作として、PPS（ポリフェニレンサルファイド）とアラミド繊維による布がグランプリに選ばれた年もあった。空気中にある酸素の二倍以上の酸素なしには燃え上がらない織物とのことで、従来の難燃加工よりけた違いに高度な加工がほどこされているのだと教えられた。テキスタイル表現の多様性は、素材の選択から整理加工に至る技術を熟知することなしに生まれない。才能とは自己革新する能力のことで、個人に埋め込まれたそうした革新の機構は、企業にも、産地にも伝播する——そんな発言を聞いた記憶もある。

海外からの応募者も増えたことから、国による違いの一端にも接することとなった。金属繊維は古くて新しい素材で、欧州にあってはベルギーがメタルファブリックスのメッカだという。二年目にデザイン賞を受賞したフランス在住のベルギー人による作品を、新井はこう評した。「細いコッパーワイヤー（銅線）を緯糸《よこいと》に用いることでデザイン的効果が際立っている。緑がかった光沢は深く多彩で、この素材に長い歴史を有するベルギーと、ファッション王国フランスの美質との融合を見せている。オリジナル国の誇りこそ恐るべし」。

布の時空の余白に……

ものをつくる人のかたわらには見えない水甕《みずがめ》があるようだ。その水甕はつくり手が源流とするかずかずの形象を、時空をこえて湛えている——ジャパン・テキスタイル・コンテスト審査の最終年、三宅一生をディレクターとする「うつわ U-Tsu-Wa展」（21_21 DESIGN SIGHT、二〇〇九年）に文章を求められてこんなふうに書き出したのは、一宮での光景が目に浮かんだためだったように思う。

人類の歴史とともに古い布、そして器が、つくり手とうけ手の間で売買の対象となった歴史は浅く、様式の破壊と創造を企図するモダンデザインの時はさらに短く須臾《しゅゆ》にすぎない。コンテストという最先端を競いあう場にあって、原初の樹皮や獣皮を思わせる作品、フランスはリヨンで完成をみたジャカード織の妙により陰翳《いんえい》の美しさとゴージャスさとを獲得している布、燃えにくいメタルクロス——これらが賞のリストに並ぶのは壮観で、モダンデザインの教条を洗い流される思いがした。

「うつわ」展の出品者のひとりであるドイツ人、エルンスト・ガンペールの創作の信条は「木にしたがう」。イギリスには「布にしたがって服を裁て」との格言があるという。「布」はもともとは「斧」(父に巾)と表し、麻で織ったぬののこと。父なるテキスタイルはリネン、女王はシルク、王はウール——中国では紀元前三千年ころには、すでに絹を織っていたと記録からわかるようだ。

布、器、そして住居といった衣食住にかかわるつくり手たちは、様式という水甕を破壊しようとのくわだてなしに、その水甕、すなわち歴史の一部になることがある。それを想像力と創造力による秘儀と呼びたいのだが、新井淳一はその秘儀を体現する謎めいたひとりとして眼前にいる。

五つの顔をもつ世界的桐生人

ファッションの裏方だったひとりのテキスタイルプランナーが五十歳、一夜にして世界の檜舞台《ひのきぶたい》に立った。桐生の機屋《はたや》の三代目として生まれ、一九七〇年代末からコンピューターを駆使していた新井淳一がその人だ。ファッションのメッカ・パリに衝撃を与えた日本人デザイナーの服の生地が新井作とわかって欧米メディアが大々的に報じ、海外からの桐生詣でが常態化したのである。

ところが、新井は第一回毎日ファッション大賞特別賞の受賞を機に、織物をファッションの素材から解放するべく製造小売の店「布」を国内外で展開し、パリコレといった舞台からはしだいに遠ざかるようになる。活動の場をアートテキスタイル、新世代ウール、ステンレス織物へと移すのだ。

一九八七年に英国王室芸術協会から日本人では三人目の名誉会員（Hon. R.D.I.＝ロイヤル・デザイナーズ・フォー・インダストリー）に選ばれ、一九九二年には国際繊維学会が日本人初のデザインメダル（テキスタイルデザイナー勲章）を授与。その前後から世紀をまたいで、世界各都市での個展、企画展、ワークショップ、講演は枚挙にいとまがない。

世紀末からは韓国・中国とつながりを強め、歴史的に受けた織の恩恵に報いようとする。かつて中国人民大学客員教授、香港理工大学名誉教授をつとめ、ロンドン芸術大学名誉博士。これに二〇一一年、英国王立芸術大学（RCA）からの名誉博士号授与が加わった。

「本日ここに、現代のもっとも偉大なるテキスタイルデザイナーに栄誉ある称号を授けます。新井淳一は文字通り、未来を紡ぐ布のフューチャリストと言えるでしょう。彼はその素材と効果がもたらす限りなく未知なるものへの挑戦を繰り返し、私たちははじめて目にする神秘なるものに圧倒されるのです。これこそがまさに、彼が〝ドリーム・ウィーバー〟と呼ばれている理由です。彼はこの世のものとは思えない方法でクラフトとハイテクを繋ぎ合わせます。

彼のキラキラ輝く、反射する大きな作品は、蜘蛛の巣、風にそよぐ草原、そしてひび割れた氷を思い起こさせます」。

これは二〇一一年七月一日、アルバートホールでの名誉博士号の授与式で新井を紹介するスピーチの冒頭である。濱田庄司、三宅一生、川久保玲に次ぐ四人目で、日本人テキスタイルデザイナーとしては初だ。

「ドリーム・ウィーバー」(夢を紡ぐ人、夢織人)と形容されるこうした世界的評価は驚くに値する。使い手にすれば「布の詩人」、同業者から見れば「織物の魔術師」、アート・デザイン界にとっては「ポスト・インダストリアル・クラフトマン」——これらが新井の見え方でもある。

実際、新井は万華鏡のごとき多彩な顔をもっている。ファッションの伴走者、発明家、民族衣裳蒐集・研究家、教育・伝道者、エッセイストという五つの顔だ。六十年に及ぶ膨大な自作コレクションと民族衣裳の蒐集品、四百本に迫る新聞・雑誌連載のエッセー、国内外の媒体で書かれた多数の記事を有する新井の足跡をたどれば、アートとデザインをまたぐ世界の布の戦後が一望できそうだ。

『モダンの五つの顔』(マテイ・カリネスク著)における顔とは、モダン、アヴァンギャルド、デカダンス、キッチュ、ポストモダンである。「アルス」「アントロジー」「新井クリエーションシステム」を工房名としてきた新井は、それら五つの顔とどう関係するのだろう。あるいは関係しないのだろうか。

絹織物の代表的産地にしてギニョール(人形芝居の一種)発祥の街であるフランスのリヨンを訪れた新井は、地元の青年が「リヨンには五つの川が流れている」、と語るのを聞いた。ソーヌとローヌの二筋の川、南仏ワインの流れ、滅んでいった機屋たちの流した血の涙の河、そして五つ目がギニョールの沸きおこす笑いというエロス、すなわち生命の河なのだという。このエピソードはよほど印象深かったようで、繰り返しエッセーに記している。

桐生にも渡良瀬《わたらせ》川と桐生川という二つの川が流れている。名物は水車《みずぐるま》と河鹿《かじか》だった。西陣と並ぶ織の産地・桐生は、「殷賑《いんしん》きわめた絹の都」にふさわしい繁栄を謳歌しながら、一九七〇年代あたりから斜陽化の坂道をころがった。新井はいまもこの桐生を砦として世界各地へと旅立つ。

だがこの「世界的桐生人」は、現場を重視するがゆえにデザイナーではなくプランナーを自称してきた。

デザイナーを自称しない新井こそ、本来のデザイナーではないのか。このことを次代へのメッセージとするべく、複雑な組成と独特の風合いをもつ「新井淳一というテキスタイル」を、その作品とテキストを通して、わずかばかりでもほどいてみたいと考えている。

布にしたがって服を裁て
——エリック・ギル

第一章 ファッション・素材の時代に

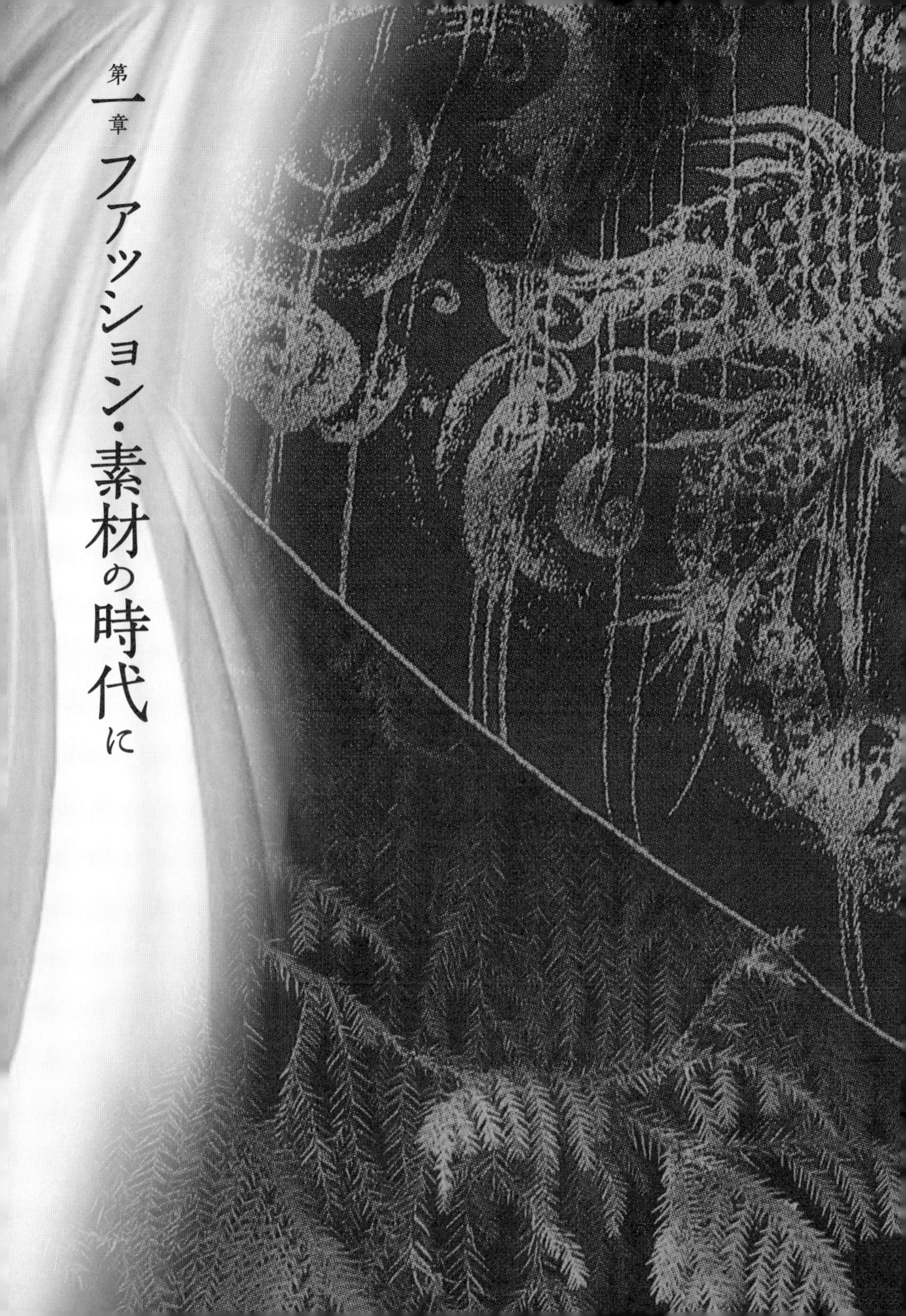

突然、嵐のごとく

海外メディアの桐生詣では一九八三年夏、米国ワシントンポスト紙のベテランファッション記者であるニナ・ハイド★1に始まった。

パリ・プレタポルテ・コレクションで話題をさらう三宅一生、川久保玲らに服の生地を提供しているのが桐生に住む新井淳一だと知るやいなや、ニナ・ハイドは大部数を誇る『ナショナル・ジオグラフィック』誌から依頼されたシルク特集の取材のあいまを縫って、一九八三年夏に桐生を訪れたのだ。ホテル・オークラの玄関に待っていたハイヤーに乗り込み、ニナが命ずる。

――「桐生へやってちょうだい」

この神話のようなエピソードを、新井のよき理解者である現代構造研究所所長の三島彰★2は折にふれて披露している。東京から北へ百キロの地にある桐生までの車の料金は三万円だったこと、新井とニナは一九三二年と同年生まれであること、彼女の桐生行きは新井の第一回毎日ファッション大賞特別賞受賞の報より早かったという事実を添えて――。

ニナ・ハイドがワシントンポストで新井に言及した記事は、一九八三年九月二十五日（日曜日）の「Fashion Notes」である。この記事には毎日デザイン賞（創設時は毎日産業デザイン賞）と新設された毎日ファッション大賞との混同があるが、新井の受賞を報じた海外の新聞としてもっとも早く、三宅一生、川久保玲、山本寛斎の名前が彼の生地を使用するデザイナーとして挙がっている。「新井は、シルクや伸縮性のある素材を複合して望むがままのテクスチャーを達成しており、彼のスカーフはアメリカ市場を席巻するだろう」。新井に言及した段落はこんなふうに結ばれている。

テキスタイルの女王であるシルク、王であるウール――ニナは『ナショナル・ジオグラフィック』

誌のためにこうした題名の二つの特集を成立させるが、一九八四年一月号のシルクの特集でも新井に言及する箇所がある。桐生は日本のリヨンであり、「革新的なテキスタイルデザイナー」の新井に、コンピューターが人間に取って代わる怖れはないかと問うと、「コンピューターは私のフレンド」との答えが返ってきて驚かされたというのがその内容だ。

パリ・プレタポルテ・コレクション、通称パリコレ用の生地開発のために日本人訪問者の絶えなかった新井のアトリエ「アントロジー」に、『ナショナル・ジオグラフィック』誌や米国屈指のテキスタイル情報会社である「ヒア・アンド・ゼア」、さらには『マリ・クレール』をはじめとする海外のモード誌やトップデザイナーが足繁く訪れるようになることは、巻末の海外関係書誌を参照することでもよくわかるだろう。

『タイム』誌が日本特集において、ファッションこそ日本が西欧的なものの模倣からいち早く脱し、独自の道を確かにして成功を収めたほとんど唯一の分野である、と書いたのは一九八三年八月号。「唯一」には異論もあろう。一九八〇年に日本が半導体の日米貿易で輸出超過に転じ、乗用車生産台数で米国を抜き、まもなくガット報告で日本はドイツを抜いて世界一の工業製品輸出国になる。アメリカの自信が揺らぎ、日本は自信過剰気味だったころのことだ。

次いで新井が登場するのは、『ニューヨーカー』(THE NEW YORKER)一九八三年十二月号、二十九ページと長大なケネディー・フレーザーによる「プロファイル　大いなる時」(PROFILES THE GREAT MOMENT)。この記事の主役は三宅一生★3、その三宅を軸としてファッション、建築、音楽といった日本文化を解明しようとする特集だ。実際、この記事の冒頭は前年十一月四日、ニューヨークのハドソン川に美術館として停留中の船「U.S.S. INTREPID」号の艦内ホールに集った二千人を前に行なわれた「ISSEY MIYAKE '83春夏コレクション」の描写で始まる。このコレクションでも新井の生地が用いられていた。

特集の中で新井が出てくるのは五八―六〇ページ。フレーザーは三宅一生と皆川魔鬼子★4とともに桐生を訪問し、その一部始終を記事化している。三宅はテキスタイルを重視し、東京で活動を始めてすぐに専任のテキスタイルデザイナーとして起用したのが皆川であった。

当日の新井の出で立ちである黒いスモック、魅力的な首飾り、肩までの長髪を、フレーザーは「詩的で理想主義的」と受け止め、そうしたスタイルを「おそらくは淡い色の着物と帯とで織物の街として栄えた地域で、現代的なクラフトを追求する人間に釣り合ってはいるだろうが、その街は今は蚕に食われた桑の葉のように蚕食されている」、と景観には容赦がない。記事では、新井が彼のアトリエで見せた生地、それを肩に掛け、言葉を発して新たな注文を出す三宅の様子がつづくのだが、フレーザーが執拗に文章にするのは桐生の街並のデザイン的混乱である。

この「陰気な小都市」にはポルノショップ、マクドナルド、森英恵のブティックが同じ通りに並び、廃車のかたわらに汚れた銀杏の木が一本立っていた――斜陽をあらわにする街であるからこそ、新井は詩的で理想主義的なスタイルをとるのだと言いたげだ。『犬と鬼――知られざる日本の肖像――』ほかでも散見されるこうした見解に反論するのは困難である。現在の桐生には栄華を誇った産業遺構や建築は残っているものの、それらが街並を支配するに至っているようには見えない。街はフレーザー訪問の時期よりきれいにはなっただろうが、シックな面影は薄い。

帰路、新桐生駅に向かう車中では、「イタリアは創造的な国であって、日本はそうではない」ことに日本人三人がしぶしぶ同意し、皆川の出身地が京都だとの話題が出された。三宅は「僕は広島出身」、「広島には文化がない」、「有名なのは牡蛎《かき》だけ」と発言してしばしの沈黙があり、「牡蛎。そして原子爆弾で有名」と言葉にした。フレーザーは駅で三組の新郎新婦を送り出す狂騒に遭遇したことも書き留めている。

翌年早々、フランスの『マリ・クレール』誌は「織物の魔術師」、次いで『ギャップ』が「布の創造者」と題する新井単独のフランス語の記事を掲載、一九八五年の『スレッズ・マガジン』(Threads Magazine)では、「新井淳一のコンピューターは八〇年代のテキスタイルを生む」との、はじめてコンピューターワークをタイトルとする記事が発表となった。

当時、新井のテキスタイルはアライア、ミュグレー、ゴルティエ、ベルサーチなど著名デザイナーが広く用いていたのだが、この時期の新井の記事に掲載される作品の多くは、三宅一生デザインの服であった。それは、「パリコレに参加するデザイナーの中で、三宅さんが一番生地の開発者を気にかけてくれた。コレクションの打ち上げパーティー、旅先からのハガキ――いつも細やか、濃やかだった」(新井)ことと関係があるだろう。三宅・皆川が新井と組んだのは一九八二年からわずか数年、コレクションにして六回ほどに過ぎないのだから、その関係の濃さには注目すべきだ。

「テキスタイル作りのイエスマンがいる。私が何か創れと言った時、絶対にNOと言わない男がいる。彼は私が言う時には常にイエスマンであるが、私の目前から消えた途端にイエスマンでなくトライマンになる」(「素材　新井淳一」、一九八四年)。これが三宅一生の語る新井であって、同じ記事で新井は「一生さんと一緒だからできた生地が沢山あります。しかし……あんなに欲ばりな人はいない」とも言っている。

ファッションはかつて一般人にとっては軽佻浮薄《けいちょうふはく》の別名だった。それが変わったのは、わが国のファッションが世界的評価を得るのと時期を同じくしていた。二十世紀末には国が「ファッションタウン構想」を打ち上げ、多くの自治体がそれに乗った。一般化したのである。ファッションとはラテン語の「ファクチオ」(行為)から出て、方法・物のあり方・話し方などの意味をもつ、その時代の民衆の感性が選択した当代の表現である——新井はこう定義して、ファッションデザイナーはその提案者、時代の前衛にいて明日を見つめる人だと考える。新井にとって三宅はそうした人物でありつづけた。

「一介の機屋」にファッション大賞特別賞

毎日ファッション大賞は、毎日新聞の創刊一一〇年を記念して一九八三年に設けられた。同社は一九五五年に毎日産業デザイン賞（一九七六年に毎日デザイン賞に名称変更）を創設し、改称の年には三宅一生に授賞していた。それに加え、わが国ファッションの国際的評価の高まりと連動するように、新聞社は第二のデザイン賞を設けたのだ。この年が、フランスからジャカード織機が伝来して一一〇年目という偶然もあった。

審査委員は委員長の鯨岡阿美子（服飾評論家）★5はじめ九人、推薦三百件ほどの中から、大賞＝川久保玲、新人賞＝菱沼良樹、企画賞＝大出一博、特別賞＝新井淳一の四名が初回の受賞者と決まった。鯨岡は川久保玲★6に対しては、「彼女のやったことは、まさに女性のクチューリエでなければできない独断的感覚の産物で、着る人間としての革命的提案」と讃え、「前衛が商業ベースにのる時代になったことを、川久保は実証したのではないだろうか」と評した。独断的感覚——との形容は注目に値する。

新井の特別賞については、「今後のファッション・ビジネスは、従来の欧米方式を追随するのはやめにして、独自の方式を開発する必要性がさし迫っている。その点からも、陽の当たらぬ場所で陰の功労者にスポットをあてることが重要になった」と総評で述べた上で、桐生産地の新井に贈ることにしたと報告した。開明的な鯨岡をして、テキスタイルはファッションの「陰の功労者」にとどまったのだ。時代であろう。

特別賞の授賞理由は「伝統織物に立脚しつつ、現代ファッションに素材面から独自かつ鮮明な問題提起を行った。心血を注いだ永年の努力と創造精神に対し、特に特別賞を設け授賞することとした」というもの。その新井は受賞の弁のすべてを桐生産地に費やし、「賞を受けたのは職人たちなのである。有難いことだ」と結んだ。この大賞のリーフレットに掲載された服二点も三宅がコレクションで発表したものだった。

鯨岡が没してのちの一九九〇年、毎日ファッション大賞に鯨岡阿美子特別賞が設けられ、その第一回目は、皆川魔鬼子ともっぱらコム デ ギャルソンに生地を提供しつづける岐阜の織物研究家・松下弘の二人に贈られている。この分野ではプリントに新境地を開いた粟辻博（一九七一年）しか受賞していなかった毎日デザイン賞で、テキスタイルデザイナーの皆川魔鬼子が一九九六年、須藤玲子が二〇〇六年の受賞者となったことからも、毎日新聞をはじめとする一般メディアにおいて、テキスタイルの地位は八〇年代以降、大きく向上したと振り返るべきだろう。

三島彰を代表とする発起人会によって開かれた新井の祝賀パーティーの模様が、「桐生タイムス」に載った。会場はアクシスビルの四階ギャラリー、参加者は約二百五十人。新井の知己である哲学者の谷川徹三、着物デザイナーの大塚末子、歌手の加藤登紀子らも駆けつけている。アクシスでの会には大きな偶然があり、この場所は新井に次なる展開、次なる試練を与えることになる。

特別賞受賞の報が届いたまさにその日その時刻、桐生の新井の目の前には、アクシスビルに出店を求めるブリヂストンの石橋寛がいた。石橋を連れてきたのは、ブリヂストンサイクル設計部長から雑誌『アクシス』編集長となる林英次、株式会社アクシスはブリヂストンの関連会社だ。翌年四月三日、アクシスビル地下にオープンして話題をさらう「布＝nuno」がその店である。

突然、嵐のごとく――こう形容するしかない新井の日々が、秋から始まった。新井の初個展は同年、虎ノ門のギャラリー玄で受賞を記念して開かれた「新井淳一織物展」だが、翌年四月「布」オープン、五月には関西日仏学館（現・京都日仏会館）で「新井淳一の布」展を、七月には小池一子が主宰する佐賀町エキジビット・スペースで「布空間・布人間」を開くのだから。

デザイナーのための「トライマン」

布の魔術とも奇跡とも形容され、ファッションに「素材の時代」を招来した新井の創造の核心とは何なのだろう。海外メディアの桐生詣でが「もっともファッショナブルな旅」と目された理由が知りたい。

特別賞の授賞理由には、「心血を注いだ永年の努力と創造精神」が挙げられ、新井はそれに対して、「世界の奇跡と言い得る生き残りの零細繊維業職人の血の流れが現代の布を作った。たまさか、僕はその旗を振った」と答えた。その「現代の布」生産について具体的には、それだけではだめだとしながら、「ツールとしてのコンピューターを操り、超自動織機を頼る」ことに言及している。テキスタイルデザイナーの仕事を図案とその染織から、糸の創造、織り編み組織と整理加工という工業的基盤をそなえてニュー・クリエーションとする。要は、柄ではなく布の構造、織の組成に傾注するというのは、一般人にも理解はできる。

三島彰は「桐生の織物工場は、見方によっては、現代のテクノロジーに対する一つのアイロニーである」とした上で、現場の光景を点描する――零細規模の工場がコンピューターールームによって装備され、レピア製の高速ジャカード織機が一台だけ手織り機を含む旧式機械と同居して機能分担している。そこから、高度なテクノロジーを駆使した「ぼろ切れ」、手づくりよりも人間の息遣いを感じさせるテクスチャーが生まれ、パリコレという舞台で世界を驚かせるのだと――。

戦後の化学繊維の時代、新井は特許・実用新案となる技術の開発を重ね、大企業と組んで繊維の輸出増大に貢献した。ウーリーナイロンの織物にアメリカから注文がついて、一年間で二〇万ヤード(一ヤード＝九一・四四センチ)売れたりしたのだという。七〇年代末には省力化のためでなく、創造のためのコンピューターの研究を開始し、天然素材の新しい組成研究に没頭。同時期から、ファッションデザイナーのオリジナル素材開発に邁進した。

三宅一生のための新井の生地がどんなものだったかは、『一生たち ISSEY MIYAKE & MIYAKE DESIGN STUDIO 1970―1985』(一九八五年)によって知ることができる。この大判の書籍は、同事務所の一九七〇―八五年の活動とスタッフ三十七人の声を収録したものだ。大正時代竣工の古い建物を職場としていた筆者の元に届けられたこの本は、なんともきらびやかで場違いに感じられたことか。ページをめくるたびに空気が振動し、周囲の資料も物音も消えたことが記憶に刻まれている。

それから四半世紀たって、作品写真五十二点のうち、服と小物を合わせて数点は自分の布を用いたものだと新井は言った。三宅のパリコレ初参加は一九七三年、二人の初対面は一九七六年とのことだが、指差された図版は八〇年代のもの。巻末の図版クレジットをたどると、「積み上げた瓦をモチーフにコンピューター織りしたストレッチ素材のコート」(一九八三年)、「フリンジが織り込まれたスカート」(一九八三年)、「ごぼう状フリンジが織り込まれたショートコート」(一九八五年)、など。天然素材オンパレード、「ぼろ」ではないが独特の存在感があって、女性たちはそれに近い生地を求めてアクシスビルの「布」に足を運ぶようになるのだった。

一九七六年度毎日デザイン賞の受賞記念ショーを「ISSEY MIYAKE IN MUSEUM――三宅一生と一枚の布」と命名するほど、三宅がテキスタイルを大事にするのはよく知られるところ。当時三宅デザイン事務所の副社長だった小室知子はその本の中で、「三宅はそれまでのデザイナーと違って、自分のテキスタイルというものを大事にしている人でしたから、ほとんど最初のころから皆川にテキスタイルのデザインを頼んでいました」とのくだりがある。小室と三宅が二人で事務所を立ち上げたのは一九七〇年。皆川魔鬼子は株式会社となった翌年の七二年に嘱託のテキスタイルディレクターとして参加して、伝統的な素材の掘り起こしと新素材の開発を手掛けた。三宅は独自の素材づくりからデザインをスタートさせたわけで、新井はデザイナーとしてでなく、プランナーとして布づくりに関わっていた。

それから両人にとって激動の時が流れ、三宅との協力関係を解消することになった出来事について、新井はこう話す。「ある時、六本木の事務所に依頼された布を持っていくと、三宅さんはモデルと一緒に上の階にいってなかなか戻ってこないの。しばらくたって下りてきて、どうデザインしても新井さんの布にしかならないから使えない。あなたは布自体で勝負すべきだ。頼まれた布のトライマンでなく、一番面白い布を作って見せてほしい――そんな風におっしゃって、それが一生さんとの仕事上の別れの発端でしたね」。その布がどんなものだったかは、「布目柄と一生氏」(『新布考』7、一九九二年)で明かされている。

西アフリカの「ケンテクロス」と称される布に刺激された新井が、一度織った強撚糸使いの風通しジャカードの布を、コピー機の上で捩り、曲げ、拡大し、それをコンピューターで読み取って修正し、再度織り上げた存在感の強い布が「布目柄」だ。このエッセーで三宅の発言は「僕はこの布で服

1

❷

❸

❹

◉**三宅一生とのコラボレーション** ❶タンブラー（回転式染色機）仕上げの交織布。経糸に綿、緯糸に羊毛を用いた（❷の生地）❷ごぼう状フリンジが織り込まれた「にんじん」コート（三宅一生、写真＝操上和美、一九八五年）❸❹新井の生地を用いた三宅一生の一九八〇年代のコレクションから。一九八三年毎日ファッション大賞特別賞授賞のリーフレットに掲載された作品❸―❹も、テキスタイルプランナー＝新井淳一、テキスタイルディレクター＝皆川魔鬼子、デザイン＝三宅一生による

は作れない。これは布だけで完成していると思う」となっている。その言葉どおり、一九八二年に誕生した「布目柄」は、新井のジャカード織のマスターピースとしてヴィクトリア・アンド・アルバート（V&A）ミュージアムのパーマネントコレクションとなっている。

　これは新井が「布」を出店する前の出来事である。新井の布を、だれもが買うことができるようになるこの出店も、内外のファッションデザイナーが同時期に使用することも、小室の言うところの三宅が「自分のテキスタイルというものを大事にしている」状態を保つことにはやや反したのかもしれない。

　記者のフレーザーは『ニューヨーカー』において、桐生での興味深い場面を取り上げている。新井の巨大な黒いデジタル腕時計が十二時十五分を告げる音を発すると、「僕はジャクソン・ポロックの色彩を散らしたいんだ」と三宅が言い、いったん部屋を出た新井が黒とグレーの布を抱え

て戻って来るのだが、その目はいたずらっぽく笑っていた。三宅はそれを眺め、取り上げ、ひやかした。だが、彼の表情は憤懣《ふんまん》で陰った。「その布こそ、コム デ ギャルソンの川久保玲に依頼されたものだったのだ」と——。単なる紹介記事など掲載しない媒体らしい描写と言えよう。

ファッションにとってのテキスタイルの重要性を知るがゆえの、三宅と新井の別れだったと思える。が、それはまだ先のことで、新井と三宅、新井と皆川は「布目柄」のエピソードののちも、テキスタイルのコンテスト、雑誌のための座談会で同席するなど、日本を代表するデザイナーとしての交流は絶やしていない。

実際、『流行色』の特集「バック・トゥ・カラー」（一九八四年六月号）のために、新井と皆川は座談会で

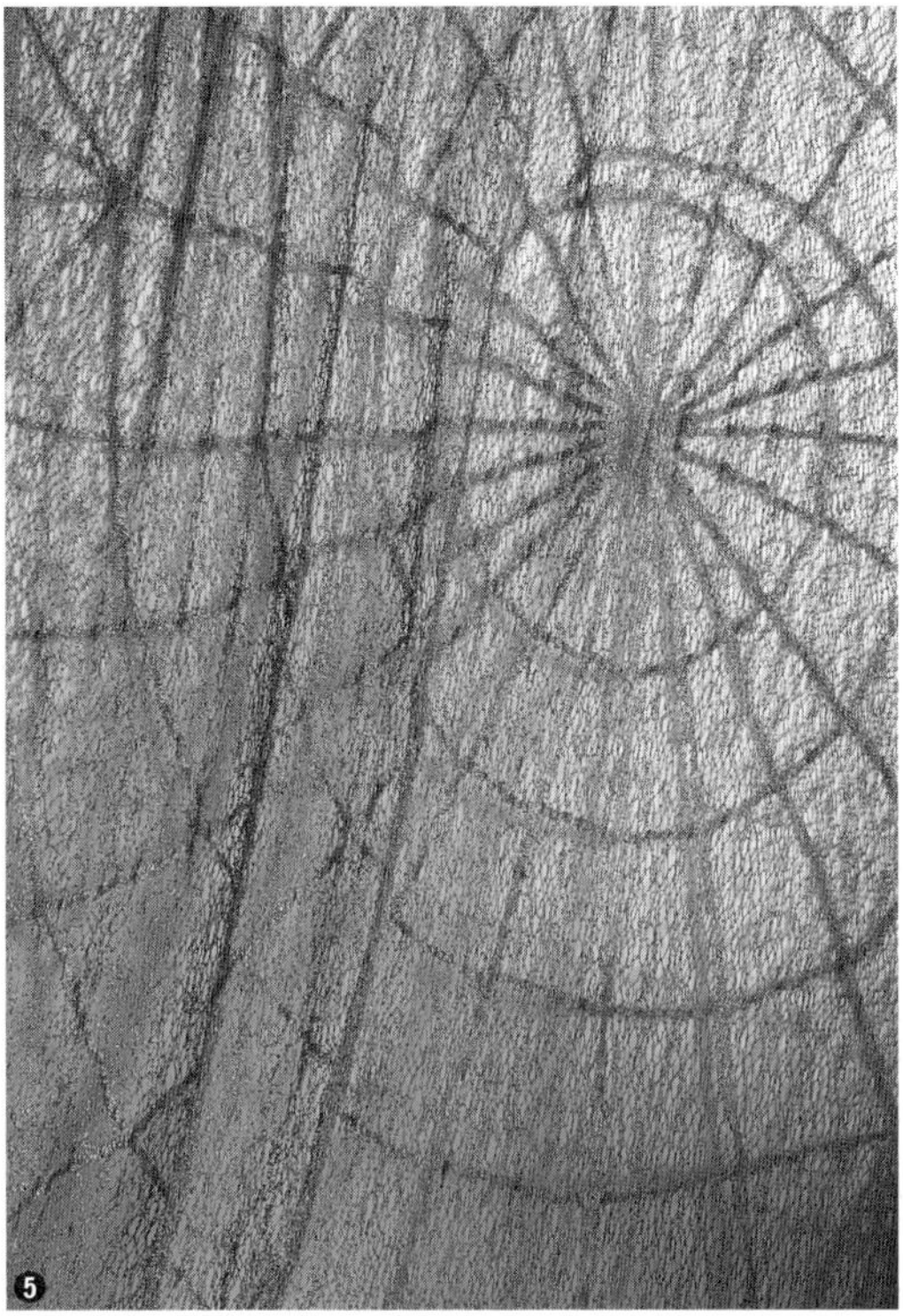

❺「蜘蛛の巣」（シルク、一九八四年）。ニットシルクの織物。新井リコの原画から、コンピューター制御によるレース編み機を使用してゴース風の織物とした

❻「Ojo de Dios／ホモ・デ・ディオス＝神の目」（アルミニウム＋ポリエステル／ポリアミド樹脂加工、一九八五年）。ポリエステル繊維にアルミを真空蒸着、次いでポリアミド樹脂で被覆して染める。これを長方形、正方形に折り、最後に斜めの折り目をつけた

同席している。新井は「テキスタイルをつくる立場」、「そのプランナーから生地を受け取り、服飾の立場に立って現実化」するのが皆川だとの紹介がリード文にあり、座談はパリコレで注目を浴びた黒という色の意味から始まった。

新井は常に織物の組成を考えているためにもっぱら白と黒で布をつくり、それを受け取った皆川が服にするべく注文を出してカラーも決めていく。構築的な新井の布づくりについて皆川は、「プリントに代わる柄の新しい行き方だと思う」と述べた。本題のカラーについて、皆川は黒に限らない「バック・トゥ・ナチュラルカラー」を唱え、新井は「布」店の白木の内装に合うのは「藍と生成り」しかなかったとの実体験を披露し、型染作家の芹沢銈介に特に言及して「大胆な色を使いながら手綱さばきが結構しっかりしている」点に敬意を表した。

記事の掲載図版は、新井の布を使用して評判を呼んだ三宅の「'84—'85秋冬コレクション」の服、そして新井による経緯強撚糸のコンピューター・ジャカード綿クレープ。皆川は「日本では、織物というか、素材という意味で、自分のものが欲しいといい出したのは、うちの三宅が最初じゃないかと思う」と小室知子と同じ見解を示し、新井の生地と服のバランス、さらに布と服の価格のバランスに苦慮することを発言に滲ませた。

「染織品の本質は、テクスチュアそのものにあると思っている。僕の場合、もともと、色と柄にはさして興味はなかった」で始まる別の文章で、新井は具体的な生産の現場について書いている(「昨日と明日のテクスチャー」、一九八三年)。たとえば、ブラウス地として、着物地を織る小幅絹織機で製織した羊毛一〇〇%の風通織ジャカード。この布は、面倒な技法と生産性の低い小幅織機によったため、五回の追加発注に対して八台で八カ月間織りつづけたにもかかわらず、織り手の手元にも渡らないほどの売れ行きだったという。

北千住駅での「よれよれコットン」

先の文章で新井は、山本寛斎（当時＝やまもと寛斎）★7のための金銀糸入り綿ウールのスカーフにも言及している。これはインドや東南アジアに見られる豪華な印金更紗《いんきんさらさ》を現代に甦らせたものなのだが、印金とは、生地の上に文様を彫った型紙をあて、漆・布などの接着剤を塗布し、その上に金箔や雲母・銀箔を置いて生地に文様を表す、というのが一般的説明である。

製法はかなり複雑だ。「金銀糸（この場合ポリエステルフィルムにアルミニウムを真空蒸着したもの）を芯糸とし、その周囲を、綿糸八〇番単糸を引き揃えてカバーリングした一見綿糸を経糸とし、緯糸にはラムウール二二番単糸を用いた。この基布にシルクスクリーンにて酸性糊を捺印し、乾燥後加熱して模様部分の綿糸を炭化除去（バーンアウト）して、芯糸であるポリエステル金銀糸を露出させ光沢模様を表現した」――ポリエステルフィルム、コットン、ウールを素材に、シルクスクリーン、バーン

❼こぎん・刺子を元に二年がかりで開発した布。コムデギャルソンが一九八三年春夏のパリコレで使用
❽山本寛斎が使用して話題となったスカーフ（一九七九年）

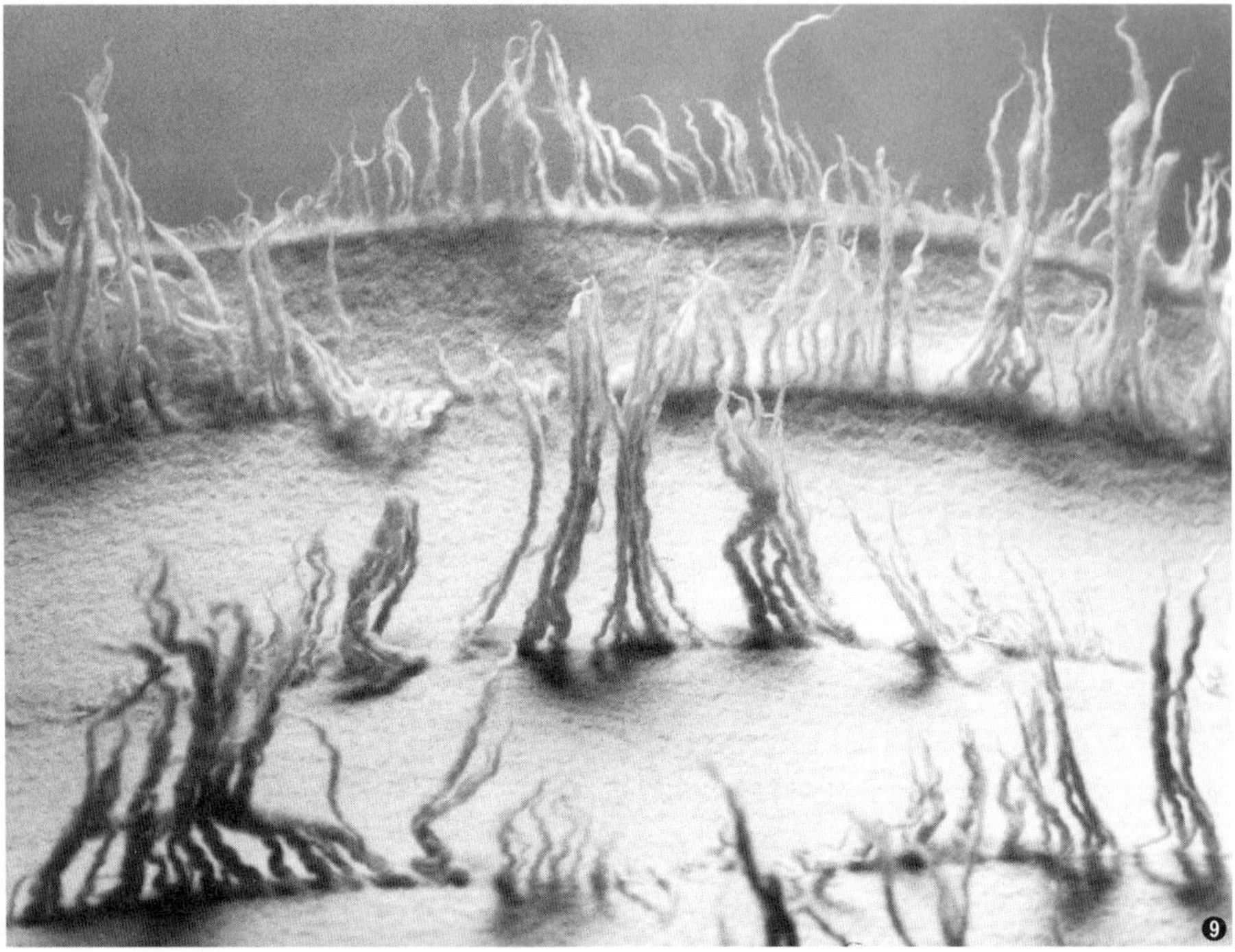

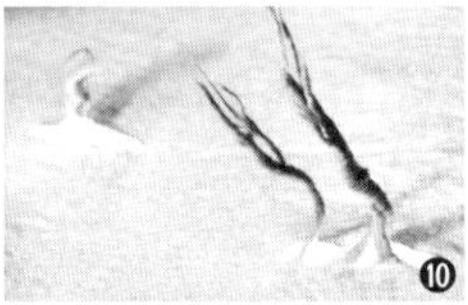

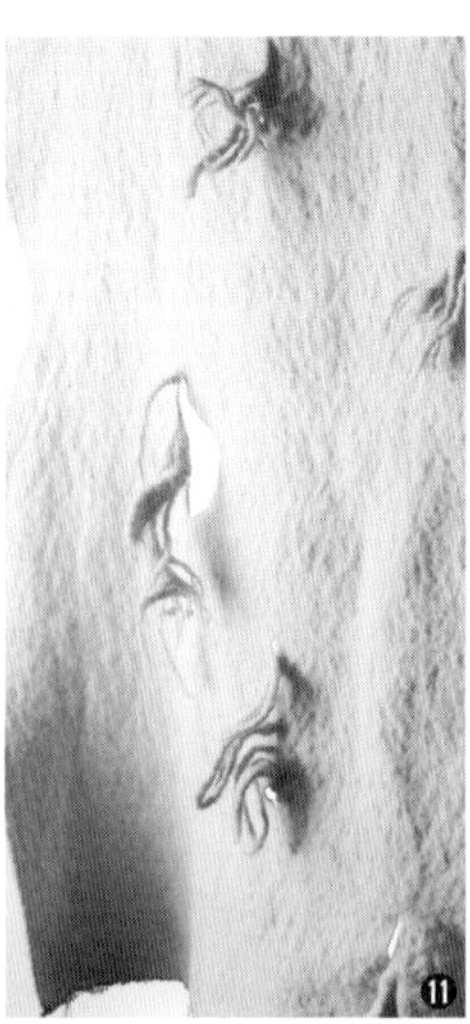

◉川久保玲とのコラボレーション

❾❿⓫コム デ ギャルソンがパリコレで使用したタンブラー仕上げのウール100％の生地。半分を浮き糸とした緯糸をカットしてタンブラーで縮絨加工すると、浮き糸同士がくっついて特異な模様が現出する（❾❿撮影＝武康平、⓫出典＝「現代の布――染と織の造形思考」展図録、十五ページ、東京国立近代美術館、二〇〇一年）

⓬ウールのラップコート（コム デ ギャルソン、一九八三年。❾―⓫の生地使用）。テキスタイルプランナー＝新井淳一、デザイン＝川久保玲（出典＝『川久保玲とコムデギャルソン』八十七ページ、ディヤン・スジック著、生駒芳子訳、マガジンハウス、一九九一年）

アウトといった技法を用いていることが理解できるにすぎないのだが、これが評判となったのは一九七九年のことだった。

川久保玲と新井の場合はどうか。「私の服作りは素材へ九〇%の力を注ぐ」という発言で知られる川久保である。コム デ ギャルソン用のオリジナル素材納品の日、待ちかねた川久保が寒さに震えながら北千住駅で新井を待つ。そこで交換されたのは、新井からは新作の「よれよれコットン」、そして川久保からのクレープの包み——新井が語ったこうした光景を、三島彰は新聞記事（「ファッション時評」、織研新聞一九八三年三月十五日）に書き留めて残した。

——「まもなく北千住、北千住で〜す」

疲れ果てて電車に乗り込んだ新井が、こんなアナウンスに揺り醒されたことは一再ではなかっただろう。一九八〇年に新井をオルガナイザーのひとりとして桐生で開催された「民族衣裳と染織展」をきっかけとして、新井に注目した川久保である。

こぎん・刺子《さしこ》・裂織《さきおり》に興味をもった川久保が依頼し、八三年春夏のパリコレで発表されて現地から好評との報が届いた生地開発について新井は書いた。コンピューター製紋の技術で現代のこぎん、現代の刺子をつくるのには二年もかかった。フランスで完成したジャカードのパンチカードの原理がコンピューターの基礎だといわれるが、コンピューターによる製紋技術は省力化やコストダウンをこえて、織物の未開発分野を拓くと。「多層・多重組織・表裏の同組織・異組織・複雑な組織の部分的あるいは全面的な組み合わせとそのグラデーション・転廻と反転など、コンピューター製紋の未来の夢に託するものの大きさについては、紙上で語る術もない」というのだ。

新井の世界的評価は、伝統と先端を併せもつ織物のゆえであるが、このこぎん・刺子・裂織の例からわかるように、コンピューターによる製紋技術を精妙に極めれば、経済性抜きにつくられた世界の民族衣裳の生地に匹敵する布が、現代に甦るのである。
「ぼろ」については、青森出身の民俗学者である田中忠三郎[★8]が収集したコレクションもよく知られる。田中が収集した古い衣料三千点の中から、岩手県の南部「菱刺し」と津軽の「こぎん刺し」を含む刺子着七百八十六点が、一括して国指定有形民俗文化財の指定を受けたのは一九八三年のこと。このころにはぼろの素晴らしさはかなり知られていた。座産による代々のお産の時に敷かれてきた「ボド」に象徴されるように、布は命をつなぐものであって、消耗品ではなかった。田中の母親は、「布を切るのは肉を切るのと同じこと」と、布を粗末にする幼い息子を叱った（田中忠三郎『物には心がある』、二〇〇九年）。

三島彰が指摘する、高度なテクノロジーを駆使した「ぼろ切れ」、手づくりよりも人間の息遣いを感じさせる現代のテクスチャーこそ、新井が先鞭をつけたものだった。

発行元を新井クリエーションシステム、編集を朝日新聞社とする展覧会図録「新井淳一　手とテクノロジー」（一九九二年）がある。そこに収録された米国のジャック・レナー・ラーセン[★9]の文章「布におけるディコンストラクション？」には、「すでに一九八〇年代、新井淳一は、マシン美学を超越するようなジャカード織物によって天才の名を知らしめていた。これらのジャカード織物は、その驚嘆すべき大きさや、表裏全く異なるパターンが再現できる四重組織の織物などと、離れ業ともいえる布たちであった」、とのくだりがある。

離れ業の例としてラーセンは、フェルト状のウール製の織物に穴をあけ、裂け目を創ったクラシックな風貌の織物も挙げている。技法に関しては、新井の秘密は糸撚りの工程にあり、通常より強い撚りをかけることで織り上がりの状態で糸が捻れ、曲がり、縮み、フェルト状になって、歪んだ立体感のあるテクスチャーが形成される、と解説した。「高速の近代的な織機で仕上げたにもかかわらず、出来上がった布は（時として重複した後加工をおこなう）手仕事の真髄に迫っている」。このことが世界的な評価の核心だった。フェルト状で穴のあいたこの織物は川久保の「シェイプレス」と評されるオーバーコートに使用されたことで有名である。

明日のテキスタイルは、織編物の産地・生産者、そして何より昨日のテクスチャーの愛好者の中から生まれると新井が信じるのは、こうした技術あってこそなのだ。「集散地問屋のビルの中で、エコーのように呼び交される情報をたよりに、産地を指導するテキスタイル・デザイナーの破綻は明らかである」。そうしたデザイナーと一線を画するために新井はプランナーを自称し、みずから糸をとって機を仕掛け、鍋で煮て染める者であろうとする。それも、手織りの作家としてでなく、工業的な織物を成立させるためのプレーヤーとして――。

コム デ ギャルソンの生地といえば、岐阜にある織物研究舎の松下弘★10の名前が挙がる。松下は繊維会社に十年余り勤めた後に独立、八〇年代中頃から生地供給先をコム デ ギャルソン一本に絞った。たとえば、一九九三年秋に川久保が発表した服の生地は、レーヨンとポリエステルを素材に一メートルあたり三〇グラムと恐ろしく軽いもの（薄い綿布でも一五〇グラム）だった。川久保はそれを重ね着としてデザインし、「これなら温度調節も楽だし、第一、服一着買うところを二着買ってもらえる」、「形を決めるのはデザイナーです。だから売れる生地を売れなくする奴には売らない」と松下を感心させた。「アヴァンギャルドがビジネスになる」ことは、松下の望むところでもある。

世界を驚かせた川久保の「黒」について松下は、三原色分解すると黄と赤の割合が心持ち多く、やや茶色がかった黒、獣毛に近い黒だと明かしている（特集「いま、職人に学ぶこと」、「日経デザイン」一九九四年一月号）。一九九七年秋、筆者はコム デ ギャルソンのパリコレ会場にいる、白髪が美しい松下弘の姿を目撃した。

一九八〇年代に日本のファッションが欧米で「ジャパン・ショック」を引き起こし、九〇年代ベルギーの「アントワープ7」にまで影響を及ぼした理由を深井晃子は三つ挙げる。一枚の布をオーガニックな"服"に造形するという考え方、平面的な服において素材が形に優先するという点、性的な対象としての女性(ファム・オヴジェ)を飾るのではない理性的な服の存在を示したこと(「made in Japan 1950—1994」図録、一九九六年)。三宅と川久保の服はそのいずれにも該当する。

ところで、松下弘の転機となった「八〇年代中頃」は、北千住駅での川久保と新井のエピソードののちで、新井の活動の変化の時期と符号する。「私はこのごろ、デザイナーの名がつくことによって価値観が変わる世界から逃げ出したい心境になって」「全国の町に直接行商して歩く布市場というのをやってみたいと計画しているんです」(三島彰『「モード・ジャポネ」を対話する』、一九八八年)というのが新井の弁なのだ。

ファッションとテキスタイルの関係が上記のようであるなら、ファッションとインテリアはどうなのだろうか。

インテリアデザイナーの倉俣史朗★11は、三宅一生のために約百のショップをデザインした。倉俣は「ミルク&ミルクボーイ」、三宅のスタッフだった菱沼良樹が独立したのちの旗艦店「ヒシヌマヨシキ」などをデザインするものの、ファッション関連では何といっても三宅のショップが代表作である。ニコルと横田良一、コム デ ギャルソンと河崎隆雄、山本耀司と内田繁という組み合わせも知られる。デザイナーブランドは特定のインテリアデザイナーと組んで一貫したブランドイメージの定着を図った。ある時期の三宅は、テキスタイルは皆川に加えて新井、ショップは新井より一歳下の倉俣に委ねた。この二人、新井と倉俣に共通するのは詩人的性向、素材と技術のあくなき探求と言えそうである。

三宅と新井の仕事上の関係が密だったころ、三宅一生、皆川魔鬼子、小池一子が連名で旅先から新井に出したハガキを見せてもらった。差出人は日本にデザインミュージアムがひとつもないことを嘆き、受取人は同じようにこの国に公的なテキスタイルミュージアムがないことを嘆くのだった。この点でも、三宅と新井の問題意識には重なるところがある。

「布」開店の波紋

六本木のアクシスビル地下での新井の店「布」オープンは、前年の第一回毎日ファッション大賞特別賞受賞よりも反響が大きかった。賞は業界内の出来事、それも大賞でなく特別賞だったのだから納得はできる。それに対し、四月三日のオープン前から、「布」に関する報道は加熱気味だった。記事掲載はファッション誌やデザイン誌にとどまらず、経済紙から企業PR誌まで多岐にわたる。

「布にも血が通っていることを忘れかけた今　生きている布に巡りあえた」、「人間の肉体や思想を包む『布』がこれからはおもしろい」、「新ライフスタイル考　ときには布に注目するのも面白い」、「情念の布を売る店『NUNO』」、「手のぬくもりのあるモノたち」、「情念を秘めた生命体、新井淳一とアートテキスタイルの新しい風」、「いい布の店見つけました」、「エース登場　新井淳一　生命ある布を大衆に売る」、「『布』は時代を織り成す」――これらが「布」にまつわる記事の一部で、生きている布というのがインパクトの源泉と受け止められたようだ。

株式会社組織の「布」のオーナーが新井淳一、新井の知人の冨所道子がパリから駆けつけてマネジメントを受け持ち、それをサポートすべく大手企業から転じて店に立つのは須藤玲子らである。店舗をデザインするにあたって、新井は専門家に任せることをしないで、リサーチのためにみずから米英へも行った。「布を作り、その布を使い手にそのまま手渡すこと、染織家の悲願であった。なけなしの予算。見世を張ることだけでも夢のまた夢で、見世の造作にかける費用など、どこから捻出する手立てもない。それが、幸い、わずかながらも、過分の好意を得て、実現できる。その貴重な商空間の見学を果たすための貧乏旅行を思い立った」(『銀花』一九八八年冬号)のだ。

半年余りで準備した五〇平米の内装は、床から天井まで粗削りの杉と桑の大木が斜めに立ち、杉と檜《ひのき》の一枚板が棚となっている。壁と天井は三〇センチ幅の手紡ぎの麻織物を現場で織り、貼っていく。ニューヨーク、ロンドン、パリのこれはという店を見る旅行の帰りの飛行機の中で決めた案は、商空間ディスプレイデザイン賞に選ばれている。

そこに息づく布の素材は綿と麻、色は白と生成りと藍。素朴に見えて織の組成と文様は多彩――クレープ状、かのこ風、レース風、ペーズリーやインカ風模様、ラメ入り、墨絵風、と個性派揃いだ。インテリア用品や服のために原反の布を切り売りするだけでなく、スカートやジャケットとしても売られ、オーダーメイドの相談にも乗る――こうした情報が繰り返し記事となった。

テキスタイルを作る人がテキスタイルそのものを世に問う場がなくなっている。ファッションデザイナーに選ばれない限り布は世に出ないし、流通機構が素材を売ることを許さない――それを打破するためのファンクショナル・テキスタイル・ショップ「布」、世界でも珍しい「パーソナル・ファブリック」(私だけの布)だ。新井は「布」を、作る人から使う人、使う人から作る人への交流の場、心が通い合う物づくりの場としたかったのだ。この発想には、アルビン・トフラーが『第三の波』で提出した「プロシューマー」(プロデューサーとコンシューマーの合成語)も契機となった。

「布」はもともとは㡀(父に巾)と表し、麻で織ったぬののこと、古代中国の『詩経』には「布を抱きて絲を貿ふ」(麻布をかかえて来て絹糸を買う)とあり、そうした行商人がいたと白川静の『常用字解』の説明にある。また、「nuno」はエスペラント語では〝今〟を意味することに新井は注目した。したがって、店の名称には、「布には生命がある。布の復権は人間の主体性の確立につながる。人間の第二の皮膚になるモノ作りを目指す」（『日経商品情報繊維版』一九八四年九月十七日）との思いが込められている。

果たして、「布」の初期のお客は個性派の大人物揃いで、対応に困るほどだったようだ。ギャラリー玄での新井の初個展以来の知己である舞踊家の武原はんをはじめとして、白洲正子、鯨岡阿美

⑬

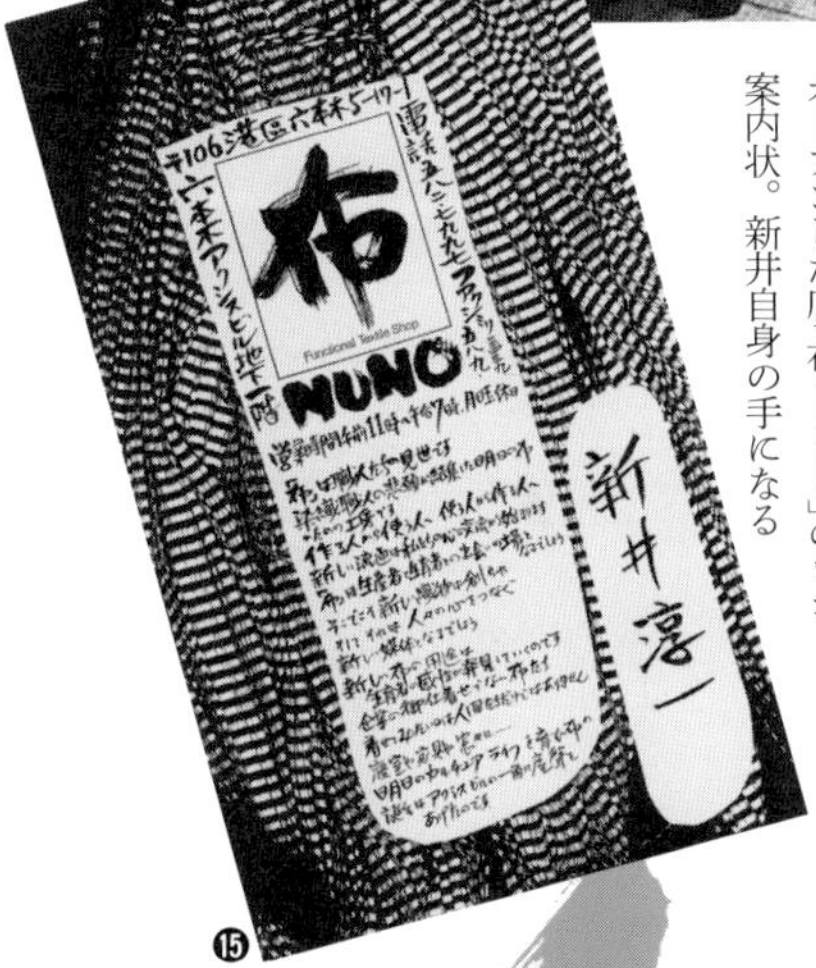

⑮

⑭

◉店「布」開店とその後の展開

⑬新井がデザインした五十平米の「布」の店内風景（出典＝『デザインの現場』一九八六年四月号、三十四ページ）

⑭⑮一九八四年に六本木アクシスビル地下でオープンした店「布＝nuno」のロゴ、案内状。新井自身の手になる

子、浜美枝、外国大使夫人、霞ヶ関の高級官僚夫人などがこの店を愛用し、英文の感想が送られてくるのにもスタッフ一同驚かされた。「布」の経営は順調で、翌年には松屋、西武百貨店、札幌でも開店にこぎつけ、計四店舗となった。

新井の会社「アントロジー」(一九七九年設立)は現在の新井の工房と同じ木造平屋にあった。ゴールデンウィークのころには、手入れの行き届いた藤棚でたわわな薄紫の花の房が遠来の訪問者を迎える。敷地には母屋、工場、そして物置に使われている別棟。母屋の入り口の引手には、いまも変わらず古いシャトル=杼《ひ》が使われている。

当時、職人六人ほどがコンピューターと超自動織機を駆使して、風合いに優れた生地を試織していた。設立四年目、デザイナーまたはメゾンごとに担当するスタッフが決まっていた。ワイズとスタジオV、三宅一生と山本寛斎と鳥井ユキ、川久保玲とBIGI(ビギ)といった分担だったことを記事で読んだ。年商は四億円規模で、新井にとって体制づくりは未完だったようだ。

「布のアンソロジスト(編集者)になりたい」というのが、フランス語の「アントロジー」(英語はアンソロジー)を工房名にした理由である。多様な業態の繊維業の集積が特徴の桐生産地にあって、それらを企画ごとに織り成すことを目標とした。アントロジー株式会社とは別に、当時の新聞報道によると「アントロジー会」なる組織もあって、新井の「編集」と一体だったことがわかる。面白いのは、新井が最初に設立した「アルス」もこの「アントロジー」も、意味とともに「あ」の音で始まる「新井」と掛け合わせて命名されたことだ。

「布」の加熱気味な報道の中で、新井が執筆した「私の織物手帖」(『カラーデザイン』、一九八四年)のテーマは興味深い。連載六回の題名は、アフリカの寝台、スートラ(たて糸)とタントラ(よこ糸)、布で織った布、織物の尺度、赤と白の布と子供たち、布の命——いずれも現代ファッションとは無縁のテー

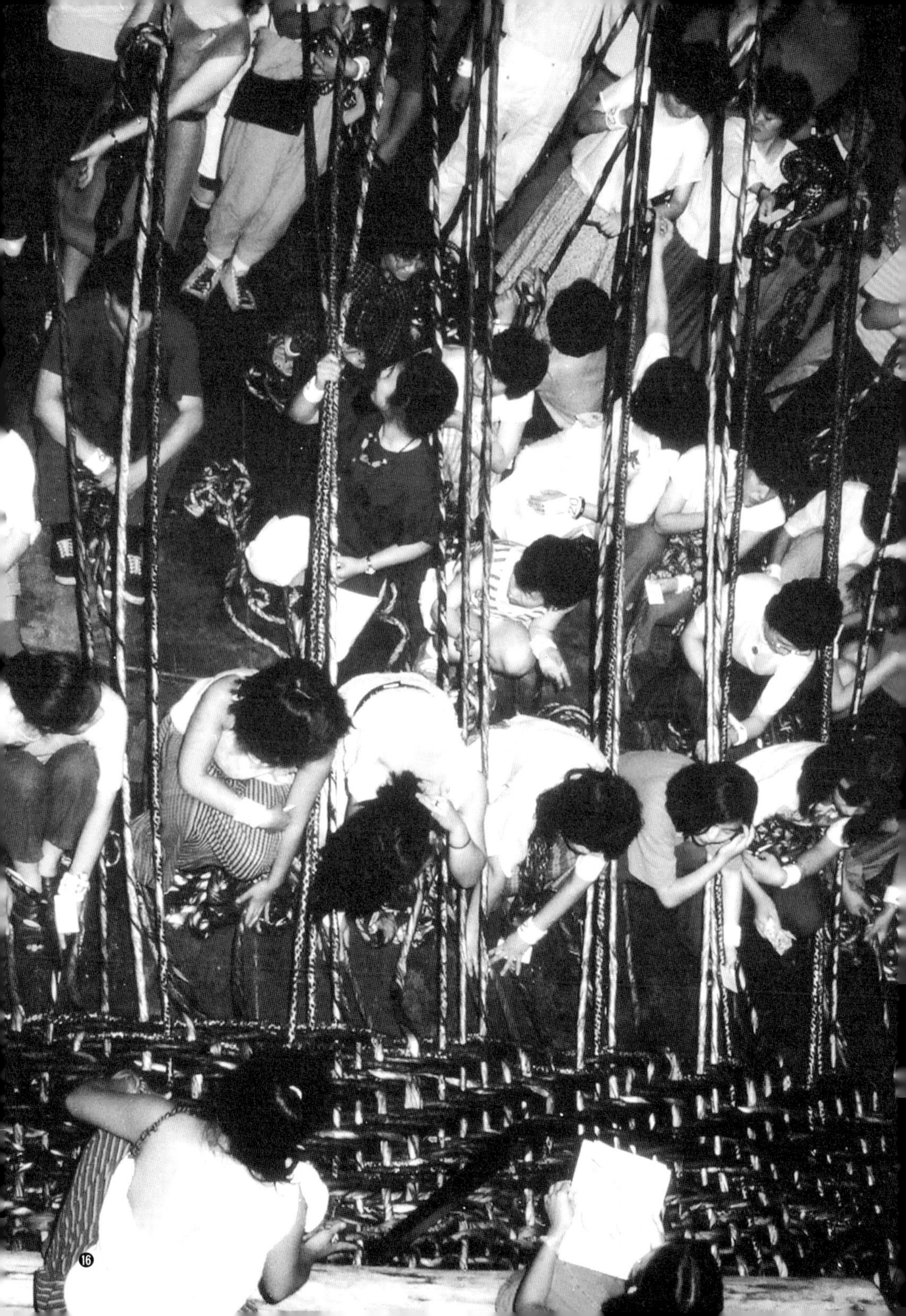
⑯

マに思えるのだが、「布」とはつながっている。
そもそも「布」の店(新井は「見世」と書く)づくりは、出店話があった直前に遭遇した「アフリカの寝台」を念頭に置いて進められた。結局、その長さ三メートルはありそうな堅木の台に逞しい脚をもつ寝台が「布」に鎮座することはなかったのだが、かつてアフリカ民芸の虜《とりこ》だった新井が、「鉄槌の衝撃」を受けた寝台なのだ。

古代インドの土俗思想「タントラ」の語源は織物の緯糸、経糸は「スートラ」であって、スートラとタントラの交錯によって織られていく布の生成を通じて宇宙の真理を把握するとの古代の発想に、新井はいたく共感する。佐賀町エキジビット・スペースでの「布空間・布人間」展の期間中、やって来た人々を布づくりに参加させることを発想したのは、それを現代のタントリズムの一象徴とするためだったのだ。四十八人が八列縦隊をなし、二時間ほどで三メートルの「布で織る布」ができあがる展覧会場での作業風景が連載三回目に載っていて、人力織機の迫力を実感できる。この回には、英国の織師であるピーター・コリンウッドが同じ年に桐生を訪問し、「テキスタイル作家の仕事は、数学者に似ている」と発言して愉快な思いをしたエピソードが盛り込まれている。タントラと人力織機と数学が、新井の中ではつながるのである。

連載四回目は、「プラハの春」が圧殺された翌一九六九年に訪れた同地、そこから回ったリヨンで見た古くからの機屋のことを導入として、奉公人でも徒弟でもない、美術学生の生み出すテキスタ

⑰

⑯「布」オープンの年、佐賀町エキジビットスペースでの個展「布空間・布人間」で新井が企画した「布で織る布」。四十八人で二時間かけて三メートル織り上げた

⑰全国各地で一九八五年から開かれた「新井淳一の布」展、「布市場」のリーフレットの一例

イルに、新たな「スケール」の誕生を予感する一文である。

一九八〇年から二十年近く、新井は新聞・雑誌に四百本近いエッセーを執筆・連載する。単発の文章も多く、エッセイストとしての面目躍如なのだが、その文章は「誕生の繦《むつき》から死出の装束まで」を担うテキスタイルにふさわしく、人間の根源に降り、太古から現代までの長い時にふれるものだ。「私の織物手帖」はそうした執筆の先駆けと言える。

同じころに発表された「現代の布の文体」（『デザインの現場』一九八六年四月号特集）には、「テキスト（文章法）は、現代のフォルム（文体）を要求している。文体は魂の所産でなければなるまい。現代の布の形式は、時にはピンセットでつまみあげる細心さと、プリミティヴな布たちのもつ大胆不敵さとを両立させねばならない」とある。ヴァレリーの『文学論』、ロラン・バルトの『テクストの快楽』の反映がありそうだ。プランナーとアンソロジスト、テキストとフォルム――こうしたテーマは六章であらためて扱うことになるだろう。

⓲「布」が話題となり多数の媒体が記事にした。季刊『銀花』は一九八五年秋号で特集『布潮流　伝統から未来へ桐生・新井淳一の世界』を掲載（表4構成＝杉浦康平）

ところで、朝鮮戦争やベトナム戦争などで反米感情のあった新井が、はじめてニューヨークの地を踏んだのは一九八二年。再訪は八五年、ロード・アイランド・スクール・オブ・デザイン（RISD）の美術館で開催された「八〇年代のファブリック」（FABRIC FOR THE 80's）に、プリント地で新境地を開いた栗辻博と一緒にパネリストおよび出品者として招待されてのことだ。

RISDの帰路、当時まだデザイン学生だった真木千秋の誘い、そして三宅一生から勧められたニューヨーク近代美術館（MoMA）で開催中の「二十世紀美術におけるプリミティヴィズム」展を見るためにニューヨークに回った。三宅は「なんとしても新井さんにプリミティヴィズム展を見てもらわないと、我々の服はつくれない」と言い、新井は「それなら一生さん、あなたはインドに行ってくれ」と返す一幕があったのだという。

大規模なプリミティヴィズム展としてはこの展覧会が世界初だが、下地はあった。「アメリカ人類学の父」と呼ばれるフランツ・ボアズ（一八五八―一九四二年）が『プリミティヴアート』を上梓したのは一九二七年、二〇一一年にはこの大著の翻訳本が木村敬一訳で言叢社から発刊された。渡辺公三はその書評「アートの最も原初的で普遍的な源泉としての声と身体にたちもどる」（図書新聞三〇二八号）において、「プリミティヴ」とは「常に真新しい経験としてのアートという主題の輪郭を確定するための形容詞であろう」としている。

評判の高かった展覧会最終日の一月十五日、新井がウォークマンでブライアン・イーノの曲を聞きながら、感動に震えて会場を巡っていると、何だかよく声を掛けられた。自分の生地を洋服に仕立てて着ていたのが興味を惹いたようで、声を掛けてきたジャーナリストやコラムニストらとは知り合いになった。彼らは新井を知らなくとも、新井の布はすでに見知っていたのだ。

さらに、五番街のマジソンスクエアを歩いていると、「タンバラン」というエスニックアートで米国屈指のギャラリーの女性オーナーから、強引にそのショップに〝拉致〟される事態となった。興味を持たれた理由は同じく着ていた服、そしてアフリカの首飾り。オーナーは仮面好きの新井に、新井の布と仮面とを交換しようともちかけた。それで手に入れた一つが、人間の頭蓋骨をビーズにしたチベットの装身具だ。チベットでは高僧が亡くなると鳥葬にして、残った頭蓋骨を一〇八個に分けてビーズにする風習があり、その店ではビーズが二層、その二層の間に金、銀、エメラルドが埋め込んであった。その後、オーストラリア出身のタンバランの女性オーナーとは、葬儀のための帰郷の折に日本に立ち寄り、二日間を桐生ですごすという関係が築かれた。

タンバランのエピソードののち、新井はメトロポリタン美術館ではマリアノ・フォルチュニイ（一八七一―一九四一年）★12のプリーツに刺激を受けた。すでに新井が確立していたメルトオフ技法による絞り模様をほどこしたプリーツのスカーフは、三宅一生に提案して商品化され大いに話題となっていた。

エピソード満載の新井の八五年のニューヨーク行きは、布が先で、生身の新井は後という順番だったのだ。同じこの年、新井の作品が米国ＦＩＴ（Fashion Insitute of Technology）資料室に所蔵された。

「ヌーノ」と英国王室芸術協会名誉会員

六本木のアクシスビル地下に現在も「布」はある。だが、新井は経営にかかわってはいない。オープンからわずか三年後の一九八七年、アントロジーが倒産し、別会社である「布」の経営権は人手に渡った。ニューヨークほかでも出店され、「布＝nuno」を世界語としたい新井の願いを解して、当地の関係者が「ヌーノ、ヌーノ」と呼び交した店でもあるにもかかわらず――。

その苦いドラマについて新井は多くを語らない。「自分の創作に専念するため」というのが巷間言われた撤退の理由だが、「布」が新井の思想から生まれた切実さを知るならば、そう簡単な事態だとは思えない。ともあれ、「三島先生の意を汲んで下さった横江昭氏らの手で『布』は救われ、私は私で新しい道を辿ることとなり」（「ロビー」、一九九七年）とは、新井が十年後に明かした事実の一面であった。

倒産と撤退は当然、密接に関係している。アントロジー株式会社とは別に桐生の小規模織物業者を組織したアントロジー会が「布」に製品を供給していたため、倒産は新井個人の蹉跌《さてつ》にとどまらなかった。産地での連鎖倒産は防げたものの、新井は自己破産ではなく倒産を選択したために今日に至るまで長く負債を返済しつづけることになる。「布」の出現はプラスの波紋を巻き起こし、「布」での蹉跌は新井の経営感覚に帰される以上の深い打撃を、本人と家族に与えた。

奇しくも同じ一九八七年、英国王室芸術協会から名誉会員に推挙され、Hon. R.D.I.（オノラリー・ロイヤル・デザイナーズ・フォー・インダストリー）の称号を授与されるという出来事が、新井に起こった。称号授与は、ヴィクトリア＆アルバート・ミュージアムに作品が収蔵されて「世界の古典」になることを意味する。一八五一年、世界初の万国博覧会であるロンドン万博を契機に設立された由緒あるミュージアムだ。

この表彰制度は一九三六年に創設され、八七年時点で正会員七三人（英国人）、名誉会員三十人（非英国人）。日本人の名誉会員はグラフィックデザイナーの河野鷹思、福田繁雄に次いで三人目、テキスタイルデザイナーとしてもスウェーデンのアストリッド・サンペ（一九四九年授与）、米国のジャック・レナー・ラーセン（一九八三年授与）、という大物に次いで三人目だったようだ。

フランスに生まれ米国で活躍したレイモンド・ローウィ★[13]の死去で名誉会員の席が空いたための表彰とのことで、第一推薦者は英国ファイバーアートの元老と言うべきマリアンヌ・ストラウブ女史★[14]、第二推薦者が名誉会員のラーセンという顔ぶれである。

新井にとっては、デザイナーの秋岡芳夫★[15]が説くローウィのアメリカ式デザインの「終わり」に学んですぐのことだったから、何やら因縁めく。鳩とオリーブの葉を配したタバコ「ピース」（一九五二年）のデザインでわが国でもよく知られたデザイナーは晩年スペースシャトルのインテリアに関わり、一九八六年の「チャレンジャー」爆発を見ることなくその直前に長寿を全うしていた。ローウィが「タンバラン」の上客だったことも何かの縁だろう。

英国内外のファイバーアーティストの推薦による表彰であることから、新井の作品がファッションの素材をこえる評価を得たことがわかる。また非英国人三十人に新井が加わることでテキスタイル作家は三人を数え、英国では織物作家が「陰の立役者」などとみなされていないことは明白である。その英国には「布にしたがって服を裁て」との格言が生きていた。

「芸術的創造が経営破たんでしかないとすれば、工業デザイナーとはいいかねる。もはや新井君が、明日の産地クリエーションの象徴になってしまっているとすれば、彼は芸術的創造とともにそのようなテキスタイルビジネスが採算に乗るという、経営的創造もなし遂げてみせなければならない責任を負っているといわなければならないだろう」（「服飾時評　日本産地の名誉」、繊研新聞一九八七年十二月二十九日）。三島彰はこの時評で、英国王室芸術協会からの表彰を、明示はしないもののアン

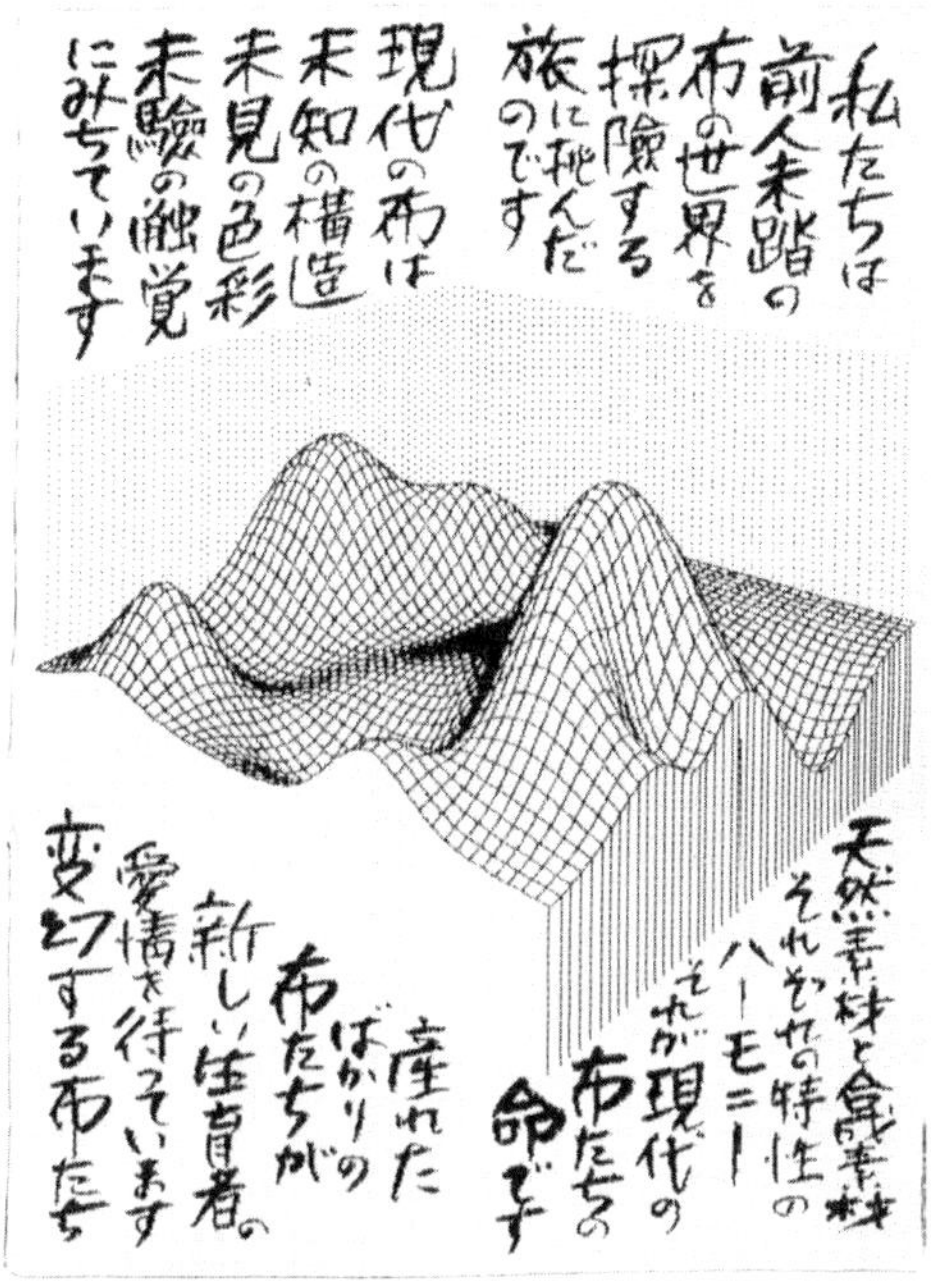

⑲「布・パラダイム」展案内ハガキ（アクシスギャラリー、一九八六年）。
使用原糸はポリエステル、ナイロン、アクリル、天然素材との混織などさまざまで、このハガキは四重織

トロジー倒産に重ねて書いている。

ハイテク繊維は、いかに小ロットに絞っても少なからぬ在庫を背負うことによって、経済的圧迫を受けることになりかねない。服の上代価格のうち布は一割ほどを占めるにすぎない。それらを熟知した上で三島は、「彼の芸術的経営的努力に協力し、バックアップすることは、業界の任務だ」と、新井本人と業界とを叱咤《しった》激励するのだ。

渋谷西武の先端的ショップ「カプセル」のディレクションを担当して成功させた経歴をもつ三島にすれば、何とかできないものかと思うところがあっただろう。あるいは、新井の周りに経営的創造を担う人材がいないことを嘆いたかもしれない。三島彰は東京大学でドイツ法学を学び、卒業後、毎日新聞社で『エコノミスト』誌の編集を仕事とした。西武百貨店に転じ、ファッション事業部長として現場を率いたのち、評論家として現代構造研究所を主宰している。三島を西武百貨店に引き抜いたのは社長の堤清二★16、その堤は経営者であると同時に詩人・小説家であって、インダストリーとアートを重ねる機微について、三島は充分に体感していたのだろう。

古い体質を残す繊維の世界にあって、新井に与えられた称号「デザイナーズ・フォー・インダストリー」そのままを望んだ三島が「新井淳一の布　手とテクノロジー」展(一九九二年)の図録に寄せた文章の題名は、「人間愛豊かなテクノロジスト」。新井の作品展にも接していたようで、「ハイテクを芸術のために飼いならす試みも、多忙な彼の密やかな楽しみになってきているようだ」と、アートテキスタイルにも目配りを怠っていない。

三宅一生、三島彰、ジャック・ラーセン――新井のファッションのための生地づくりをこの時期、具体的に、そして精神的に支えた代表者はまずはこの三人と言えそうである。三島が毎日ファッション大賞鯨岡阿美子特別賞を受賞した一九九四年、新井はエッセー「緑のバラ」を書いて祝すのだった。

アントロジー倒産と英国王室芸術協会からの称号授与については、むしろ海外メディアで大きく報じられた。たとえば、ピーター・ポファムは来日しての取材に基づき同年「布の男」(「MAN OF THE CLOTH」、『BLUEPRINT』)を、その翌年には「予言の声」(「THE TRUMPET OF A PROPHECY」、『THE MAGAZINE』)を発表した。「Anthology is dead」(アントロジーは死んだ)、「Nuno is still very much in business」(「布」は盛況である)なる文が両方の記事にあり、「Hon. R.D.I. の称号を授与された「天才」、「現代のファッションを生む最も創造的なデザイナーにしてプロデューサー」は未来に向かって奮起している、との力強い内容だ。ファッションデザイナーへの生地の提供は三宅一生、森英恵、コシノヒロコ、君島一郎、前田修に絞り(この記述は事実とは異なる)、新井は今後スタッフの起用先を桐生産地に限らないだろうとの内容も記されている。ともあれ、アントロジーは消滅したが、アントロジスト新井と「布」は健在というわけである。

しかしその後、「布」のファウンダー(創業者)として別人が記された英文記事が出た。また、ある英文雑誌の表紙に掲載された新井の作品のクレジットが、デザイナー名は「Junichi Arai」であるものの、著作権表示は「Nuno Corporation」となっていた。「布」は会社として新井のデザインを自由に使えるが、新井は「布」の許諾なくして自己のデザインを実施できない可能性もある。新井が「布」を離れたのちに発刊された『ヌノヌノブックス』シリーズの掲載作や解説にはこうした事情が反映しているのかもしれない。これらも、アントロジー倒産の余波なのだろう。

天才、錬金術師、魔術師、幻視者、創造者といった海外メディアにおける新井の形容に、新たに「ドリーム・ウィーバー」(夢を紡ぐ人、夢織人)が加わるのは一九九〇年代に入ってからのこととなる。

よしや我が事成らずとも企てしだに誉れなる

——ラ・フォンテーヌ

第二章 テクノロジストの思考回路

アートテキスタイル

個展を開くデザイナーと開かないデザイナーとがいる。新井淳一は毎日ファッション大賞特別賞受賞までは「開かないデザイナー」で、それ以降は「開くデザイナー」へと変貌した。プロフェッショナルとして仕事を進めることと、請われてであれ望んでのことであれ展覧会を開催することは次元を異にする。

一九八三年、ギャラリー玄で開催された受賞記念の「新井淳一織物展」がはじめての個展であり、RISD（ロード・アイランド・スクール・オブ・デザイン）ミュージアムにおける一九八五年の「八〇年代のファブリック」が、海外でパネリストかつ出品者として参加した最初である。その後の英国王室芸術協会からの表彰のあたりから、海外での企画展参加や個展開催の誘いが引きも切らず、年に数度の展覧会開催が常態化している。

「はじめに言葉（テキスト）ありき」を信条とする新井だけに、思い入れの強い個展や二人展等のタイトルを連ねると、主催者が作家に期待するものをこえて、新井自身の思索の跡をたどることができそうだ。

「布空間・布人間」（東京）、「布・パラダイム」（東京）、「繊維新展」（福井）、「手とテクノロジー」（東京）、「Pushing the Limit」（ニューヨーク）、「Textile Magicians」（ボローズ、スウェーデン）、「光と風と」（足利）、「想像の布」（奈良）、「ミュータント―突然変異」（桐生）、「シルクよりスチール」（北京）、「REFRECTION」（照射、コロンバス）、「透明と反射」（高崎）、「進化する布」（高崎）、「布ものがたり」（名古屋）、「Innovative Cloths」（香港）――これらは一九八四年から二〇〇九年の間に開催された。

布の構造に興味が集中して、仕事の場では色や柄を他のデザイナーに委ねることの多いプランナーの新井ではあるが、展覧会では新技法はもちろん、色や柄もデザインし、空間構成も案出することになるため、プランナーかつデザイナーとしての力量が試される。またテキスタイルの歴史に照らして敬意を表すべき都市は世界中にあり、開催地は展覧会の企画に大いに影響する。

一九八四年五月、関西日仏学館（現・京都日仏会館）稲畑ホールでの「新井淳一の布」展は、そうした初期の例の一つだ。京都展の推薦文として三島彰がしたためた一文があり、新井はその手書き文をハガキに刷って案内状とした。

そこには、「彼の制作半径はたちまち世界へ拡がり、東京、パリ、ニューヨークなどの各地へその名を知られつつある。しかし新井は落ち着かない。この間の思わざる一連の波紋は京に彼の結実を披露することなしには、とりあえずの決着をつけられないように思いこんでいるかのようである」と書かれている。そうした思い込みには理由があった。

> 桐生は京文化伝播の東辺にあり、京への憧憬が赤城山麓にこの機業地を生み、京人の東征がこの機業地を育てた。東へ向かって吹く季節風に乗って、京文化の胞子は関東平野の火山灰地に落ち、こうして咲いた一輪の花は、いま春告げる東風《こち》に乗って京への里帰りを果たさなければならない。それが歴史の作法というものだ。

京都展に対する新井本人の意気込みを代弁する、三島一流の表現ではなかろうか。「西の西陣、東の桐生」。そう呼ばれた歴史は、桐生の機屋の三代目に生まれた新井にとって過去のものではないのである。

「いきなり他産地の話しで恐縮だが、桐生にアントロジーという織物メーカーがあって」、と始まるコラム「昭和の新しい織物の創造を」(「西陣織たより」一九八五年三月一日)は、「新しく若いマーケットの関心をとらえるような織物の開発はどうあるべきなのか、ここは虚心に桐生の一メーカーの歩みを注目する必要がありそうだ」と結んである。新井の京都展に対する意気込みが伝わったかどうか、にわかには判断できない書きぶりである。

実現した展覧会が本人にもたらすものも、もちろん大きい。シーラ・ヒックス[★1]との二人展「テキスタイル・マジシャンズ」(一九九四年)で訪れたスウェーデンのボローズ市の市章は二つのハサミ、会場の正式名称は「スウェディッシュ・ミューゼアム・オブ・テキスタイル・ヒストリー」。人口十三万人の同市は織物業が盛んで、一八六六年に織物学校として創設されたボローズ大学はテキスタイル学部を有する。

「芸術(アート)と職能(アルス)の語源が同じであることを現代に同化させる以外、未来のテキスタイルは無い」(「縦横無尽」3、一九九四年)との同地での覚悟は、新井の最初の会社名が「アルス」であるだけに重みがある。ウィリアム・モリス[★2]の住居「レッドハウス」のマントルピースに刻まれているのもラテン語の「アルス」なのだ。

「ARS LONGA VITAS BREVIS」。ギリシャ語によるヒポクラテスの格言のラテン語訳だが、中学でこの一文を習った新井はそれを「アルス　ロンガ　ウイータ　ブレウイス」とラテン語で覚えていた。「学芸は長し、生涯は短し。時機は速し、経験は危うし。判断は難し——」の冒頭だという。

新井の世界的評価は「ファッション・素材の時代」の立役者として確立されたものだが、ファッション界と距離を置いたのちは展覧会で発表される「アートテキスタイル」に基づいている。「日常性を取りこみつつ非常な表現、非常な風合を求めること」を布がアートたり得る条件とした(「天衣無縫」100)新井である。

その新井の関心は布の構造にあるため、どちらの評価もテクノロジスト（発明家）としての研究開発に裏付けられていることに疑う余地はないだろう。「手こそは人間の第二の脳」、「機械は人間という生物の自然の一部」（西垣通）と信じるがゆえの活動なのだ。なお、著書『デジタル・ナルシス』で一般にも知られる情報学者の西垣通は新井の創作を高く評価して自著を献本している。この章では、テクノロジスト、ひいては発明家としての新井淳一の思考回路、その思考によって成し遂げたことを追いたい。

金銀糸織物で輸出に貢献

「テキスタイル作家の仕事は、数学者に似ている」。高校時代、代数は苦手でも幾何がめっぽう得意だった新井は、敬愛するテキスタイル作家、ピーター・コリンウッド★3のこの言葉に納得するところ大で固い握手を交わした、と書いたことがある。幾何の問題を解くスリルの延長線上に、自分の織物づくりがあったというのだ。

県立桐生高校を卒業した新井は、家業である帯地生産の現場、さらには叔父や叔母の工場で職人たちに一から学び、それまでの帯地、金襴、御召の枠をこえた創作に励んだ。十代で出会ったのが、桐生に講演にやってきた着物デザイナーで大塚学院創設者の大塚末子★4だ。大塚は洋裁ブームの最中の一九五〇年代、茶羽織、二部式着物などを考案し、化学繊維や広幅ウールを着物に取り入れる先進性があった。

地元の織物団体の青年部副部長になってからは、みずから大塚を桐生に呼んだ。大塚テキスタイルデザイン専門学校講師を一九七九年から二〇〇〇年までつとめたのは、東レの推薦もあり、「普段着を忘れちゃいけないよ」が口癖だった大塚末子を敬愛するからだったのだ。

なるほど、と思うところがある。先覚者である杉野芳子★5、田中千代★6は服飾のデザイン、教育、衣裳蒐集で先鞭をつけたが、テキスタイル専門の教育機関を立ち上げたのは大塚末子(一九〇二―一九九八年)だけだ。大塚の著書『もんぺ讃歌』には三宅一生との対談も収録され、三宅が彼女に敬意を抱いていることは周知だから、大塚―新井―三宅と線が引ける。

一九五〇年代、織物のジャンルには帯地と着物地と広幅の三つがあった。細幅の帯地や着物地に強い西陣などに比べ、桐生は明治時代から絹織物を輸出していたことから広幅が主流だったが、新井自身は新作競技会等に帯地をはじめ御召、広幅を出品して入賞をつづけることになった。ただ、二十歳の時に最年少で高島屋百選会に入選するものの、名義は問屋であって新井ではなかった。

新井のその後は、自筆年譜に「一九五五―六五年には金銀糸を主として、織物ならびに加工法に関して特許権、実用新案権の取得三十六件を数える。絹・綿・ウールなどの天然繊維を中心とする素材制作を手掛けるかたわら、プラスチックフィルムに金属を真空蒸着する金銀糸織物の開発に励み、多くの新技法を開発して輸出拡大に貢献する」と記されている。

工業所有権(現在では「産業財産権」が一般的)の対象は、真空蒸着法によって一変した金銀糸織物の製法・加工などである。それまで帯地をつくる際には、和紙に金・銀を箔打ちしてプレスした「平箔」を包丁でスリット(切り込み)して糸にしていた。先鞭をつけたのは英国の製品「マイラー」、わが国の真空蒸着法は一九五五年に京都市工芸指導所で初公開された。京都が本社の尾池工業が自社工場で国産の連続真空蒸着機を設置したのは一九五六年、西村製作所が高性能のマイクロスリッターを完成したのも同年。それらの機械によって紙ではなくフィルムに主としてアルミを真空蒸着できるようになり、それをマイクロレベルでスリットして糸として使うことで、硬かった広幅織物がずいぶんと柔らかくなったという。新井が開発して権利を取得したのは、こうした新たな織物に関する製法と加工だったのである。

ただし、工業所有権は新井個人のものは少なく、尾池工業、日本最大の合成繊維メーカーである東レ、ポリエステル繊維のトップメーカー・帝人といった企業との共同出願が多かった。個人で出願して権利化するには経費がかさみ、商品化された場合のクレームに対応し切れないからだ。

着物に欠かせない金箔・銀箔をほどこしたスリットヤーンの歴史は古く、日本の職人たちはその加工の洗練に尽くしてきた。基材が紙からセロファン、ポリエステルやナイロンといったプラスチックフィルムに変わり、アルミ、チタン、クローム、純金、プラチナなど種々の金属を真空蒸着できるようになるのだが、新井は五〇年代に始めた金・銀のスリットヤーンを独自に展開し、産業用として、さらには作品表現の一つとして手放さない。

次いで一九六〇年、第一回化学繊維グランドフェアで通商産業大臣賞を受賞したのは一九六一年度春夏物用として開発した「ビーズ織」である。金銀糸がビーズのように見える織であって、ガラス製のビーズを使ったわけではない。この時にも個人の受賞は恥ずかしいと言った問屋がいるほど、テキスタイルデザイナーの地位はないに等しかった。なお、受賞年を一九六一年とする資料もあるが、新井家で今も使われている副賞の掛け鏡には「一九六〇年」と主催者の裏書があるので、こちらが正しい。

五〇年代の新井は、京都から群馬に移り住んでいた佐々木元吉《もときち》、彼の仲間の野口勇三のもとに通って染織について学んだ。二人が当時やっていたのは「オパール加工」など。これは酸化剤を用いて捺染し、形のついた部分の糸を溶かして、生地の表面に透けた模様を出すもので、佐々木と野口のやり方は違っていた。ある時、元吉オパールのやり方だと、蒸着されたアルミがアルカリに溶け

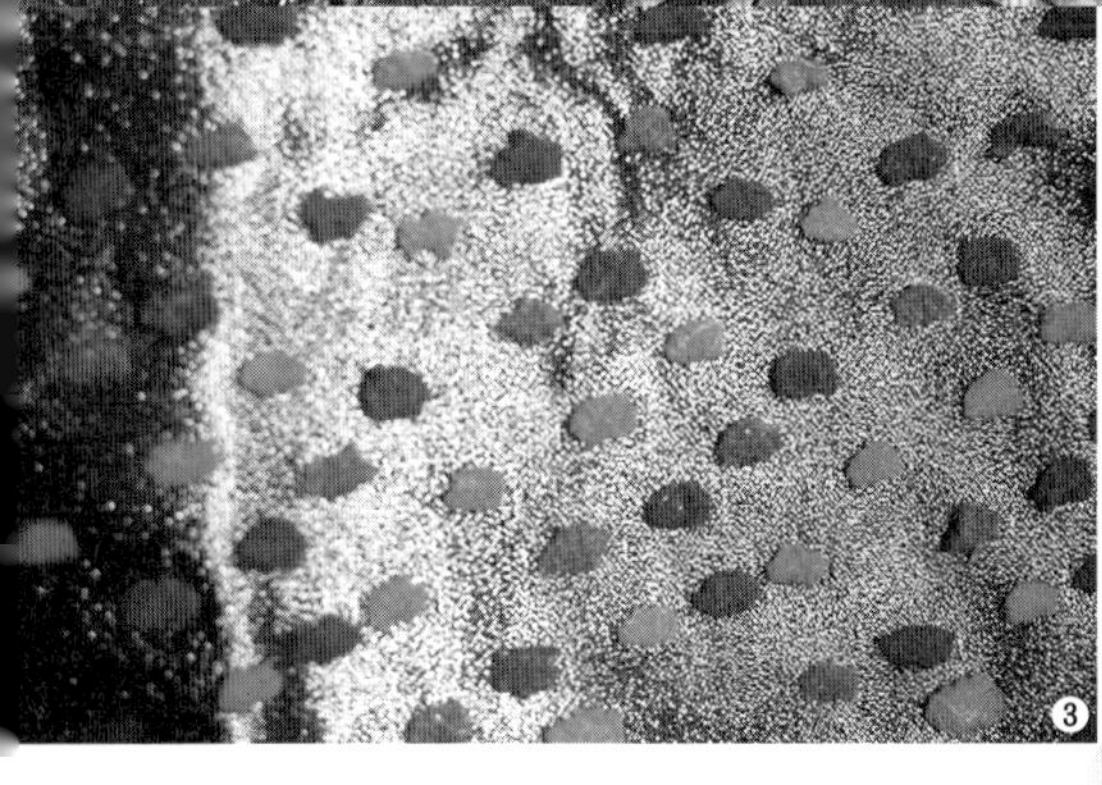

❶福井県の丸岡で製造され
ロングセラーとなったレーヨン製の
ゆかた用「ぼかしの帯」
（一九五〇年代後半に開発して実用新案権取得）
❷アメリカ市場でのヒット商品、
ウーリーナイロン製の「パピリオ」
（一九五八年特許出願）。浮き糸の
赤い小花が基布から立ち上がる
❸六〇―七〇年代の作品例

てしまうことを目撃する。職人にすれば失敗だったのだが、金糸がアルカリに溶けるというこの発見がアルミを溶解する手法、のちに完成する新井独自の「メルトオフ」につながることとなる。

佐々木の会社の次に学んだのは、群馬大学の石井美治教授の研究所だった。桐生市内には桐生高等染織学校を前身とする群馬大学工学部の同窓記念会館があるが、新井が通ったのはここだという。新井は石井のもとにアルミを溶かすメルトオフの課題を持ちこみ、中国からの留学生らと実験し、酸とアルカリそれぞれの場合、色と一緒に染める際の条件、といった膨大なデータを積み重ねた。そうした研究所通いは六〇年代、八年間ほどつづく。

七〇年代前半に山本寛斎のコレクションをきっかけに「バーンアウト」(炭化除去)による光沢ある布を開発し、「メルトオフ」(溶解)手法を磨いて絞り染めの布を開発――こう要約されることの多い新井の二つの手法には、短くない前史があったのである。

だが、研究データが揃い、アルカリでアルミを溶解しての織物を元吉オパールで実際に製作できても、商品化には成功しなかった。桐生でも富山でも工場は面倒な生産に乗り気にならず、輸出するには検査データが不足。考えることは面白くても、現実化という壁は厚くて、事業としての織物、機屋という仕事に嫌気さえさしだした新井だった。

ただしこの時期、生業としての成功もあった。通産大臣賞受賞を機に新井は細幅の帯地から広幅の洋服地を中心とするようになっており、六〇年代に輸出品としてヒットした商品が、特許権を取得したウーリーナイロン製の「パピリオ」である。米国のアパレル大手がその布でワンピースを作りモデルに着せてポスターに採用したため、世界的に使われて一年で二十万ヤードも売れたのだという。一章でもふれたが、浮き糸による赤い小花が基布から立ち上がるような生地で、いま見てもチャーミングだ。

一方、同じ時期の帯のヒット商品には、福井県丸岡町（現・坂井市）で作りつづけられて特産品となったレーヨン製のぼかしの帯がある。たとえば端から黒、グレー、ピンク、赤とグラデーションにする場合、新井は数学的に色ごとの糸の本数を計算し、同色は四本単位、その経糸を二重にしてずらしながらぼかしていった。糸の染めにしても、染料の適正なグラム数と煮る時間とを割り出して、現場で職人に指示した。新井二十五歳のころのことで、新井はその技術で実用新案権を得ていた。産地は桐生も含んで多数あり、和装品の開発・販売会社である新装大橋に卸して、新井に大きな利益をもたらした。ヒット商品となって模造品が出現したが、安価な丸岡製の夏帯が市場で生き残ったというわけだ。

大手企業と共有の特許料収入もあって生活には困らない。しかし開発はしても、仕事として同じ作業を繰り返すことに新井は興味がもてず、「産みっぱなし」では注文はよそへゆく。問屋を通さずに布を必要とする相手と直接仕事をすることも難しい。「産みの親より育ての親だ」とたしなめられた新井には、先駆者の栄光はあっても、ビジネス上の果実はそうはやってはこない。その栄光にしても、テキスタイル自体が裏方から脱する過程では、時に周囲に軋轢《あつれき》を引き起こさずには済まなかったようだ。これが六〇年代から七〇年にかけての新井の日々だった。

「決して同じ素材に固執しない、別手法を追求する、新しいかたちや用途の発掘のために…。このことは、彼を導く根本的な思考回路となっていると推測される」（「手とテクノロジー」展図録）。ジャック・ラーセンがこう書いた新井像は、世界的に知られる前から変わってはいない。ラーセンは開発姿勢も結果も含めてそれを「思考回路」と言い切るのだ。

スリットヤーンが転機をもたらす

そんな折、東レから、輸出したポリエステルフィルムのクレーム処理のためのメキシコ出張の依頼があった。年譜にある「メキシコへ金銀糸織物の技術指導」というのは、尾池工業製の金銀糸に東レのポリエステルフィルムが使われており、真空蒸着による金銀糸織物の製法・加工で新井がいくつも特許をもっていることが知られていたからだ。新井は東レの社員という身分でクレームを処理し、尾池工業から託された金銀糸織物のサンプルを見せて注文を取って回った。

クレームの原因はプラスチックのボビンが柔らかすぎたために糸がもつれて使えなかっただけで、すぐに解決できた。それならばと、販売を依頼されたのだがクレーム代は九千万円、取った注文が二億数千万で、メキシコに送金されてきたペソ建ての成功報酬十万円分で購入したのが民族衣裳だった。

民族衣裳蒐集のガイドは外村《とのむら》吉之介の著書『西欧の民藝』。民俗学・人類学関連のミュージアムを訪れては民族衣裳に接し、さまざまな民族衣裳を売っていた「メルカード・デ・サバード」という土曜市に繰り出した。遠出のために金曜の夜にホテルを発って月曜の朝にバスでホテルに戻るといった日々の中でインディオの染織に出合ったことが、テクスチャーを究めようとの意欲を湧かせた。新井は三十代後半になっていた。

安田講堂陥落直後の一九六九年一月に日本を発ち、二カ月近く滞在したメキシコから帰国した同じ年、新井は東欧へも行った。高校時代から取り組んだ人形劇の一員として、プラハで開かれた国際人形劇人（ウニマ）の世界大会に参加するためだ。尾池工業からの金銀糸織物のサンプルを携えたのはメキシコ行きと同じだったが、〝人間の顔をした社会主義〟を標榜《ひょうぼう》した「プラハの春」がソビエトによって蹂躙《じゅうりん》されたことに並々ならない関心を抱いていたことが、東欧行きの動機として大きい。この旅ではジャカード発祥の地であるフランスのリヨンにも立ち寄っている。

メキシコでテクスチャーを究めようと考えたものの、家業の機屋をつづける気持ちは萎えたままだったようだ。そのため、東欧から帰ると、世話になった東レの松田豊★[7]に今後について相談に行った。松田から山本寛斎を紹介されたことが、ファッションデザイナーとの付き合いの始まりとなり、三宅一生、三島彰、堤清二といった面々を知ることにつながる。なお、DC（デザイナー・アンド・キャラクター）ブランドと〝共働〟する以前の新井には、ファッションビジネスに新しい流れをつくった鈴屋との仕事があった。鈴屋の「ベルブードア」（銀座）に次いで、西武渋谷店の「be in」「カプセル」開店は六〇年代後半、七〇年代には渋谷パルコ、青山ベルコモンズ、ラフォーレ原宿といったテナントビルが次々とオープンする。

この時期、ファッションデザイナーとの交流の真ん中にあった本は『beyond craft : the art fabric』（一九七三年）。ジャック・ラーセンとミルドレッド・コンスタンティーヌ★[8]の共著で、収録された代表的作家は、繊維を素材とするポーランドの美術家アバカノヴィッチ、ハンドウィーバーのピーター・コリンウッド、シーラ・ヒックスなどなど。ラーセンはテキスタイルディレクター、「コニー」が愛称のコンスタンティーヌはニューヨーク近代美術館のキュレーターにして評論家だ。

――こういう世界がいい！

そう叫びそうな新井だったようだ。一九八八年、米国手織物ギルドが二年ごとに開催する「コンバージェンス'88」の第一回「金の糸」賞がコンスタンティーヌに授与されることになり、手をとって壇上に導く役が新井に振られ、授賞者はシーラ・ヒックス。コニーは、モダンアートとキューバ革命を生きた女流写真家の評伝『ティナ・モドッティ』の著者でもある。新井がその翻訳本を愛読することを彼女が何より喜ぶという関係が将来に待っていようとは、このころの新井は予知すべくもなかったのだが——。コンスタンティーヌは八〇年代、ファインアートに代えて三つのF＝ファッション、ファイバー、ファブリックを称揚し、シーラはそれをフォレスト（森＝自然）、ファイバー（繊維）、ファン（顧客）で置き換えることになる。

ラーセンに関しては「一九七〇年代の終わり頃から八〇年代の初頭にかけて、私の作る布に最も大きな影響を宿していたのはラーセン氏の考えであった」（『天衣無縫』123）と振り返っている。新井は同じ文脈で、ピーター・コリンウッドを挙げたこともある。

山本寛斎、三宅一生、そして問屋を通してしか取引のなかったビギ（BIGI）の稲葉賀恵[★9]ともダイレクトに仕事をすることになる新井の四十代。BIGIの元吉千津子、鈴木千鶴子とは一九七二—七三年ころ、三宅一生および皆川魔鬼子とは七六年が初対面だったようだ。ファッションのメゾンにとっては、多様な繊維の業種が揃う桐生産地にあって、企画から開発まで担え、さらには産地の機屋を自在にアレンジできる新井は貴重だった。そうした関係の十年後、テクノロジストとしての新井の発明を代表するコンピューターを駆使したジャカード織物によって第一章の「突然、嵐のごとく」状態が訪れるのだが、いましばらく発明のテーマをつづけよう。

スリットヤーンに関しては、新井はずばり「古くて新しい糸、スリットヤーン」と題する文章を著している（『テキスタイル・クリエーション［2］』、一九八九年）。

「天然素材」の項の動物の革については、インディオが腰に巻いた牛の革のベルトにスリットヤーンの原初の姿を見て感動したことが書いてある。この発見は一九六九年のメキシコ滞在中のことで、製法には驚かなかった。だが、誇り高いインディオの男たちの腰に巻くのにふさわしい存在感は「感に耐えぬ」ものであると同時に、幅広い糸の表面に黒い毛が残り、裁断面の生々しい白さは不気味だ、と現代人としての感覚ものぞかせる。

獣皮と並ぶ古代のスリットヤーンは、樹皮そのままから繊細な後処理をほどこしたものまで、竹や紙やタパ（樹皮を加工した一種の不織布）と植物製で多岐にわたる。「テキスタイルはスリットヤーンより始まった。それだけは言ってよいのではないか」と新井は問いかけている。

「近代のスリットヤーン」の項では、前漢時代の「金縷玉衣《きんるぎょくい》」にみられる金属だけのものを起点として、紙を基材とする金銀平箔、セロファンの基材をへて、アルミニウムをスリットすることで機械織に耐えるものとなったとする。真空蒸着法と連続真空蒸着機の登場、プラスチックフィルムが進化して以降が「現代のスリットヤーン」である。そうした動向の中で、金銀糸生産は真空蒸着工業へとシフトして、プラチナやステンレススチールなど、各種金属の真空蒸着が行なわれるようになる。

最終項の「スリットヤーン・テキスタイルの新技術」が、新井自身の開発に関するものだ。

「1PLY蒸着法を用いたメルトオフ法」は、アルカリを利用して蒸着されたアルミニウムを溶解するのだが、1PLY銀糸を用いて製織したのちに、アルカリ溶液で銀色のアルミをすべて溶解させて、無色のポリエステルフィルム織物を生産する。PLYとは撚りや層を意味する。非蒸着フィルムのマイクロ・スリットヤーン・テキスタイルは静電気によって生産性が低下するため、あらかじめアルミの蒸着糸を用いた製織後にメルトオフ法を採る、というのである。

「2PLY蒸着糸を用いたバーンアウト法（いわゆるオパール加工）」では、1PLY蒸着糸より格段に耐薬品性に優れる2PLY糸を利用する。綿またはレーヨンで作ったコア・ヤーン（糸の芯）に弱酸で捺染をほどこし、経緯いずれかに耐酸性の糸を用いることで、捺染部分の2PLY蒸着糸を露出させる。ただ、この時点ではまだ、完成の域には達していない方法とされた。

三つ目の「可染性スリットヤーンの開発」に掲載された写真が、スリットヤーン使いの可染性絞り加工による作例だ。酸化チタンを用いたスリットヤーン織物の光沢は素晴らしく、新井の代表作の一つである。ジャック・ラーセンが、「新井淳一は近年、その複雑なジャカード織物の旗手としての座を譲ることなく、光に反射するメタリックヤーン、パール加工糸などスリットヤーンの可能性を追求している」と評した、その作例なのである。

――私はスリットヤーンの申し子。生涯の課題なんです。

新井自身、そう語ったことがあった。織の組成を関心事の第一とする新井は、そのためにまずヤーン＝糸の製法に注力するのだ。

❹「アルス」を再編して一九七九年に桐生で設立した株式会社「アントロジー」の倉庫には、今も布が積まれている（写真＝Ishiuchi Miyako「絹の夢」シリーズより、二〇一〇年）

コンピューター・ジャカード織

一九八〇年代中ほどまで、ファッション・素材の時代の主役は、天然素材と非構築的（デコンストラクティブ）なビッグシルエットだった。天然素材の中でも、たとえば、世界的に麻が注目を浴びるといった珍しい現象も起こった。そうした天然素材による「手仕事の真髄」に迫ったのが、一章で紹介した新井のコンピューター・ジャカード織物である。

わが国で「コンピュータ・デザイニクス」なる概念が生まれたのは一九七二年とされる。通商産業省（現・経済産業省）管轄の製品科学研究所（製科研）に、米国製のコンピューター「FACOM230/38」、円形モニター、プロッター（自動製図機）一式が導入されたのがその年。製科研では、部品の組み替

❺「グラジオラス」。
経糸二本・緯糸二本で製織したコンピューター・ジャカード織の初期の作品（一九八〇年）
❻原画（新井リコ画、『オール読物』一九八一年七月号に掲載）と比較すると、絵を再現する以上の力強さが表現できていることがわかる

えで個別オーダーに対応できる車の設計、容器のデザイン、三次元グラフィック作品制作などに取り組んだ。トヨタ自動車は一九六八年に手描き図面をコンピューターに読み取らせるドラフターとしてこれを導入していたものの、デザインからモデル制作までコンピューター上で行なえるようになったのは一九八二年だという(「デザイン1970→2000」、『日経デザイン』一九九五年十月号特集)。

コンピューターとジャカード紋織りの原理が近いことはよく知られる。詩人バイロンの娘で史上初のプログラマーとみなされるエイダ・ラヴレスを描く『科学の花嫁』(ベンジャミン・ウリー、法政大学出版局、二〇一一年)には、「ジャカード式紋織機が草花の模様を織るように、解析機関は代数学のパターンを織り上げる」との一節がある。チャールズ・バベッジの「解析機関」はコンピューターの原型とされ、「エイダ」なるプログラミング言語も存在するという。新井は七〇年代後半、一説には一九七九年に本格的にコンピューターの研究に着手したとされる。その際に使用した機種を質問すると「実際のコンピューターワークは両毛システムズにやってもらった」と答えたが、コンピューターを省力化のためでなく、クリエーションのために使用するとはどういうことか。

新井夫人であるリコが描いて『オール読物』に掲載された「グラジオラス」を、新井が一九八〇年に織物にしたものがある。白黒の「グラジオラス」はシルクでもウールでも織り上げており、表裏で白黒が反転している。絵をドラムスキャナーで読み込み、コンピューター上でシミュレーションを繰り返した結果、強撚糸の経糸・緯糸を二本対二本の単位で織るともっとも迫力が出ることがわかったのだという。経緯一対一にすれば原画の再現性は増すが、それでは布としての力は出ない。

古今東西の織を元にする場合も同じ制作プロセスをたどっただろう。オリジナルの布をコンピューターで再現した上で、さらに拡大、縮小、展開することによって、新しく現代的なパターン

◉コンピューター・ジャカード織の代表作
❼「欅樹」(KEYAKI、原画＝新井リコ、一九八一年)
❽「布目柄」(FABRIC BY FABRICS、一九八二年)。
西アフリカのケンテクロスをイメージの
源泉とし、綿糸による
コンピューター・ジャカード織の
マスターピースとなる。
ヴィクトリア＆アルバート(V＆A)ミュージアムの
コレクション

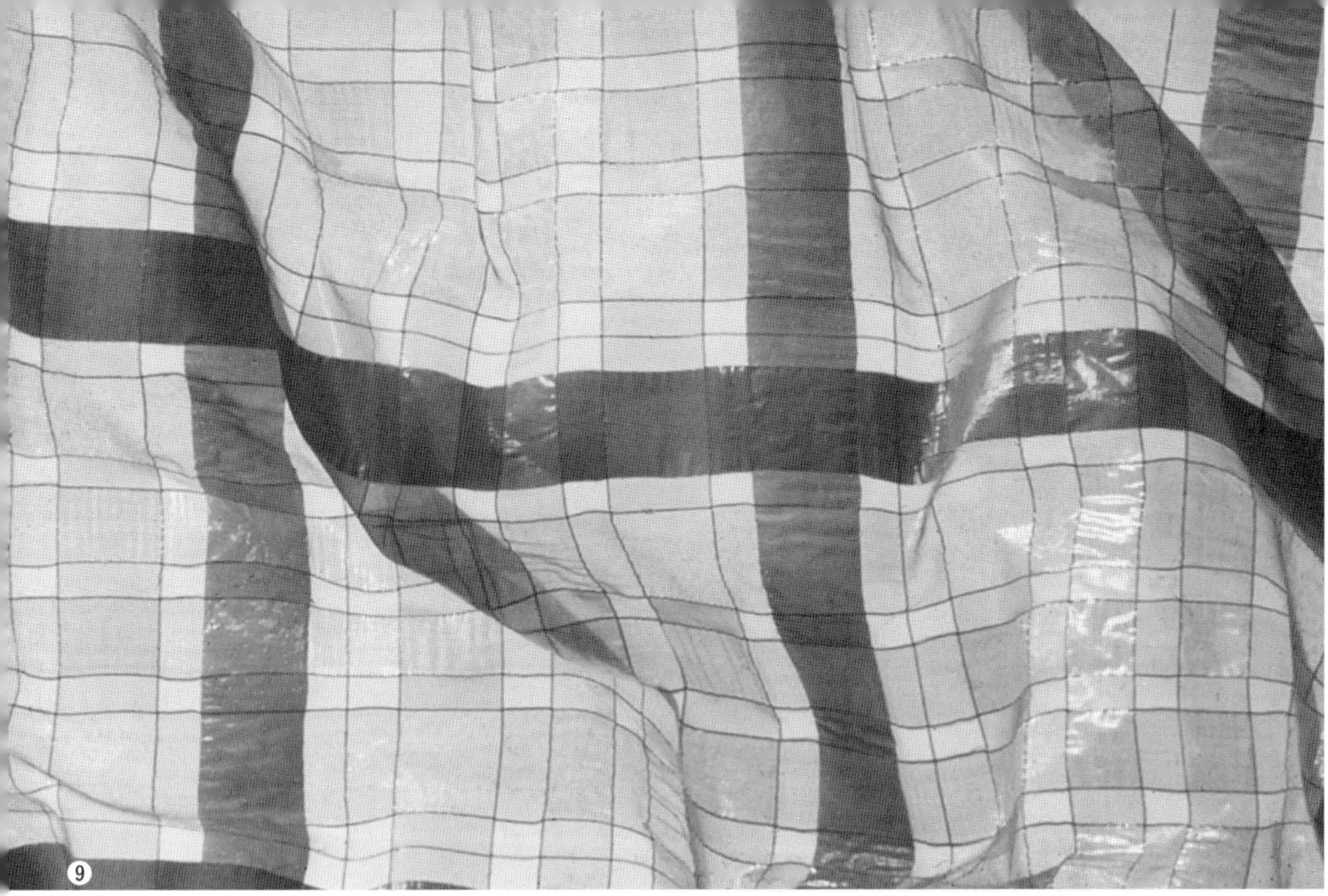

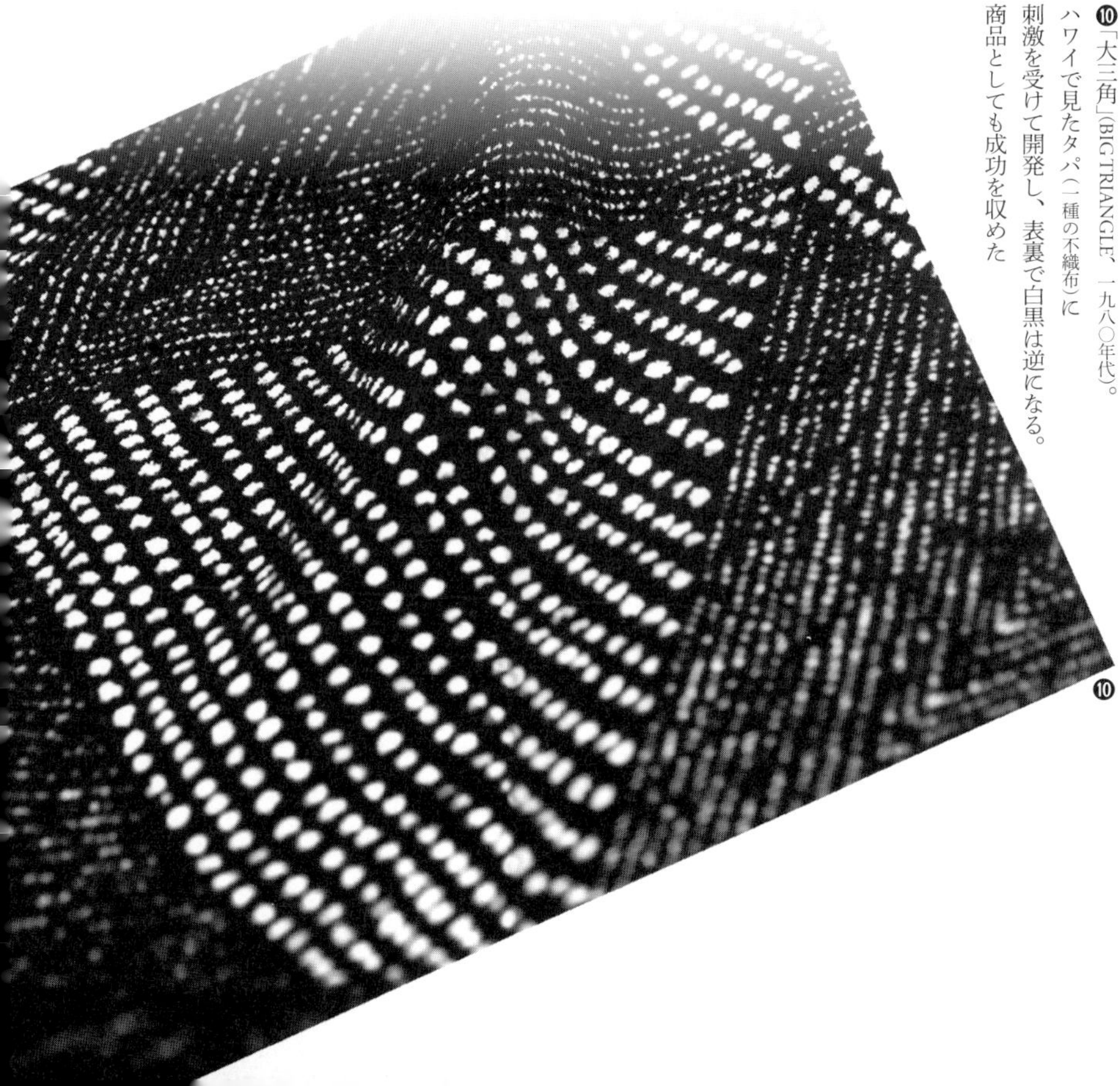

❾同じくV&Aミュージアムのコレクションとなったこの時期の布
❿「大三角」(BIG TRIANGLE、一九八〇年代)。ハワイで見たタパ(一種の不織布)に刺激を受けて開発し、表裏で白黒は逆になる。商品としても成功を収めた

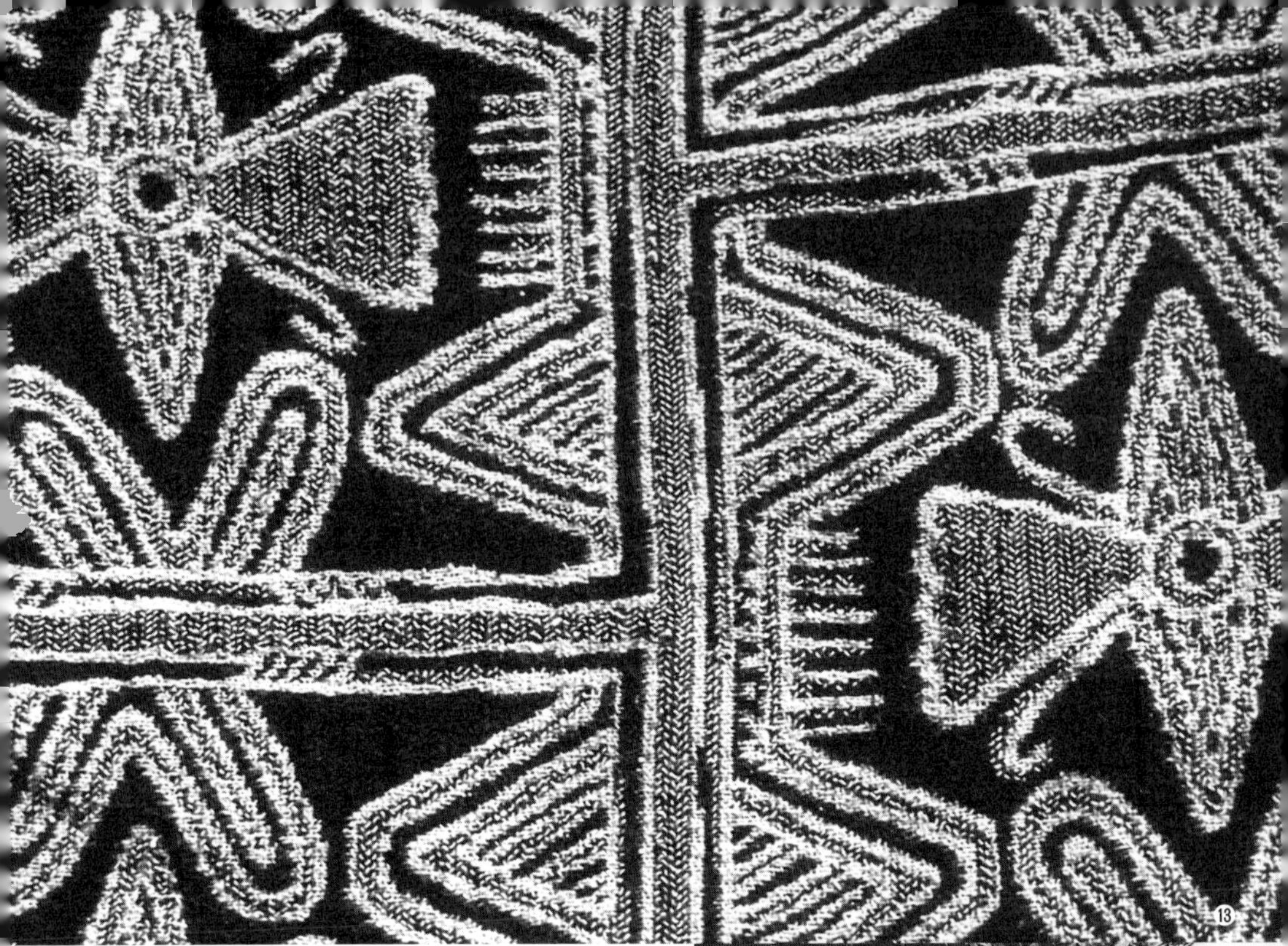

13

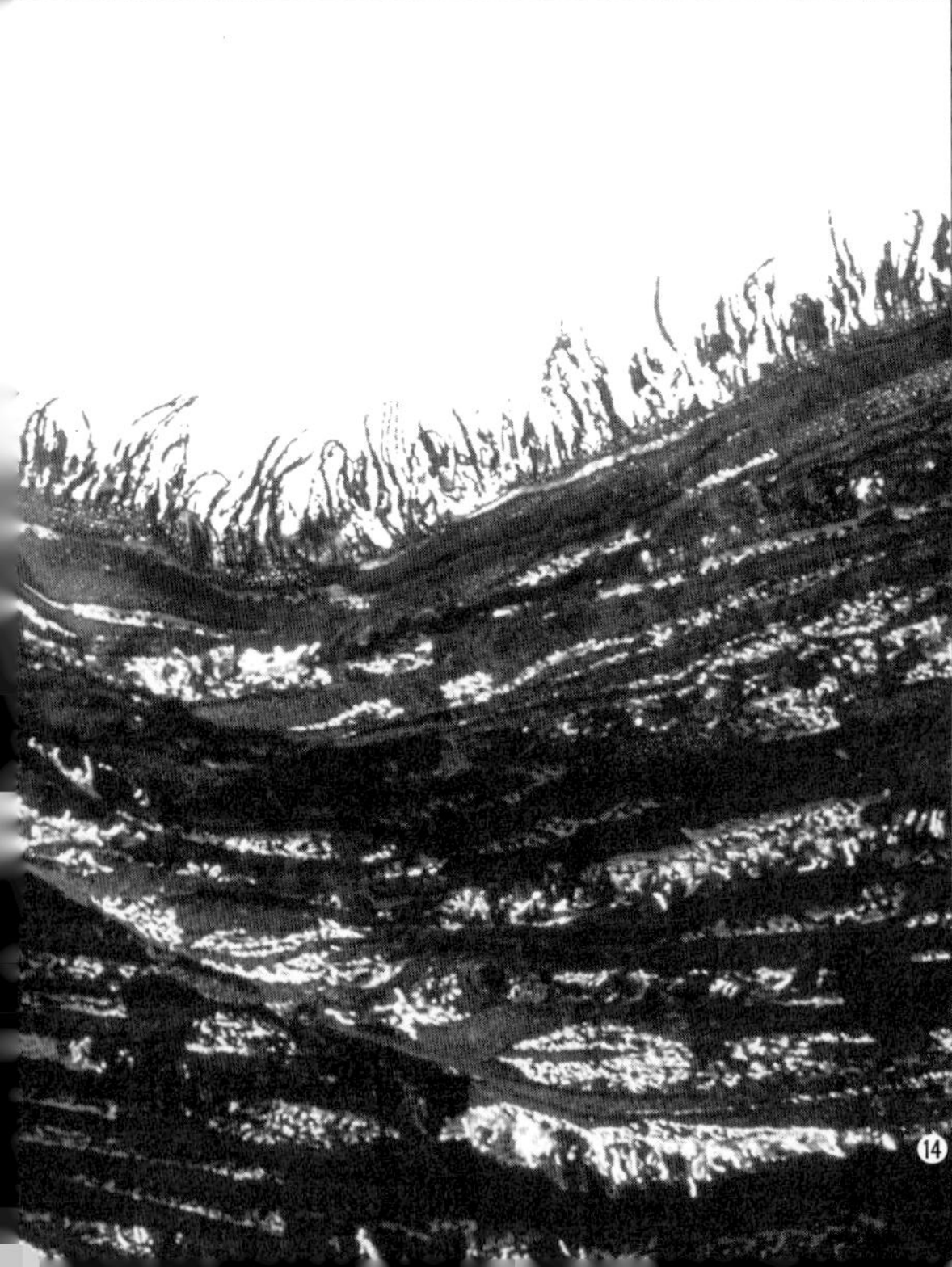

14

11

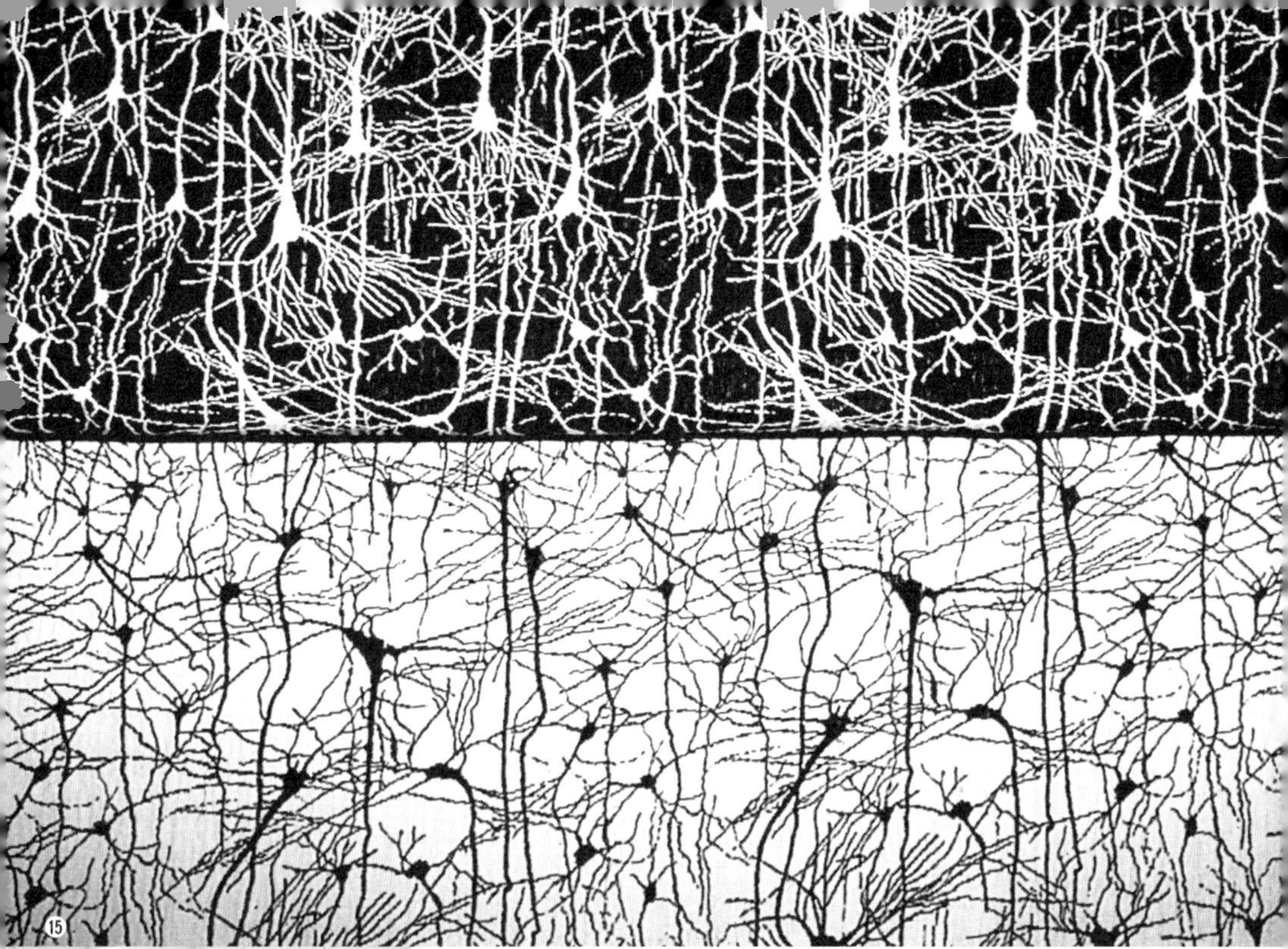

⑮

⑫

⑪—⑮民族衣裳に触発され、
おもに天然素材を用いて
一九八〇年代に新たに生み出した布。
新井が目指すプリミティヴな力が漲り、
新井本人が着た
珍しい写真が残っている

を甦らせるのである。しかも、そのパターンは表裏同一でなく、二層にして表裏逆、四層と、自由自在だ。選択肢は無限にあり、クリエーターは瞬時に最適なものを選びだしていく。

桐生の伝統工芸士である新井實のコンピューター導入は七〇年代末と早く、光と陰を繊細に表現して絵柄を立体的に浮かび上がらせる「写真織、絵画織」を開発した。同じコンピューター利用でも、目指す方向は異なるようだ。新井淳一なら、陰翳がほしいと思えば、柄によってではなく、織の組成で出そうとするだろう。「この布を織り技術の影の部分で支えているのが新井実氏の仕事。なんとこちらの新井氏は三千六百口のジャカードをレピア織機に連続させている」(「西陣織たより」一九八五年三月一日)と、両新井に言及する記事も見られる。

新井のコンピューター・ジャカード織の代表作は一章でも掲載した。国内外のファッション関係者は複雑巧緻な生地にまず驚き、それがコンピューター制御によるジャカード織であることを知って二度目の衝撃を受けることになったのである。

新合織、新世代ウール開発

世界で脚光を浴びた新井の創作は、天然素材をコンピューター制御のジャカードで自由自在に織る方法だが、トライしたのは天然素材ばかりではない。そうした研究を元に新しい合成繊維の可能性を問うたのが、東レと新井の共同企画による「布・パラダイム」展(一九八六年)である。

素材はポリエステル関連が五〇%、ナイロンとアクリルで三〇%、天然素材二〇%で、先進的な合織を試織原糸としてふんだんに使った。コンピューターの同一ソフトで使用原糸を変える、同一経糸で緯糸を変える、同じ糸を異機種・異手法で織り上げる——こうした製法の違いが比較できる展示を意図した。招待客もアパレル・繊維関係者に限らず、建築、インテリア分野を含み、想定する使用場面は幅広い。デザイナーの展覧会というより、展示会と呼ぶにふさわしく、「新井＝パリコレ向け天然繊維」のイメージを覆す点で画期的なものとなった。

次いで、「新バイオテック・ウール打出す　大東紡、新井淳一と共同開発」がニュースとなるのは一九九〇年九月。この新素材は、ツイスト加工で伸縮性を強めた形状記憶ウールで、欧州のデザイナーブランドで使われることを狙った。大東紡が開発済みの「バイオテック・ウール」に比較して、この新バイオテック・ウールはツイスト加工を生かして収縮率を高めるもので、注目すべきは生産が桐生で行なわれること。これは新井の望むところであったはずだ。

さらに国際羊毛事務局（IWS）名古屋ファッションセンターが新井に開発を依嘱していた新世代ウール、「ニュー・アプローチ・コレクション」が全貌を現わすのは同じ年の秋である。第一回ジャパンウールフェア（JWF、幕張メッセ）がその場で、六十点のうち、ウールの温かさと蒸着したメタル

●新世代ウール
「メタライズド・ウール」（一九九〇年）
⑯⑰⑱第一回ジャパンウールフェア（JWF、幕張メッセ）で菱沼良樹が婦人服にデザインしてコレクションとして発表した

◉「手とテクノロジー」展（朝日ギャラリー、一九九二年）
スリットヤーン、バーンアウト／メルトオフ、真空熱転写といった手法を駆使して表情豊かなテクスチャーを現出させた。メルトオフ技法で伝統的な絞りを布にほどこした布、鉱物の輝きに魅せられたミネラル・シリーズも出品

⑲案内ハガキ。使用作品は「路」(Scarab)
⑳㉑展示風景
㉒「径」(Ants Climbing a Tree)。
ポリエステル＋
ナイロン＋ウール
㉓「極光」(Aurora)

㉑

⑳

⑲

㉔

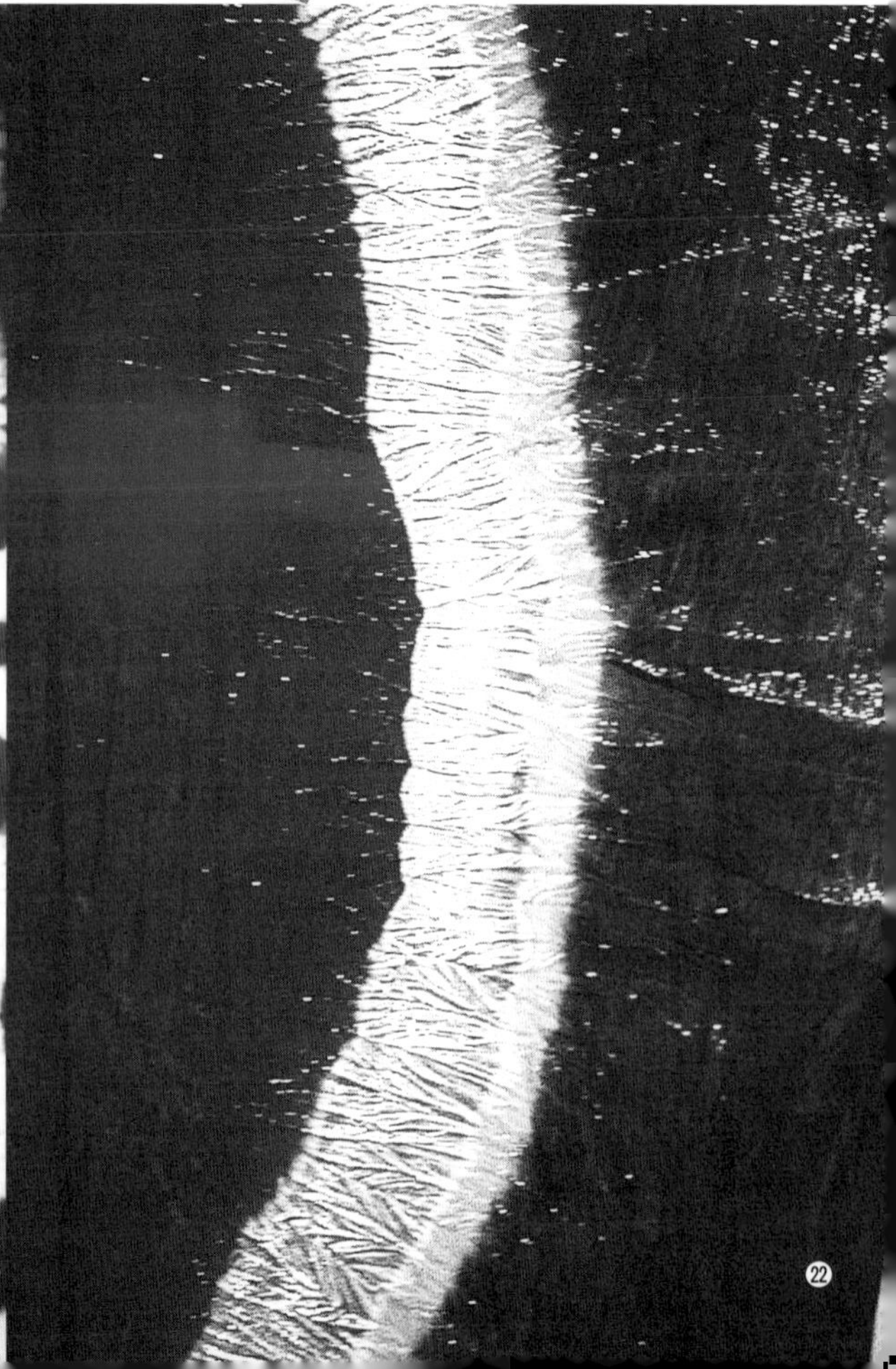
㉒

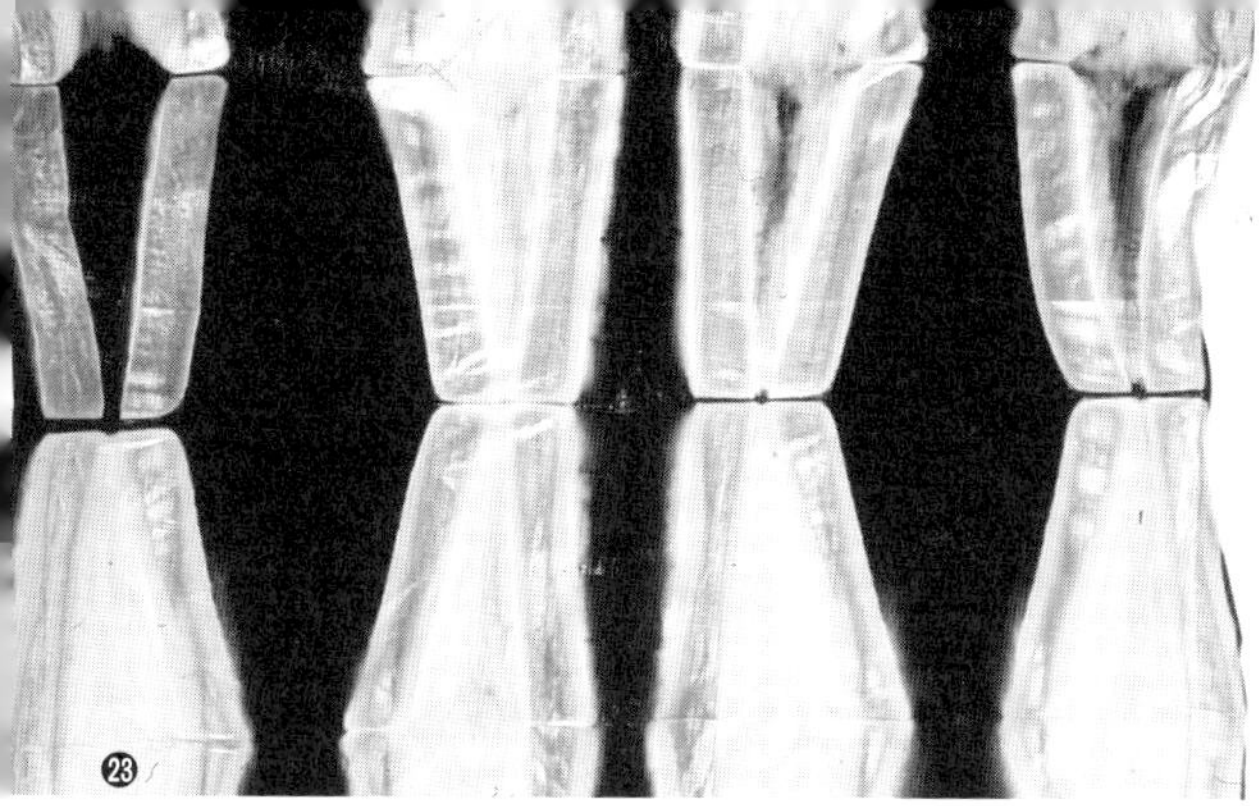

㉔モロッコの絞りにヒントを得た「大絞り」
㉕「群青」(Cobalt)
㉖「天藍石」(Vaidurya)
㉕㉖はミネラル・シリーズから。
真空熱転写と真空圧縮によって、
畳まれた布の隙間から鮮やかな色彩がのぞく
㉗「流氷」。アルミニウムを真空蒸着した
ポリエステルフィルムの細かく平たい繊維が
「スリットヤーン」。これを織った布を
数回伝熱プレス機にかけて着色した

の硬さ・冷たさの対比が新しい「メタライズド・ウール」が話題となり、菱沼良樹が婦人服にデザインしてコレクションとして発表した。

この生地は全国規模の技術連合で生み出されるのが特徴だ。新聞報道によれば「ウールの最先端技術であるサイロスパン／サイロフィル、形状記憶バイオテック・ヤーンなどを桐生、新潟、北陸の絹・フィラメントから発達した技術を一部ハンド・ウィーブで製織し、フィニッシュには尾州の毛織物仕上げノウハウを適用しながら開発」したもの。サイロフィルとはフィラメントとウールの紡績のことで、倉敷紡績と共同開発、糸素材提供に三社、仕上げ加工に艶金染工（現・艶金）が一体となって協力したとのことだ。開発が地域連合体制なら、紳士・婦人・ニットの各分野が統一してフェアを開くのも世界的に異例であって、総合展の盛り上がりがフェアを報道する多数の紙面から伝わってくる。

この時の艶金での伊藤武司課長との共同作業について新井はのちに、「タンブラー・一分勝負」（二〇〇九年）で詳述している。伊藤は新井の注文に「あなたの仰ることは、常識外の危険水域やで」と釘を刺しつつ、「ウールは生き物じゃから、相手とゆっくり話し合いをせにゃならん」と言ってタンブラー（回転染色機）を神業のごとく操ったのだという。

こうしたプランナーとしての仕事の里程標と言うべきが、一九九二年開催の「手とテクノロジー」展だったのである。

出品作は福井県勝山市に本社のあるケイテーがウォータージェット織機で織ったものが多く、この企業なしにできなかった展覧会とのことだ。新井はこの企業と顧問契約を結んだこともあり、同社のケイテー記念館で一九九〇年、「布ストリーム」展を開催していた。「布ストリーム」の「ストリーム＝stream」は流れを意味し、ウォータージェット技術を含意している。

ウォータージェットについて、専門家以外には説明が必要だろう。アルミの超薄膜を真空蒸着したポリエステルやナイロン製のスリットヤーンは織るときに静電気を発生するために、高速織機にかからないのが問題だった。これを解決したのが、水で糸を飛ばして織る「ウォータージェット」なる技術で、ケイテーが得意とした。場面によっては、同じジェット織機でも圧縮空気を利用する「エアージェット」と使い分ける。

新井とケイテーは、織り上がって濡れたウール地をロボット「大五郎」で乾燥機に運ばせることで解決、太番ウールはエアージェットで製織した。「フィラメント織物メーカーのウール業界への参

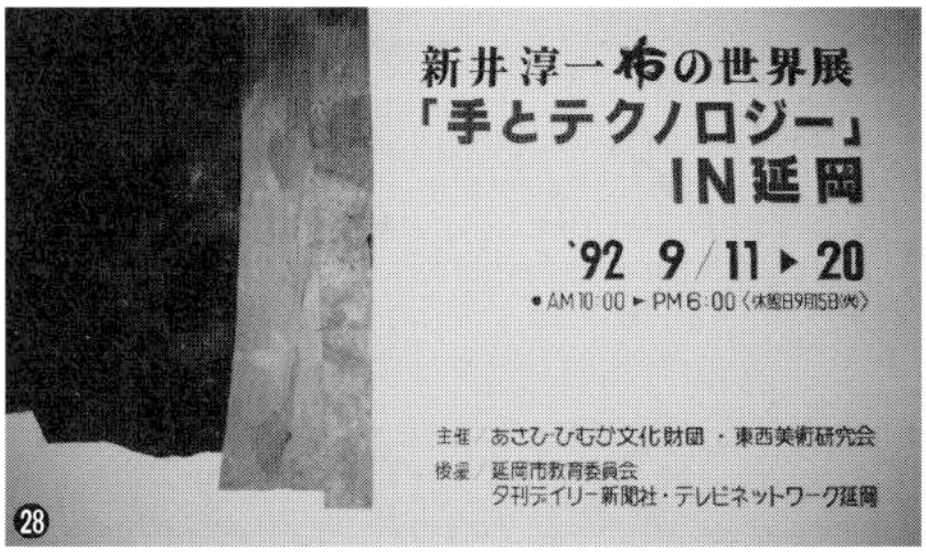

㉘「手とテクノロジー展」延岡巡回展

㉙同仙台巡回展でのダイナミックな展示風景

入を可能にするという産業変革まで、誘発するようになっている」（三島彰「人間愛豊かなテクノロジスト」）と評されるのは、こうした開発を指すのである。

金属蒸着のスリットヤーンを経糸に、シルクやウールなどの天然繊維を緯糸で織り上げ、金属部分を化学的に溶解すれば半透明部分のある布となる。経糸・緯糸ともに金属蒸着のスリットヤーンにしてメルトオフ技法を用いることで、完全に透明な布にすることもできる。それを真空熱転写機によって幾重にも真空圧縮して染め上げる。「ミネラル」はこの手法を採用している。パターンを具現化するための真空熱転写機は、仕上機へと機能を拡張したことになる。なお、群馬県の繊維工業試験場は一九七一年に導入したアップ・ダウン式の真空転写染色機を使い、新井の発案で作った作品が全国の試験場のコンクールでグランプリにあたる通産大臣賞を獲得した。こうしたことが何度か重なり、受賞した試験場は新井の作品作りに全面的に協力することになるという経緯もあった。

同様に、通常は撚糸の撚り止め仕上機として用いる真空熱セット機だが、金属質が取り去られて透明となった布をこの機械に入れると、生地は光に呼応して生き物のように変化し、立体的なオブジェにもなる。こちらも常識破りの使用法とのことで、真空熱転写機、真空熱セット機の駆使を新井の開発に加える理由である。

――「古き良き織物に駄作はない。怖いのは手を抜いたテクノロジーの駄作である」

こうした信条から、タイトル「手とテクノロジー」の方には、両者の統合を問うとの作者の願いが込められていた。新井のこの火のような発言には、英国で興ったアーツ・アンド・クラフツ運動の思想が息づいている、との感がある。延岡での「手とテクノロジー」巡回展の案内には、一九五〇年代に早くもアルミがアルカリに溶けるという性質に着目して模様を現出させるのが新井の発想の核心であって、ドイツのジャーナリストをして「テキスタイル界のレオナルド・ダ・ヴィンチと言わしめた所以」と紹介された。保護膜であるエポキシもアルカリに弱く、ともどもを溶解することによって模様を現出させた。ラーセンが「還元法」に挙げたメルトオフとバーンアウトが発想の核心というわけである。

同じく巡回先の仙台で新井は、具体例――中国人の絹への執念は凄くて、蚕は四、五回眠り返して繭をつくったら蒸し殺される。羊毛をとる最高のメリノ種はソ連の崩壊で引き受け手がなくなると大量に殺された。綿花栽培のために砂漠化してしまった地域がある――を列挙し、天然素材と合成素材のどちらがエコロジカルかなど一概には言えないと話した。この仙台での発言が、「現代の〝神話〟の破壊にもかかる」（『桐生タイムス』十二月十日）と報じられたのは興味深い。

この一九九二年、米国の建築・デザインの専門誌『メトロポリス』は九月号で「ドリーム・ウィーバー」（Dream Weaver）と題して九ページの特集を組む。新井のテーマはそれまでだれも見たことのない「Making Things」と評されていることから、ここでもパリ・カルティエ現代美術館で同名の個展を開くことになる三宅一生との共感の度合いの高さを推し量ることができる。

同年には、英国の繊維学会（The Textile Institute、本部はマンチェスター）がテキスタイルデザイン部門で新井にメダル授与といったビッグニュースもあった。テキスタイル分野では日本人初、学会員以外での受賞も異例だ。「繊維をアートにまで引き上げた」のが授賞理由で、その授与式でチャールズ・メットカルフは「新井の布は洗濯やドライクリーニングに必ず耐えると保証することはできないかもしれないが、人の心を高揚させることなら保証する」と英国人らしいウィットに富んだ紹介をしている。

『メトロポリス』の特集では「クラフト精神を知らずして、何がハイテクノロジーか」と訴え、デザインメダル獲得に際しては「人の心を打つ新しいメディアとしてテキスタイルを見るようになってきているのではないか」と述べる当の新井であった。新井の個展で、自分の新作と同時にコレクションした民族衣裳が同居することが多いのは、こうした思考に基づいている。福井でプロデュースした「繊維新」(SEN-ISIN、一九九〇年)では、世界の民族衣裳と現代の布との対話を演出した。プロローグにある「テキスタイルという長い旅の明日《あした》」とは、新井の視線の向かうところ、新井自身でもあるのだ。

二年後、「日本文化デザイン会議'94福岡」で、「アジアのリズム・日本の布」の司会をつとめた江戸文化の専門家・田中優子★10は、新井を前にして、「私は新井さんに初めてお目にかかったとき、織物の世界の平賀源内だと思いました」と発言している。田中は『別冊太陽　平賀源内』(平凡社、一九八九年)の監修者だ。鉱山開発から油絵までものした十八世紀の「非常の人」平賀源内★11は、石綿(アスベスト)による火浣布《かかんぷ》や毛織物(のちに国倫織=くにともおりと呼ばれる)にも着手した。新井はそれに対し、錦織楼音高を俳号とする人物(金井繁之丞)が江戸時代の桐生近郊、粟ノ谷にいて、「縫い目なくして衣服を織る法」を研究、火浣布もつくったとされると発言し、物好きな人の多かった桐生の風土の例証としている。

人を殺めて五十二歳で獄死する最期を別にすれば、平賀はレオナルド的であり、田中優子にとっては新井もまた、と見えたのだろう。

新井自身、「非常の人」(「天衣無縫」80)と題して平賀源内について書いたことがある。「ああ非常の人、非常なることを好み、行ない、これ非常、何ぞ非常の死なる」との杉田玄白が刻んだ源内の碑銘には賛同しつつ、「ダ・ビンチ説の当否はともあれ」、「非常の人の、非常たる所以を『詩人』に求めた平野説のダ・ビンチ源内の巨大さを思うのである」とその一文は結ばれている。平野威馬雄は『平賀源内の生涯──甦る江戸のレオナルド・ダ・ビンチ』の著者だ。新井は「非常の人」ではあっても「非情の人」にはなれず、そのことが会社倒産の遠因だったように思えるのだが、どうだろう。

ファッションの中に「布」を感じさせることのできる数少ないデザイナー、三宅一生の仕事も、新井淳一の仕事の歴史の中にある──田中優子が先のデザイン会議に寄せた新聞記事「日本の布　世界的視点からの研究必要」にはこんな評もある。後年、『布のちから　江戸から現在へ』（二〇一〇年）を上梓する田中ならではの表現と言うべきだろう。

この当時の新井を、米国美術界がどう位置づけていたかを如実に示す展覧会がある。フィラデルフィア美術館を皮切りにミラノ、デュッセルドルフ、パリのポンピドー・センター、サントリーミュージアム［天保山］と巡回した「made in japan1950―1994」（一九九四―九六年）だ。日本展の副題である「世界に花開いた日本のデザイン」の元に集められた作品二五六点には、新井とアントロジーの作品が六点含まれている。これは百五十項目ほどからなるデザイナーと企業のリスト中、個人としては柳宗理、亀倉雄策、三宅一生、川久保玲とともに破格の扱いと言える。新井の掲載作品は、長い浮糸をもつ織「Korean Carrot」（一九七九年）に始まり、「テキスタイル」（一九八三年）、ニット「蜘蛛の巣」（一九八四年）、織「Ojo de Dios」（オホ・デ・ディオス＝神の目、一九八五年）、テキスタイル「Big Wave」（一九八九年）、織「流氷」（一九九三年）──。

日本人が企画したなら、こうはならなかったと想像してしまう選択である。『タイム』誌が「ファッションこそ日本が西欧的なものの模倣からいち早く脱し、独自の道を確かにして成功を収めた、ほとんど唯一の分野である」と書いた一九八三年頃から、日本のファッションとテキスタイルの評価は米国で極めて高いのである。

日本版の図録には論考「テキスタイルと着物」（ヨシコ I・ワダ＝和田良子）と「ファッション」（深井晃子）

が収録されている。同時期に開催され、国内四美術館を巡回した「戦後文化の軌跡1945―1995」展（一九九五年―）でも深井は、「世界性をもった日本のファッション・デザイン」（第V章「近代の懐疑」からポストモダンの時代へ）を執筆、日本の美学と新旧のテキスタイル技術を見事に結合させたことがそうした世界性の理由だと強調した。

芸術大学、美術大学に独立したファッションの学部や学科が稀なこともあって、デザイン一般とは別分野に見られがちなファッションだった。たとえば、三宅一生は多摩美術大学でグラフィックを学び、山本耀司は慶応義塾大学を卒業してから文化服装学院を卒業、川久保玲も出身大学は慶応義塾である。

わが国では、ファッションは「海外」と「文化」を経由して、アート・アンド・デザインの最前線に位置づけられるようになったのだ。

ステンレス織物もPPSも「火の鳥」

新井の次なる開発はステンレススチール繊維であり、その撚糸仕上げにあった。新井の自筆年譜の一九九五年の項には、熊井恭子[★12]との二人展「光と風と」が開催された足利市美術館で、その開発依頼があったと特記されている。

この展覧会の新井の出品作の中に、布全体の金属質をメルトオフ（溶解）した半透明の布を折り重ね、真空熱転写機で染め上げたものがあった。鉱物の輝きに触発されて構想した、ひび割れて輝くそうした布を新井は「ミネラル・シリーズ」と名付けている。一方の熊井は、ステンレススチール線を経糸、天然素材を緯糸に用いて、床から立ち上がる「自立する布」を編み出した作家で、「AIR」と

●桐生市市民文化会館のアートワーク（一九九七年）

㉚「未来への要請」。幅六メートル、高さ二・四メートル。監修は新井、高橋英子はじめ十七人の女性が制作に参画しアトリウムに設置されたステンレス織物

㉛「Steel Weave I」。同じくアトリウムを飾るピーター・コリンウッドの作品。幅七・五、高さ五・〇、奥行き〇・六メートル

㉝

㉜

㉟

㉜㉝「花咲く未来」(Flowering Future)。
二〇・五×一〇・五メートル、
八五〇キログラム。
シーラ・ヒックスがデザインし、
桐生織物協同組合が
製作したシルクホールの緞帳。
ステンレス織物ではない
㉞「Mineral」。
新井が製作した
転写捺染テキスタイル。
小ホール入り口のドアガラスに
はさみこんである
㉟ステンレス糸を使用しての紐

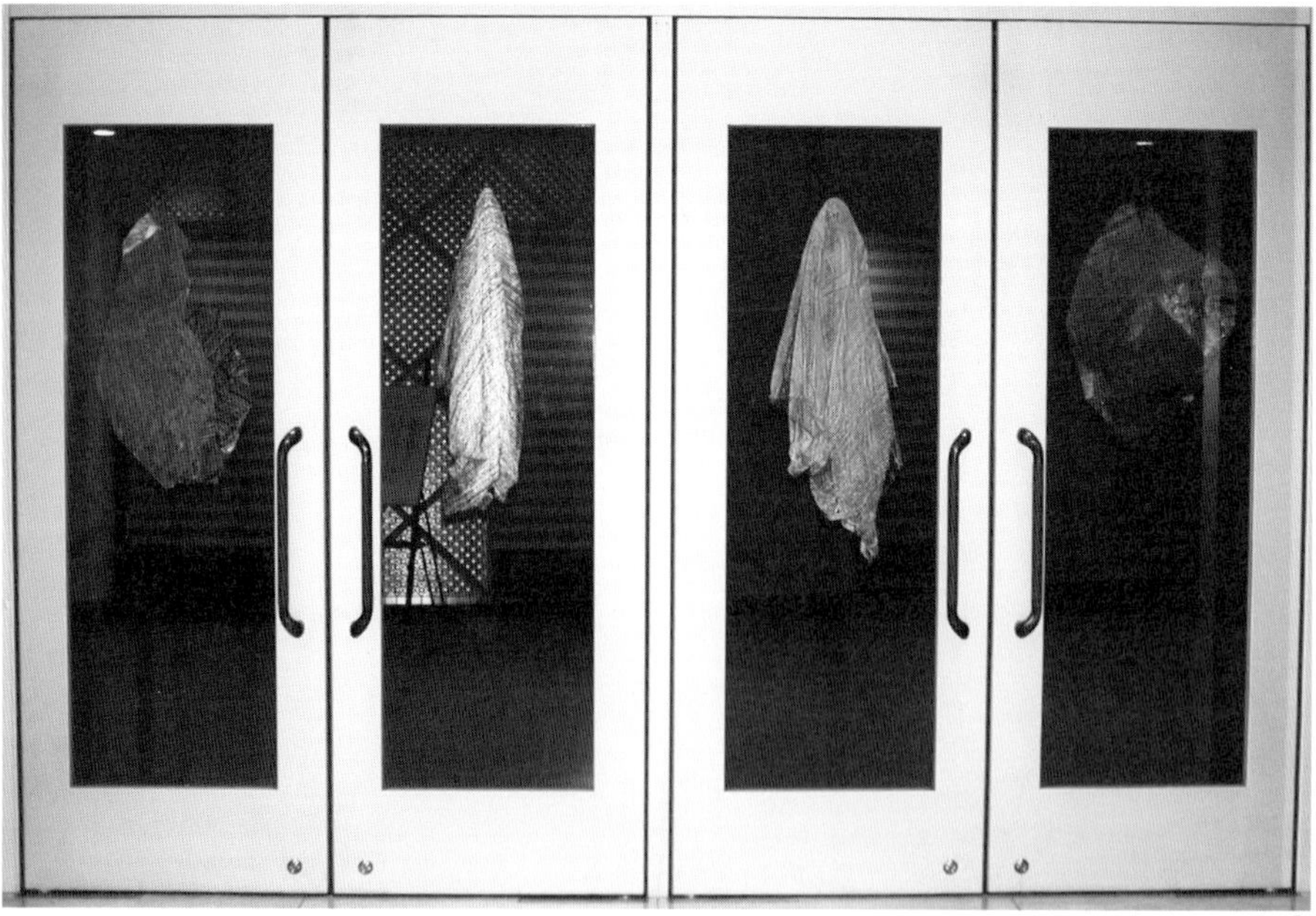
㉞

いう巨大な作品をニューヨーク近代美術館で発表したばかりだった。

ブリヂストンメタルファはまず熊井にステンレススチール繊維の開発を打診し、熊井が「そういうことは新井さんが適任」と推して始まった開発である。同社はブリヂストンの関連会社で、タイヤの補強材として使われるスチールコードなどを生産しており、新規事業としてステンレス糸は開発済み。ただし、アートワークに使えるような代物でなかったために、ステンレスを熟知したアーティストに協力を仰ごうとした。

同社のステンレス糸は、スチールの中に細いステンレスが規則的に埋め込まれた直径五・五ミリの線材を常温で引き伸ばすことに始まる。つづけて、酸でスチール部分を溶解させ、直径八ミクロンのステンレス長繊維が千七百本集まった束をつくり、それを撚り合わせて撚糸とする。カラーはステンレスそのままのシルバー、ブラウン系三色、バイオレット、インディゴブルーの計六色。新井はこの糸の完成をもって手織りによる試織を開始する。伸びにくいステンレス糸を織るのには、手織機を改良しなければならなかった。試作品は一九九六年十一月からイスラエルで開催された「テキスタイル・マジシャン」展に出品された。

翌九七年五月十一日、桐生市市民文化会館がオープンしている。アトリウムを飾ったのは、英国のファイバーアーティスト、ピーター・コリンウッドがこのステンレス糸を用いて完成させた「Steel Weave I」、そして高橋英子はじめ大塚テキスタイルデザイン専門学校の新井の教え子を主体とする十七人の女性の織り手によるタペストリー「未来からの要請」である。

コリンウッド(一九二二—二〇〇八年)は六〇年代後半に「マクロゴーズ(巨大なガーゼ)法」を確立し、その技法によるアートワークは世界各地に設置されている。この哲人織師は、ステンレス糸を「天国から落ちてきたように美しい」と喜び、種々の困難を克服して幾何学的で美しい立体作品とした。コリンウッドと旧知の新井の工房の壁には彼の作品が飾られ、それを指差して「経糸と緯糸が直角でない斬新な織の構造にショックを受けた」と振り返っている。

「未来からの要請」は幅六メートル、高さ二・四メートルの巨大なタペストリーで、複雑な襞《ひだ》が全面を覆っている。この作品が手織りしたステンレス織物を三分の一に縫い縮めたものだと知れば、「〝執念〟ともいえる自分の思い込みと、製作に当たった十七人の女性の〝怨念〟が込められている」(「ステンレス織物」、『日経デザイン』一九九七年八月号)との新井の発言を納得しないわけにはゆかない。

桐生市市民文化会館は会館記念の企画展示の第一弾として「シーラ・ヒックスと緞帳製作展」を、次いで館内外に設置された十三点を紹介する「アートワーク展〜未来からの要請〜」を開いた。アートワーク全体のコーディネーションをつとめたのは群馬出身の美術家ヤマザキミノリ、リコ夫人がデッサンの指導にあたって東京芸大に進学した人物である。新井自身の作品は転写捺染テキスタイルを扉の二枚のガラスに挟んだ軽やかな「Mineral」であって、新井はこのとき、タペストリーについてはプランナーに徹して自分の作品とはしなかった。

反響は大きかった。繊維学会誌『FIBER』は一九九七年七月号の「布を織る(1)カラーバリエーションのあるステンレスファイバー」で取り上げ、ステンレスに色をつけたこと、艶を出すのに毛羽立ってしまう難点を克服できたことが、技術的に特筆すべき点だと評した。同年四月には、米国の環境グラフィックデザイン学会のサンフランシスコ大会に招かれた新井が、講演「Silk and Steel」で披露しており、米国からの問い合わせが相次ぐ。

講演が「シルクとスチール」だったのは、メーカーが開発済みだったステンレス糸は撚っていなかったことと関係する。蚕が口から吐き出すシルクは二本で、その物質であるヘブロインをゼラチン状のセリシンでくるみ、その後、セリシンを溶かして精錬すると、柔らかくて人が使える糸にな

37

38

39

36

●奈良元興寺で開催された
「想像の布―新井淳一とその仲間たち―」
（一九九八年）

㊱展覧会チラシ

㊲三色のステンレス製のひも状の布を渦状に敷きつめた。直径は八メートルと巨大で青が際立ち、中心にはインド産の赤大理石を置いた（写真＝桑原英文）

㊳作品を前にした新井にとって、渦はその後重要なテーマとなる

㊴金色の布による網代のオヴジェも製作。一七×一二メートル

る。シルクのこうした特性を新井とメーカーが確認し合ったことで、糸外側のスチールを酸で溶かして撚ることのできるステンレス糸が完成した。シルクとスチールにはどうもそういう関係がありそうだ。

絹織物が盛んな桐生地域で養蚕も全国有数の産地だった同じころ、新井は群馬県蚕糸振興事業協会と共同で、生糸とアルミ蒸着の化学繊維を組み合わせた「メルトオフ〈妖変〉」を開発していた。件《くだん》のステンレス糸は桐生市内の会社で織と編にし、やはり市内のトヨダプロダクツが溶接、ファッションデザイナー・菱沼良樹のデザインで服に仕立てられた。発表は一九九七年のパリコレ会場。新井は生まれ育った糸を桐生の未来につなげようと監修にあたったのだ。二年後の一九九九年に北京・人民大学（当時・中央美術学院）では、「シルクよりスチール」を講演とワークショップのテーマにしている。新井が自然に学ぶ態度、思考回路の一端がここに示されている。

奈良・元興寺の展覧会「想像の布」（一九九八年）でも、三色に染めたポリエステルラッセルレース布を紐状に撚り、直径八メートルの円になるまで渦状に敷きつめて作品化する。極楽坊前の戸外に敷かれた渦の中心にはインド産の赤大理石のリンガを置き、「命の源を海の渦で表現」しようと意図した。動的平衡としての生命の象徴が渦巻きである。また、「鉱物の布」展開催は翌年、日本デザインコミッティーが運営する銀座松屋のギャラリーにおいてであった。

ところが、ステンレス織物を新井が現場で製作したのはたった三年。ブリヂストンメタルファがステンレス糸の営業を中止したからだ。高価すぎて売れない――理由はそれに尽きる。「その三年は苦しかった」と新井は一言。ファイバーアートが要請する質と、工業資材に求められるそれとは、隔たりが大きかったのである。

新井の関心はそれと並行して、ステンレス糸と異素材との組み合わせに向かい、まずはウールとステンレスの糸を、インドの古代織の技法で織り上げることに着手する。さらに、桐生市と姉妹都市であるコロンバス市（米国ジョージア州）からリバーセンターのアートワークの一つとして金属織維使用の巨大モニュメントの制作を依頼され、一九九九年から五度も同地を訪れて二〇〇三年に「REFLECTION」（照射）を設置し終えた。作品は十二×九メートルと横長、重さ一三六キロの大作だ。二百本のステンレススチールの組紐によるキネティックなウェーブの中に、光触媒機能をもつ酸化チタンプレートを取り付けた。光触媒機能とは、空気の浄化、脱臭、浄水、抗菌、防汚といった働きのことで、環境にやさしい。

意外なことに、それまであったメタルの織物は燃えやすくて危険なのだという。〝火の鳥〟ではなかったのだ。ステンレス織物はもちろん不燃。次いで、「進化する布」（群馬県立近代美術館、二〇〇五年）で公開されたのが、耐熱性、難燃性に優れる「ポリフェニレンサルファイド」（PPS）フィルムを用いた生地である。前年、新井がニューヨークで展示し、ファッション界から熱い視線を浴びていたものだ。展覧会のタイトルは哲学者ベルグソンの「進化とは分岐である」にちなんでいる。

ＰＰＳにアルミニウムを蒸着した金銀糸を用いて制作されたインスタレーション作品は天井高いっぱい、縦横ともに十メートル強と巨大だ。しかも、この作品は十キログラムと軽く、ステンレス織物とは比べようもない。金色の布に襞を寄せつつ、さらに巨大な布を壁の上に織り込むのに、ボランティアがクレーンに乗って五日がかりで仕上げた。公共施設のインテリアに使用できる特性をそなえることから、関係者は新たな需要を期待する。新聞報道のタイトルは、「花嫁衣裳も消防服も　／燃えない金銀糸　夢広がる」（産経新聞）である。

この素材は新井の発案により群馬県繊維工業試験場と京都の尾池工業が糸を共同開発し、桐生に

40

42

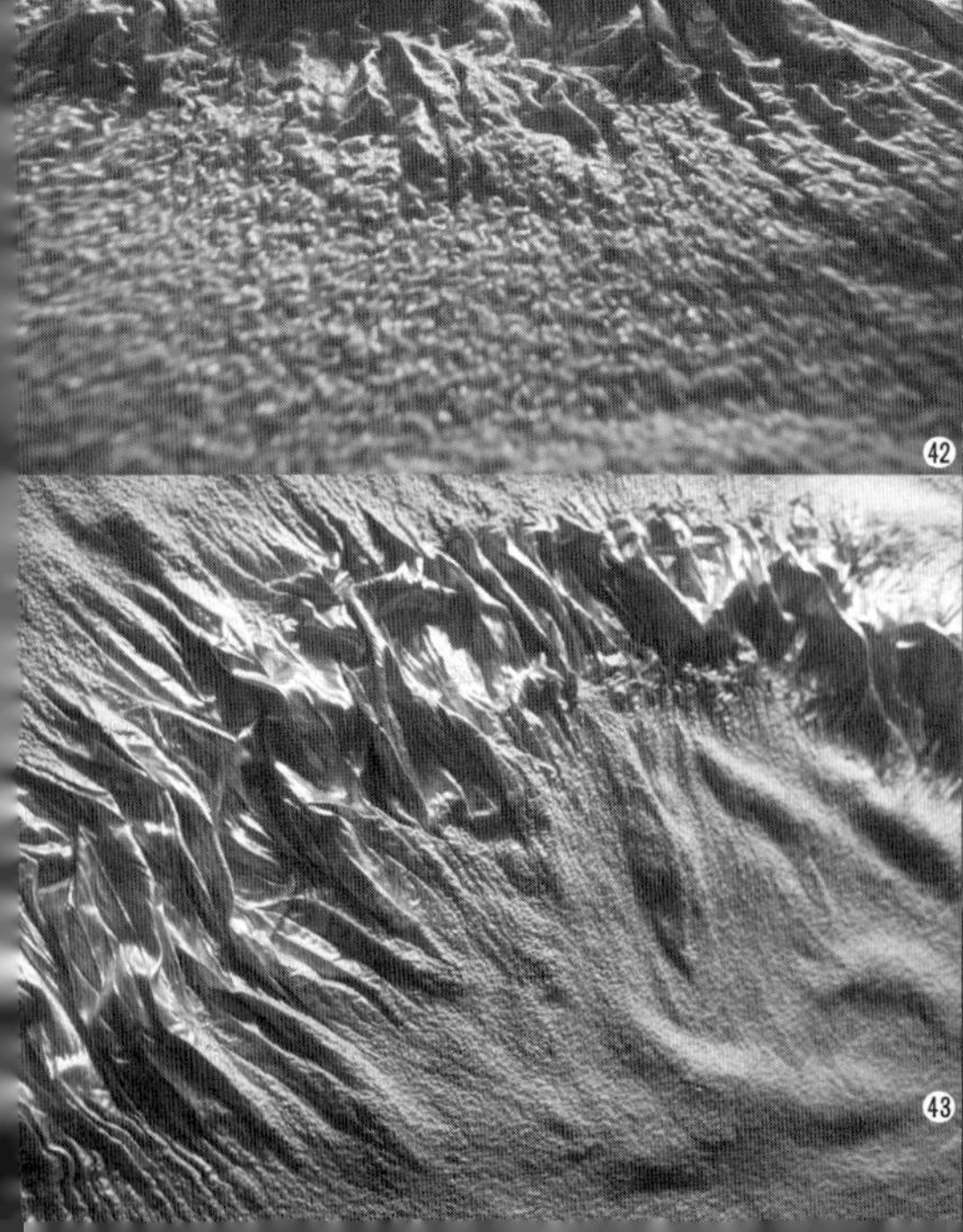

43

41

●「透明と反射」展（高崎市美術館、二〇〇三年）

㊵—㊺出品作から。「手とテクノロジー」展で披露した以降の作品を集大成。手法とデザインをさらに洗練させ、造化の神秘を感じさせる布に昇華している

●難燃性が高いPPS（ポリフェニレンサルファイド）織物

㊻「光の渦」。直径七五〇センチで、アルミニウム＋銀。二〇〇四年に桐生有鄰館で発表（群馬県立近代美術館所蔵）

㊹

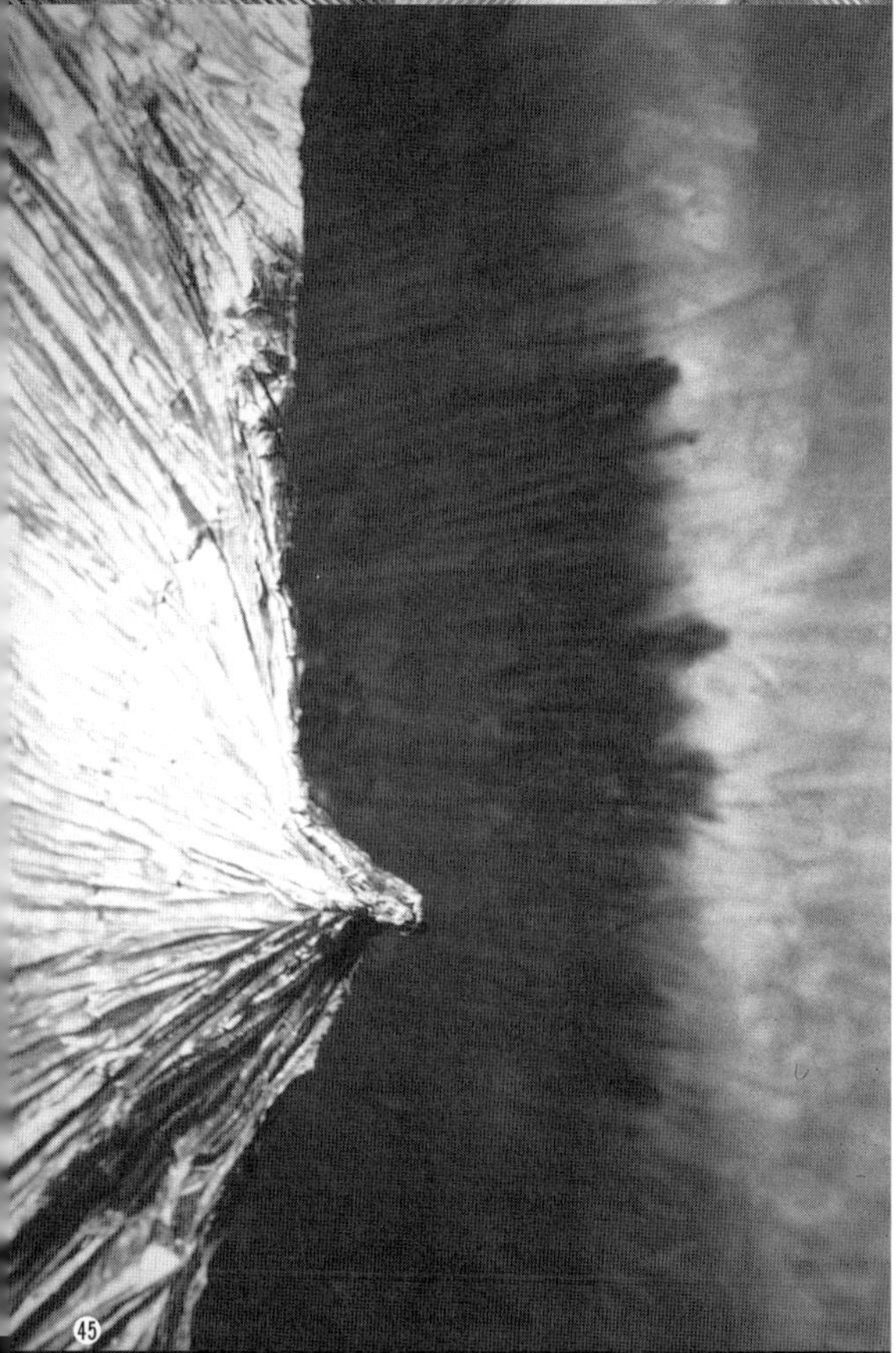
㊺

㊻

ある共立織物が製作した「燃えない布」である。これまでの難燃性ポリエステルに比べて、約二倍の酸素濃度でないと燃えないとのデータが得られた。開発に四年かけた「燃えない糸」の特許は群馬県と尾池工業が難燃性金銀糸として出願し、商品名は「ルフレーヌ」。新井は共立織物にこの糸を使用しての織を依頼し、新しい布が誕生した。

新井はこの年、繊維学会の夏季セミナー「繊維の夢を語ろう」に招かれている。そこでも、PPSのスリットヤーンによる燃えにくい「進化する布」の実物を展示し、講演のテーマも「進化する布」。セミナーに参加した帝人の前副社長が、「長く高機能素材の開発に携わってきたが、これほどの美しさを秘めていたとは」（日本繊維新聞、九月二十七日）と感嘆の声をあげた、と報じられる夏季セミナーとなった。

PPSは、スリットヤーン、金属繊維、光触媒を「生涯の総決算をかけたプリミティヴワーク」（二〇〇一年）と書いた新井の新世紀の成果と言えよう。「透明と反射」展あたりから、新技術を駆使した新井の布は、自然の造化の妙に思いを至らせる大きさを感じさせる。RCA名誉博士号授与の弁にあった「蜘蛛の巣、風にそよぐ草原、そしてひび割れた氷」を思い起こさせるとはこうした事態で、創世のさまを連想させる作品もある。優れた造形作家がたどりつくイメージの始源と未知なるものとが共存しているのだ。

新井淳一の流儀

新井淳一というテキスタイルプランナーの、テクノロジスト、アーティストとしての活動の〝法則〟が、幾分明らかになったと思う。発明と呼ぶに値する業績は多々あるが、この章で取り上げた

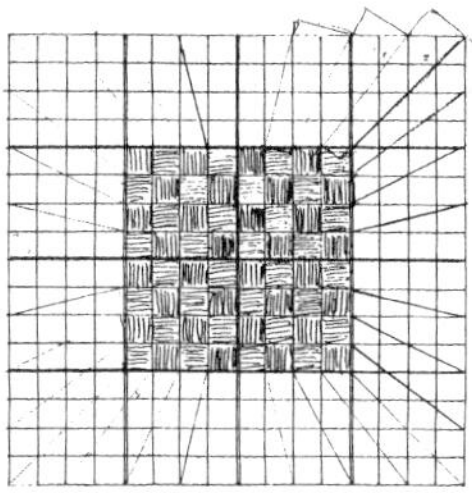

㊼「新井淳一　進化する布」展（群馬県立近代美術館、二〇〇五年）
耐熱性と難燃性に優れるPPSフィルム使用の作品としては
美術館初公開となった。
現場で製作した「黄金の壁を織る」は
縦横とも十・八メートルと巨大だが、
重量は十キログラムと超軽量

㊽「Cross Cloth～布の世界～」（調布市市民文化センター、二〇〇六年）
エスカレーターのある空間に布を縦横に掛けわたした

㊾㊿「布ものがたり・新井淳一の世界」
（トヨタテクノミュージアム
産業技術記念館、二〇〇六年）
天吊りした「天空の渦」は、
PPS＋アルミニウムと金銀二色の
表裏二重織の一三〇×七〇〇センチの
布四十三枚セット。
トヨタテクノミュージアム
産業技術記念館所蔵

コンピューター・ジャカード織物、スリットヤーンと関連技術、新合織、新世代ウール、ステンレス織物、PPSの開発から、新井の法則、新井の流儀を抽出してみよう。

一、開発のきっかけは、自発的な場合とメーカーから依頼される場合の両方がある。メーカーは繊維大手をほぼ網羅し、天然繊維から新素材まで原材料は問わない。

二、織物生産については、できるだけ桐生の企業を巻き込もうとする。

三、糸素材の開発に目処が立つと試織を開始し、展示会や展覧会・展示会で生地にして公開する。

四、展覧会に供する作品制作にあたっては、教え子や来訪者を巻き込み、参加・活躍の場を与えようとする。

五、メディアに関しては、業界紙誌が新素材誕生として報じ、文化・美術関連の媒体はアートテキスタイルの美しさを描写する。新井は両方をつなぐ媒介者として、繊維の科学・技術分野の専門家には発明を利用した織物の美しさを感じてもらうように工夫し、文化・美術分野の人々にはテキスタイルの新技術と組成に目を向けさせようとする。

テキスタイルプランナーであることは、テクノロジストでありアーティストであることを要請したのだと考える。開発の現場を知らないペーパーデザイナーの及ぶところでは到底ないのだ。

英国王室芸術協会が名誉会員に迎え、国際繊維学会がテキスタイルデザイナー勲章（デザインメダル）を授与、中国とイギリスの三つの大学の客員教授、名誉教授、名誉博士である新井に二〇一一年、英国王立芸術大学（RCA）の名誉博士号授与が加わった——こうした栄誉を授ける世界の機関は、新井の真価をよく知っている。この国はどうなんだろう、と思ってしまう。真価だけでなく、そうした達成に至る日々のことも、とも思う。盗用は論外として、流用が横行する業界にあって創造の名にふさわしい達成を求める一九八〇年代の知的作業について、新井は書いている（「天衣無縫」20、一九八八年）。

このころ、毎日、毎夜、織物の構造を考える時間に埋没した。幸せなことかもしれない。人類の発明の中で、ポスト・モダンは、エクレクティシズムは、どうなっているのだろう。

積んでは崩し、崩してはまた組み合わせる。そんな繰り返しを、何十度、何カ月もの間続けて、ノートは汚れていつつも、これだ、と決め手を得ることはまれだ。

今日、夢見た織物の構造が、翌日は砂上の楼閣として、無残な姿である。まだ、機（はた）にかけられていない状況、つまり頭とノートの上での織物作りの時が、私を一番苦しめる。捨ててしまったアイデアが、ふとしたきっかけで甦り、前に考えた以上に私を酔わせる。That's new textile、と信じ、忘れぬうちにと、夜半にとび起きて、たしかめる。だが、何のことはない、あとで考えてみれば、ただ当然の帰結で、そんな大さわぎの代物でない場合が多い。それにしても、一つのStructureが立ち上がり、存在として当代に受け入れられるためには、それなりの思案が要る。

構造といい、楼閣を持ちだすこの記述からは、物質を織り成して空間を紡ぐ建築設計のプロセスを連想する。エリック・ギル★13『衣裳論』第二章は「住居としての衣服について」である。その章をギルは、「狐は穴あり空の鳥は巣あり、然れど人の子は枕する処なし」との格言で書き起こしている。第二の皮膚といわれる衣服は、人間の住処と考えることもできそうだ。そうであるなら、布、それも布の新たな構造を考えることは、新しい身体および住処を構想することに匹敵する。包むのは精神だ。あるいは、布は水のようなもので器にしたがうのだというとき、その器は身体であり住処でもあるということだろうか。

布は水だと評したのは美術評論家の東野芳明★14であり、東野と新井は「布の冒険　布はどう布であり続けるか」(一九八五年)、「かりそめの身振り」(一九八八年)と二度対談した。また、建築家の伊東豊雄★15と新井は札幌での「構造と布」展(一九八五年)を記念して対談した折、「布は水である」、「建築を軽く」と確認しあっている。ここには東野—新井—伊東という線がはっきり見える。

その建築家は一九八六年、六本木にレストラン「NOMAD」を設計している。敷地は百坪、ファサードはパンチングメタル、内部はエキスパンドメタルと布だけ。二階ギャラリーを囲む手摺にも布が掛けられていた。一年足らずで店を閉じた直後の翌年七夕の夜には、能「天鼓」の公演があったという。布が圧倒的で、風を感じたことが記憶にある。坂道に面した場処で、軽快な架構に掛けわたされてはためく色とりどりの布、あれは「布」が提供したものだっただろう。そして、シャンパングラス片手にさんざめく人々は、そのときだけは遊牧民の身体をしていたにちがいない。

建築でも織でも、設計を終えてからも難題は続出する。そのことは「現場」(「天衣無縫」65)で明かされている。はじめての試みをする場合、しばしば予期せぬトラブルに見舞われ、そこで諦めてしまえば終わりだ。現場での障壁への対応がテキスタイルデザインのほとんどすべてであって、そこで頼りになるのは共働者である職人ということになる。

ひとつの打ち勝ちがたい障害が現れた時、それを超えるために何ができるか。そのことを、常識をひとつはずした視点で検討する。それを現場で仕事する職人さんと、同じレベルで話合いができる。それは、単に技術的な事ではなく、人間的な触れ合いが、最も必要なことだ。無論技術的に優れている職人の、長い経験の中に蓄積されたものがなければ、出てくるものは無い。しかし、彼等が、時に、思い及ばなかった名案を、現場でのちょっとした工夫や改善で提案してくれたりする。それを引き出すことができて、初めて一人前のテキスタイル・デザイナーと言えるかもしれない。

二〇一一年、新井は企業と共働で純銀蒸着スリットヤーンに関する「最後の大仕事」に着手し、ある商社が企画する「工芸の館」に協力を求められている。韓国の研究者らの協力を得て自作の布を整理・分類すること七百点余、八十歳の年からの回顧展巡回の企画も始動した。そこに三月、英国王立芸術大学からの名誉博士号授与の報が届いて、七月には夫妻ほかで授与式出席のためにロンドンへ赴く。また、ジャック・ラーセンが企画する何度目かの桐生ツアーを十月に迎える準備もある。

これらを同時進行させるのが、脱力感、貧血、足萎えに悩まされながらの新井淳一の日々であった。その心境やいかにと慮《おもんぱか》っているとメールが届いた。

――よしや我が事成らずとも企てしだに誉れなる(ラ・フォンテーヌ)。

「すべての道はローマに通じる」とのアフォリズムで知られるラ・フォンテーヌ★16である。

二〇一一年十月、桐生を訪れたラーセンはNHKの海外向けテレビ番組「TOKYO FASHION EXPRESS」のカメラに向かって、「私は有名(famous)、新井は天才(genius)」と発言したのだった。

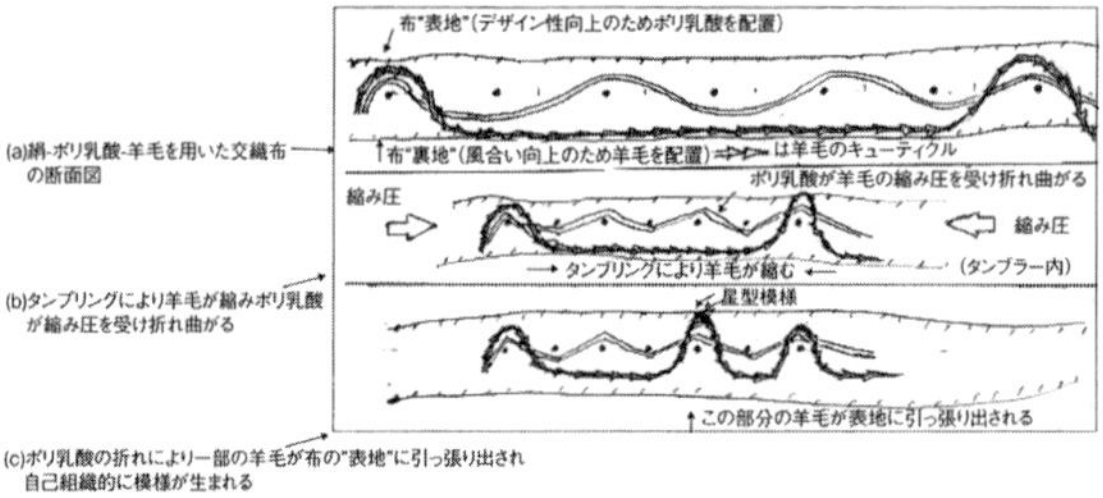

❺❶

❺❷

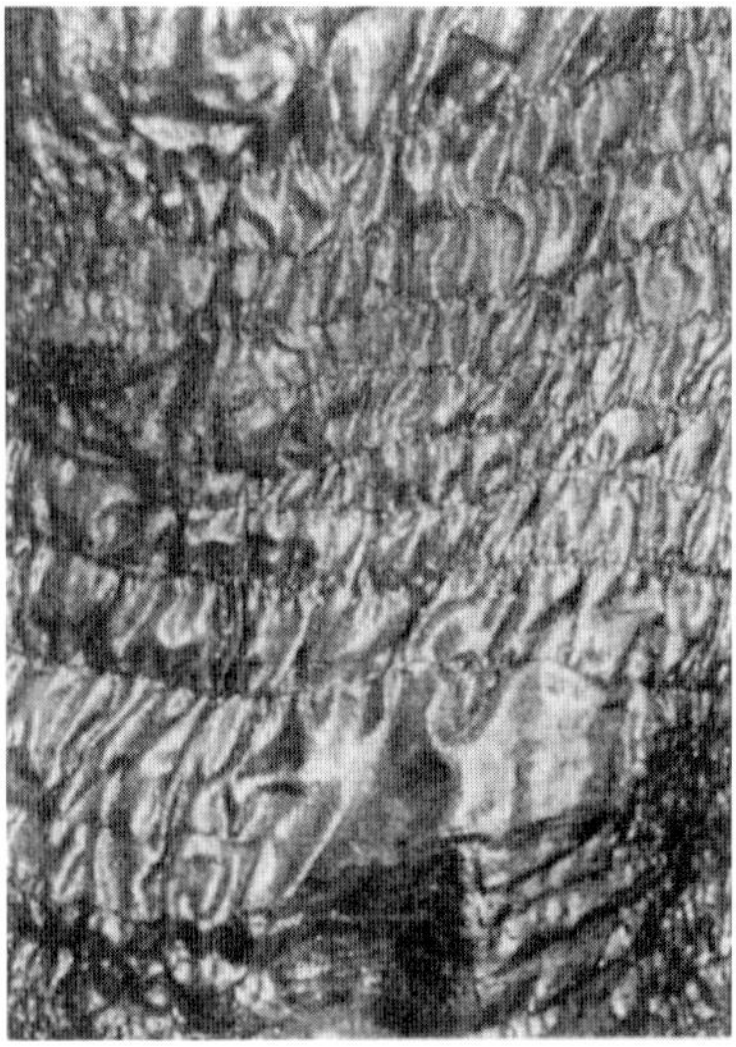

❺❶絹―羊毛糸―ポリ乳酸を用いた交織布のタンブリングによる、羊毛の縮み現象が原因の自己組織化のメカニズム

❺❷「PPSスリットヤーン模式図(断面図)および交織布(クロコダイル)部分

(いずれも出典は新井淳一・石井克明「羊毛と交織布の加工における自己組織的な模様の発生」、『自己組織化ハンドブック』、二〇〇九年)

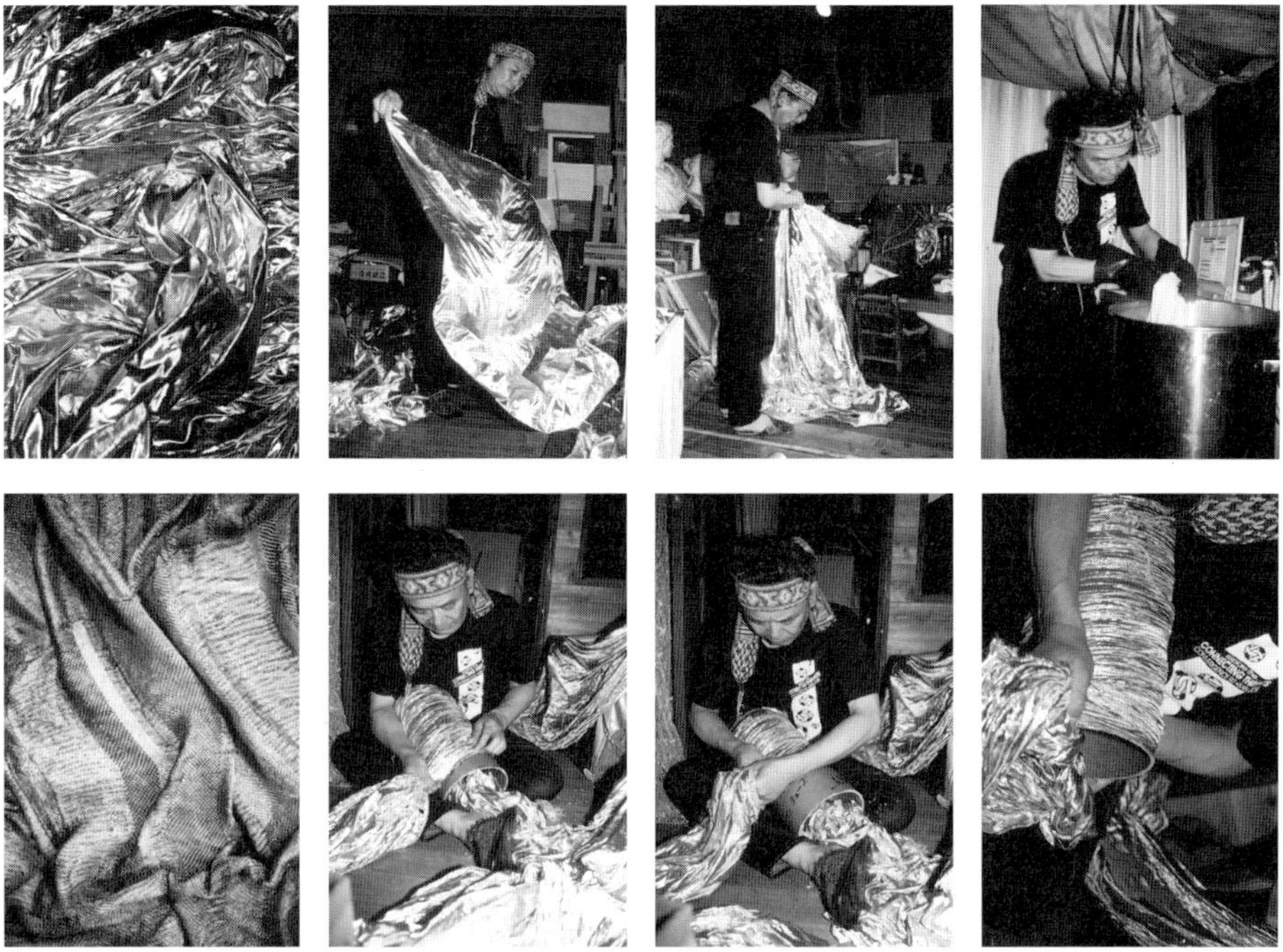

53 試作中の新井淳一。非常な表現、非常な風合は第二の脳というべき手によって生まれる

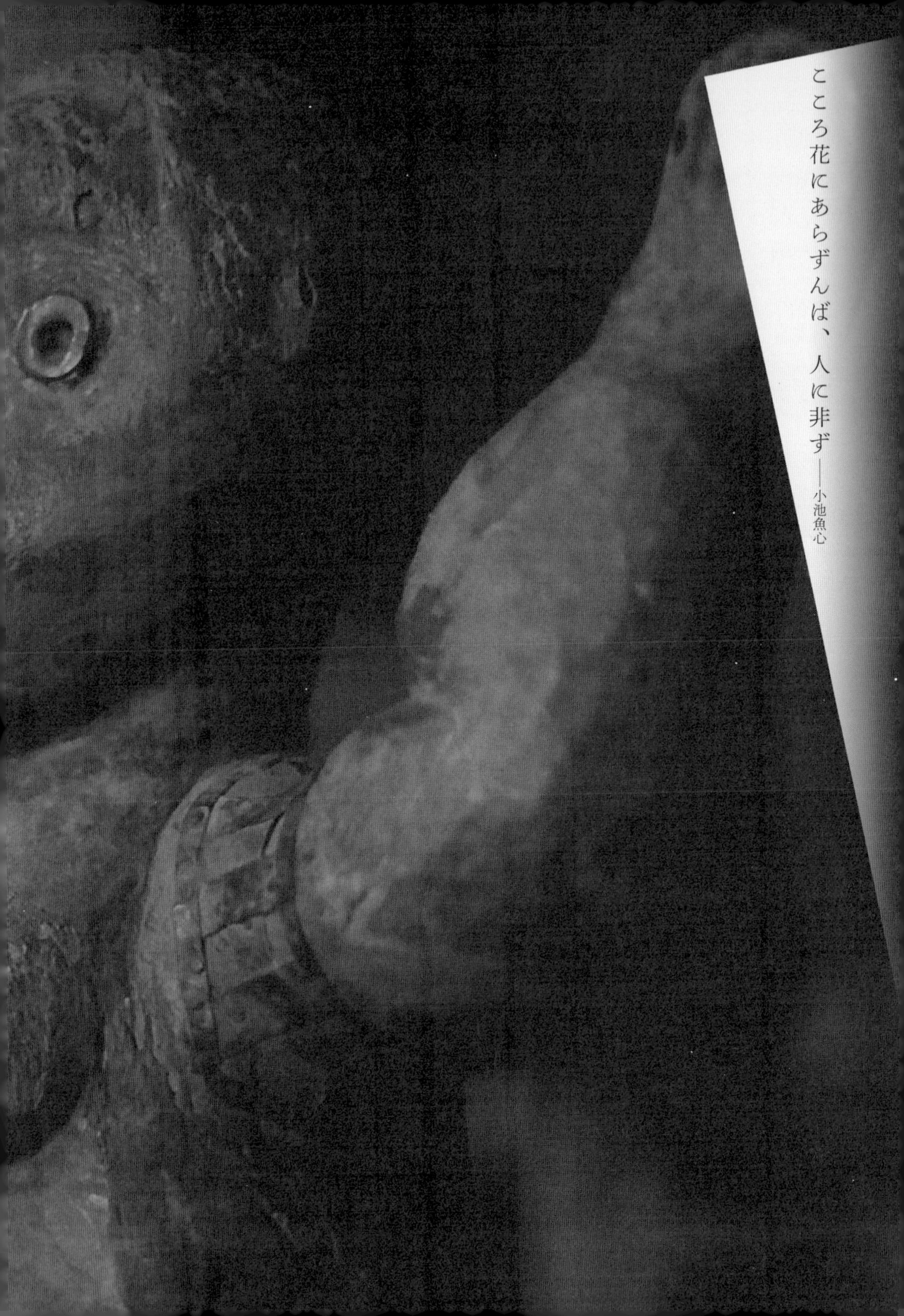

こころ花にあらずんば、人に非ず——小池魚心

第三章 精神の拠り所としての民族衣裳

旅のはじまり、布づくりの思想

テキスタイルプランナー・新井淳一を支える両輪は、テクノロジストでありアーティストであるとの考えを前章で提示した。この章では、新井の精神の拠り所、魂の住処は民族衣裳にあることを明らかにしたい。

ジャック・レナー・ラーセンは図録「手とテクノロジー」において、新井の最良の親友は民俗学的な蒐集品であるとの友人の言葉を紹介し、「私と新井淳一は、民俗学の情熱を共有し、そしてまたデザインに関して、民俗のクラフトがもっている素材や製作の過程を語り得る感受性をともに要求する。これらは、私たちの深い友情のきずなになっている」と書いた。

「親友」を「信友」と記すことがある新井にとって、民族衣裳、古い装身具や仮面は、「信友」と呼ぶにふさわしいようだ。当然のことながら、民俗資料の蒐集は旅とともにある。

染織品に対する新井の関心のあり方を探るべく、織研新聞に連載した八十九回に及ぶ「新布考」(一九九二—九四年)を見てみよう。新井の旅の始まりが一九六九年のメキシコだったことはすでに書いたが、この連載には、旅先で出合った民族衣裳のことが詳述されている。初回で取り上げたのは、メキシコシティーで見たインディオの「ウィピール」である。

ウィピールとは中米の女性が着用するポンチョ型の上衣、または袖無しの貫頭衣のこと。新井がメキシコで見たのは、手紡ぎの綿糸のよじり織りをベースに、綿糸と一部羊毛を使った縫い取り織の逸品だった。チナンテコ族のウィピールは、「色・柄の美しさもさることながら、テクスチャーの存在感が、鉄槌となって私の心を撃った」とは、ただならぬ事態と言えよう。

南米つながりで挙げるなら、毎日ファッション大賞特別賞受賞を記念する最初の個展会場「ギャラリー玄」は、「吉田コレクション」と称する綴《つづれ》の名品などインカの布を多数所蔵していた。新井が玄で惹かれたのは、織りとも編みともつかない風情のインカのファンシー・ゴース。変わり織で粗く織ったこの生地の繊維は植物性で、分解鏡をのぞいて見た組織の多様性は東洋のもじりを凌ぐと

◉**修業時代に学んだアジアほかの織**

❶—❷十代から身近にあった『織物雑考』『織物標本』『縞帳』『桐生織物史』などに学んだ。一九二七年刊の『織物雑考』の表装は友禅作家、背文字は金田一京助、内容はアイヌ、エジプト、ジャワ、モスリン、結城紬など染織全般に及ぶ

❸メキシコ・チナンテコ族の女性用貫頭衣（ウィピール）部分（桐生地域地場産業振興センター収蔵品）

❶

❷

❸

思わされた。また動物紋様が多い意匠表現は大胆極まりないという。

参考図版からは、新井の代表作の一つである「蜘蛛の巣」(一九八四年)を連想する。こちらはリコ夫人の素描を元に、コンピューター制御によってレース編み機を使った「ゴース風の織物」と説明されている。新井は三宅デザイン事務所と協力して現代のファンシー・ゴースに取り組んだ時期があったというから、「蜘蛛の巣」はそうした産物かもしれない。

なお、「吉田コレクション」とは、日本自転車振興会専務理事をつとめた吉田巌の蒐集品のことで、同振興会顧問となった吉田はギャラリー玄を経営していた。玄の顧客は目利き揃いで、新井は染織研究の第一人者・山辺知行★1、哲学者の谷川徹三★2、舞踊家の武原はん★3、女優の岡田嘉子などの好誼《こうぎ》を得ることができた。谷川は特別賞受賞のパーティーに姿を見せ、個展を機に卓布を特注した。その吉田は、織の歴史の長い桐生にこそ染織美術館が必要だと考え、染織資料と関連書籍を当地に寄贈して逝ったのだった。

新井が信奉する「プリミティヴィズム」のルーツ、アフリカの布も新井を魅了してやまない。一九九一年には京都で、大英博物館所蔵の「アフリカのテキスタイル展」の観展を果たし、無名の織り手たちの布に込めた思いの重さに圧倒された。「手足は竦み、いささかのわが自信も萎えて、ただ黙するのみ」。「手とテクノロジー」展を控えていた新井は、この展覧会を再訪、再々訪して桐生に戻り、自分の展覧会のための製作に没頭したのだった。

新井が所蔵しているのは、西アフリカの「ケンテクロス」と称される細幅織物のつぎはぎからなる巨大な布だ。数センチ幅で織られた長さ二百から二百五十センチのものを二十枚継いだもの。細幅の一本一本に、ときに九種類にも及ぶ経糸の配列と、それと異なる緯糸の打ち込みがある。布全体に新井は「ゆらぎの美しさ」の原点を見るのだが、図版からも二十世紀のオプティカルアートにつながるエッセンスが感じられる。

ケンテクロスについては、興味深い報告が竹原あき子の『縞のミステリー』(二〇一一年)に載っている。アフリカはアシャンティ族の美しい縞ケンテは言語と同等の記号として機能してきたというのだ。縞のユニットを単語のように組み合わせれば文字を持たない部族の歴史を語ることも可能だったという事実に目を奪われる。新井も興味を抱く、テキスト/テキスタイル/テクスチャーなる語が同族である秘密の一端が開示されているからである。この書物のカバーはカラーの縞ケンテ、日本の縞に見紛う本扉掲載のモノクロの縞も実は同じ系統のアフリカの縞なのだという。インドに生まれた縞文様の複雑な伝播経路、「縞こそは織が与える一番原素の模様だと云ってい丶。縞は模様の始めである」(柳宗悦「織・染」)との特性にも興味をかき立てられる。

そのケンテクロスのイメージをもとに新井がつくった「布目柄」(ファブリック・バイ・ファブリックス)が、「新布考」の「布目柄と一生氏」に掲載してある。第一章でふれたこの布目柄こそ、三宅一生を驚かせたものだった。とはいえ、「ケンテクロス」を元にしたといっても、こちらは三六〇〇本の経糸を一本一本作動させるのではなく、すでに述べた「経糸二本に対して緯糸二本」で製織した。元の布を再現するのではなく、新たな息吹と力をもたらす——このことをラーセンは「ディコンストラクション」と呼んだのだ。

山本寛斎のための布のところで言及した印金更紗との出合いは、新井の高校時代、野村吉之介校長宅まで遡る。野村(旧姓は恩郡)は作家・梶井基次郎の親友であり、やはり友人で衆議院議員となった共産党員の作家、中野重治を高校生を対象とする講演会に招いて物議をかもしたりした。

太平洋戦争中、ジャワのバンドン大学に日本文学教授として赴任していた野村が持ち帰ったインドネシアの染織品が、印金更紗だった。これについて新井は、「私の民族染織との最初の出合いであり、異国に花咲く染織文化の薫りに魅せられる下地をつくったものといえるだろう」と記している。ただし、新井が開発して工業所有権を獲得した「メルトオフ法」は、印金更紗の金箔押印と異なり、真空蒸着されたアルミニウム層をアルカリで溶解して模様を表現するもの。「ミラクレット」なる商品名で東レが販売した。

メキシコ滞在から帰国途中に航空便の都合で寄ったハワイで、新井はトライアングル模様のタパ（ハワイではKAPAとも呼ばれる樹皮布）を見た。その年の夏には、タイ北部の古都チェンマイにも行った。チェンマイのアカ族の村で新井が買い求めたのは、樹皮を筒状のまま中身を抜いて、輪型に連結した筒状のタパだった。この筒状のタパによって、三宅デザイン事務所とともに筒状織物への挑戦が始まったことが、連載三十二回の「タパ」の内容である。掲載図版はアマゾン・インディオの子供を抱く筒状輪型のタパ。ジャパン・テキスタイル・コンテストの初回、デザイン賞に選ばれたのは樹皮布で、アマゾン流域に住む人々は今も、若木の皮を剥ぎ、思い思いの模様をそこに描いて子供を背負う紐とするとの新井の説明は、こうした実体験と知見に基づいていた。審査会は筆者にとって、秋期集中講座のようなものだったとプロローグで述べたのは、こんな発言をずっと聞いていられたからであった。

一九六九—七〇年、新井はインドを旅する。インド独立の父であるガンディーが、独立運動のシンボルとして「チャルカ」という手紡ぎ車で糸を繰る姿はつとに知られている。「森村泰昌展—なにものかへのレクイエム」（東京都写真美術館、二〇一〇年）に出品された、「光と地の間を紡ぐ人／1946年インド」と題して糸を紡ぐガンディーに扮した森村の写真を見た。産業革命によって英国の機械織りの綿が流入するまで、インドは綿織物の王国だった。

そのインドは縞や絣の発祥国とみなされ、絣はインドネシアに伝播した。新井は「新布考」の「経絣（上）（下）」では、インドネシア・スンバ島の絣、インドから西への伝播経路上にあるウズベキスタンからもたらされた大胆な括り絣、そして結城紬を取り上げている。

「イカット」を世界共通語とするようになる絣だが、木綿のハイテク織物だった「ダブルイカット」（いわゆるタテヨコ絣）はインド、インドネシア、日本にしか残っていないという。新井もパネリストをつとめた一九九四年の「日本文化デザイン会議'94福岡」で、田中優子と吉本忍（国立民族学博物館）はこれにふれ、ろうけつ染めを意味する「バティック」、その代表選手である更紗もインドを起源としてインドネシア、日本で盛んにつくられたことを話題にした。

「かくて、わたくしは首飾りをば、人間のたましいの素朴な高貴性のしるしの一つとながめるに到っている　ボードレール」――新井の工房の、緑色の小さな額に収められた手書きの文である。衣服の始まりは首飾り、腰紐といった説もある。

黒もしくはモノトーンの服しか着なかった新井のトレードマークは首飾りなのだが、この文章は連載二十七回の「ビーズ」に挿入されている。ビーズとは飾り玉の総称で、最初は木の実が素材に用いられただろうから、木や石や骨の首飾りを好む新井の筆運びに違和感はない。そのビーズの素材は装身具と重なり、貝、木の実、骨、石、竹、化石、金属などが、世界でどう伝播したかは研究途上らしい。

ところで、先のボードレール★[4]の一文はエリック・ギルが著書『衣裳論』の巻頭に掲げたものだ。デザイン関係者にはタイポグラファー（書体開発者）として知られる英国人のエリック・ギルは彫刻家、版画家でもあり、産業資本主義の中で堕落する芸術に警鐘を鳴らす狷介《けんかい》な文明批評家の顔ももっていた。この著書の序に「君が思慮分別にささぐ」とあるのは、文明批評家らしい。陶芸家の濱

❹一九三八年に世界の長距離・長時間飛行のレコードを打ち立てた航研機の翼には檜材と木綿が使われ、地元桐生の婦人たちによる木綿の製作風景。桐生製の羽二重使用のパラシュートもあった

❺❻日本自転車振興会専務理事だった吉田巌の蒐集品から爪が五つの「龍」。純金を細く糸状に延べて刺繍糸とした龍は帝王にのみ許された。❺は韓国で入手した民画の龍。「天命を得る龍」に新井は強く反応する

❼バーンアウト技法で新井が織り上げた龍

田庄司は滞英中の一九二一年、ロンドン郊外にあるディッチリングに住む織物作家のエセル・メーレ夫人やエリック・ギルを訪問して感銘を受け、それが益子に窯を開くことにつながるとのエピソードがある。なお『衣裳論』は、連載八十七回で「まだ見ぬ布(2)ギルの思想継ぐ」と題して、もう一度登場する。

織物作家のアン・サットン★5との初対面の時に見せられ、一夜限りの約束で新井が借用したのが一九三一年刊のその初版本。グレーのクロス装だった。翻訳本は一九五二年、新井二十歳の年に、増野正衞訳、花森安治の序文、流政之のデザインで創元社から刊行された。図書館から借りながら充分に理解できないまま、この本のどこに感銘を受けたかを新井に質問すると、即座に「布にしたがって服を裁て」との答えがあった。

「私は、この『衣裳論』にすいぶんと触発された。もしこの本を得る機会を得なかったら、布作りの仕事をしていたかどうか、疑わしいほどだ」(『銀花』一九八八年冬号)とまで新井は書いて、何カ所か引用した。「もし諸君が、本当に立派な繊維品を手にしたら、直ちにうかぶのは、『切ってしまうのは惜しい』ということでありましょう」、「人間は着物を脱ぐことが出来るが、他の動物にはそれができない」、「理性的な魂にふさわしい理性的な衣服」——染織品の本質がテクスチャーにあることは、新井がギルから受けた啓示だった。なお『衣裳論』に掲げられたイギリスの格言は訳書では、「布地に応じて着物を裁て(Cut the cloth according to the coat)」とあるが、英語のイディオムとしては「cut the coat according to the cloth」も知られている。

産業資本主義のもとでの物づくりに懐疑的な新井は、産業資本主義に添う限りにおいてモダニストにも批判の矛先を向け、思想的には文明批評家・ギルと重なる面がある。「まだ見ぬ布(3)」に、パキスタン・シンド地方で購った技巧を凝らした古い花嫁衣裳を再現すべく、先進的な繊維会社である福井のセーレンに赴く場面に結びつけて書いている。

「手わざの粋を求めるのに、現代人の手では不可能なのだ。だからといって、ハイテクの極みをもってしても同じものの復活はあり得ない。似たものはできるであろう。少なくともモダニストの衰えた手のみよりは。それにしても、しょせんものまねにすぎない」。これが新井の、伝統と呼ばれる呪縛への闘いの思想のようだ。営利優先の布づくりの歴史の中で忘れ去られた先人の情熱こそ、というわけである。したがって、「染織品の本質は、テクスチャーにある。そう信じている」で始まった八十九回の連載最終回を、次の問いかけで締めくくるのだ──「甦れ伝統」とは「甦れ古き情熱」ではなかろうか、と。

染織参考館を切望

デザイン雑誌の創刊準備を筆者が仕事とすることとなった一九八六年以前に発刊されたファッション関連本で、手元に残るものはごくわずかしかない。その一冊は『浜野安宏のファッションジオグラフィティ　地球風俗曼陀羅』(一九八一年)、もう一冊が『一生たち』(一九八五年)である。いずれも大判・大冊だが、表紙の色は赤と黒と対照的だ。時代を画すと評される浜野安宏★6の『ファッション化社会』(一九七〇年)は書棚にはない。

神戸が開催する博覧会「ポートピア'85」共同館の「ファッションライブシアター」のために「未来人と会うための調査隊」なるキャラバンが編成され、写真集『地球風俗曼陀羅』はその成果の一つである。発刊一年前の四月、浜野を隊長とする調査隊の旅は、中央アメリカのグアテマラ、ペルー、ボリビアに始まり、バリ島、ネパール、インド・ラジャスタン砂漠に及んだ。五万枚を超えたという内藤忠行撮影の写真が圧巻で、今もページを繰る手を止めさせるインパクトがある。浜野から贈呈されたこの本によって新井は、生きながら曼陀羅の世界をさまよう数日をすごすのだった。本の帯に推薦文を寄せた二人、国立民族学博物館館長の梅棹忠夫はシアター顧問、三宅一生はファッションディレクターの任にあった。

浜野を編集長とする季刊デザイン誌『アクシス』(AXIS)創刊は『地球風俗曼陀羅』発刊に遅れることわずか半年後の同年九月だ。裏表紙に青いインクで縦に組まれたコピー「アクシス　座標軸は地平線の上にとっくの昔に立っていて人類が見失っていただけだ」が印象深くていまも手元にある。

新井と浜野には浅からぬ関係がある。『アクシス』創刊号の特集「生活におけるエクレクティシズム」の柱の一つである「熱烈折衷 異国調菜」は、小池魚心★7が桐生で営むレストラン「芭蕉」のこと。この小池は新井が若き日から長く私淑した人物であり、「芭蕉」は桐生詣でするファッション関係者を桐生人・新井が必ず案内するかつての〝学校〟だった。現代ファッションと民族衣裳を等価のものとして視野に収める新井と浜野は、『地球風俗曼陀羅』発刊以前から、「芭蕉」を語らいの場としていた。さらに、創刊号の巻頭に『「エクレクティシズム」に想う」を寄せた東野芳明は、初個展の作品によって新井に高い評価を与えるはじめての美術評論家となるのである。

新井を「布」開店に誘った株式会社アクシス、浜野が離れたのちも「情念を秘めた生命体、新井淳一とアートテキスタイルの新しい風」(一九八四年冬号)といった記事を掲載する雑誌『アクシス』である。浜野のことを「時代を造形するデザイナー」と表現したのは三宅一生だが、一九四一年生まれの浜野は「ライフスタイルプランナー」、九歳年長の新井は「テキスタイルプランナー」と称する。両人ともデザイナーでなくプランナーを自称するのは、民族衣裳の素晴らしさに「デザイン」を冠する気がしないためかもしれない。

「民族衣裳と染織展」が桐生で開かれたのは一九八〇年八月。主催は桐生繊維関連団体連絡協議会、産業文化会館を会場に会期は二十二日(金)と二十三日(土)の二日間で、市民をはじめとするボランティアが多数参加した。

展示品は約千点。インド、東南アジア、中南米、アフリカ、日本各地から、染織品は誘い合うように集まってきたという。世界の民族衣裳ばかりでなく、インカの布製の人形、十五世紀の錦・辻が花の未発表の数十点など、思いがけず初公開に至った品々もあった。そうした展示品に共通するのは、個性豊かな生命をもつこと、製作に籠められた敬虔な祈りをみることができること、そして作品すべてに作者名がない無名性とされた。

この展覧会を記念して『80年代の都市「桐生」の新生』と銘打った冊子が二冊、展覧会直前と翌年に発刊されている。『地球風俗曼陀羅』とは比較すべくもない簡素さだが、「民族衣裳と染織展」開催が、ポートアイランド博覧会より先であったことは特筆されていい。そもそも、神戸新聞社が桐生の民族衣裳展を訪れ、そのインパクトによって浜野の曼陀羅本発刊の企画が実現したというのが順番である。京都ではすでに「現代衣服の源流展」「浪漫衣裳展」が開催されていたものの、これらは海外から持ち込まれた十九世紀を対象とするコレクションである点で、民族衣裳展とは異なる。

直前に出された冊子の後書き「途方に暮れてはいられない——染織展まであと10日——」に名を連ねるのは企画進行役をつとめた新井淳一、新井實(新伊織物社長)[★8]、武藤和夫(群馬県繊維工業試験場機織課長)[★9]だ。文中には、翌年ファッションライブシアターを演出する浜野安宏の、「現代文明の延長ではなく、大地に根づいた文化の地平をみつめることだ、そのためには、虚構ではなく事実を見ることだ」を一部とする文章の引用がある。浜野と新井らには、時代が民族衣裳を必要とするとの共通認識があったことがうかがえる。

驚くことに、これらの記事は『上州路』一九八〇年八月号の特集『80年代の都市『桐生』の新生　『民族衣裳と染織展』』の再録である。群馬県庁のある高崎市のあさお社が一九七四年に創刊した月刊『上州路』はこの号が七十五号。巻末に掲載された特集一覧には、「群馬の織物（Ⅰ）伊勢崎篇」「同（Ⅱ）桐生篇」「近代群馬蚕糸業の黎明」といった項目が挙がっている。

「桐生タイムス」でもこの染織展の連載を組んでいて、同紙記者の東弘は「狂人たちの純な魂へ贈る」との一文を翌年発刊の冊子に寄せた。新井は九〇年代、「桐生タイムス」で五十回にわたる連載「縦横無尽」を執筆するのだが、小都市にその都市名を冠する新聞があることを誇りに思い、海外に赴いて桐生市を紹介する際には、戦後すぐに発刊されたこの媒体を披露する。

さて、同じ冊子の、新井淳一筆になる「民族衣裳と染織展のこと」には、東南アジア北部の山岳五部族、メオ族、ヤオ族、カレン族、アカ族、リス族の出品物の解説がある。メオ族は何といってもプリーツスカート、ヤオ族は刺繍のパンツ、カレン族は貫頭衣、アカ族は抽象文様、そしてリス族で惹かれるのは飾り帯――。グラビアページと一緒に読むと、「部族の一見同じにみえる衣裳にも、個々の生命の表現があります」という以前に、部族間の衣裳の違いの大きさに驚かされる。

メオ族のプリーツスカートは、約四メートルの綿または麻に細かい幾何学模様をローケツで藍染めしたものが主体だ。これにクロスステッチの刺繍やアップリケをした布地で縁取りし、全体を糸で締めて細かいプリーツ仕上げをした。新井は、このプリーツスカートは山岳民族の衣裳を代表するのみならず、世界の民族衣裳の傑作だと言い切っている。

ヤオ族の衣裳の代表である刺繍のパンツは、宇宙観を表現しているという。大胆な赤い縁取りだけの上着の下衣として、びっしりと美しい色彩で埋め尽くした幾何学模様の刺繍のリズムに、新井は動植物に囲まれて生きる人間の自然と生命への讃歌を感じとる。

カレン族の衣裳を代表する貫頭衣にあっては、織と刺繍が見事に融合していることに新井は感嘆する。白い木の実でトリミングされた刺繍のステッチは、微細に埋め尽くされたり、おおらかに刺されたりと、定型はないようだ。いずれも、「織という規制の中で決められたキャンバス上の表現」だというわけである。

アカ族の衣裳は「抽象絵画の世界だ」。藍染した平織木綿地に、ひと針ひと針、執拗なまでにアップリケが縫いこまれている。普段着である上衣、脚絆、袋、帽子ともに、そうした抽象模様はどんな祈りの表現なのかと訝《いぶか》りさえする新井は、来たるべき桐生の民族衣裳館の主役は、アカ族の衣裳だと展望する。

リス族の飾り帯は世界有数のもので、「日本の帯を凌ぐといってもいいだろう」。帯地を生業としていた新井をもってしてこう言わしめる出来映えなのだ。また、ヨーク（肩や背中の切り替え部分）と袖付けに細かな原色のアップリケで線を重ね、色彩の層をなす帯から無数の飾り紐を垂らすものにも惹かれた。紐の先端には色の調和する毛玉があることで、着る女性が歩くにしたがって、飾り紐が軽やかに腰を打ち、跳ね、踊るさまを目に浮かべるという。

ただし、新井が刺激を受けたのは海外の民族衣裳ばかりではない。のちに他の日本人と違って新井は海外の影響下にあったのでなく、「自国の内懐から創造を始めた」（「ドリーム・ウィーバー」、一九九五年）とされる日本、とりわけ桐生地域の染織の歴史である。図版に掲載した『織物雑考』、『織物標本』、『縞帳』、そして『桐生織物史』などがごく身近にあり、十代から新井の教科書となっていた。また、織維は一国の命運を左右する先端産業でもありつづけ、太平洋戦争直前には代用品の研究の成果として檜と綿を内装に用いた日本の航研機も生まれた。その木綿地は桐生で製造されたもので、地元の女性たちによる製造風景の写真も残っているのだ。

翌年刊行の冊子の扉に掲載されたのが、新井淳一による「染織参考館の思想」である。ギャラリー玄の吉田巌から「桐生にこそ染織美術館を」と託されたことが、新井の念頭にあっただろう。「あらゆる文化遺産のうち、染織品ほど豊かなものはない。布ほど暖かなものはない。人が生まれてから死ぬまでの間、最も深くかかわるものであり、その包みこむ肉体に宿る思想を育みつづけてきた」との冒頭の文章が、新井の布観だ。だが、そうした布を生みだす産地は、「無残なまでにお

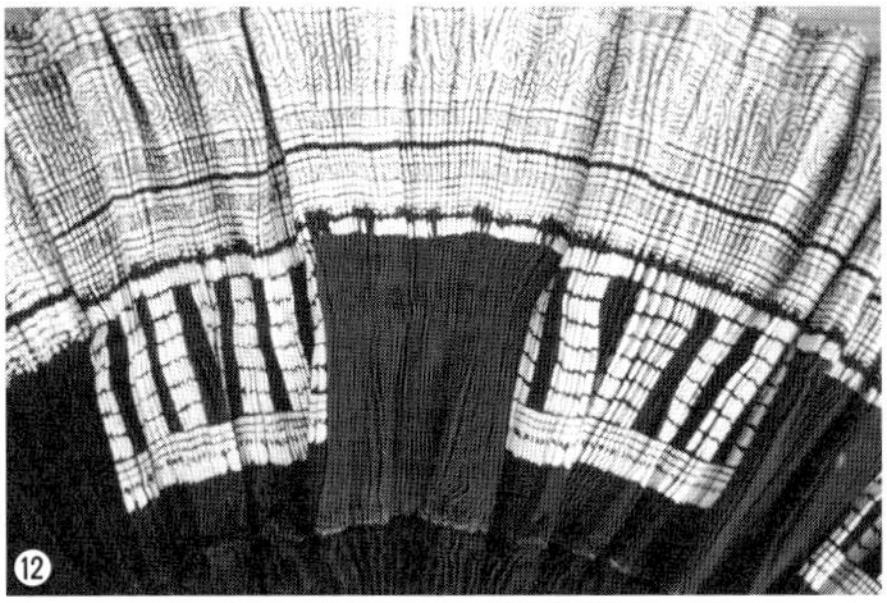

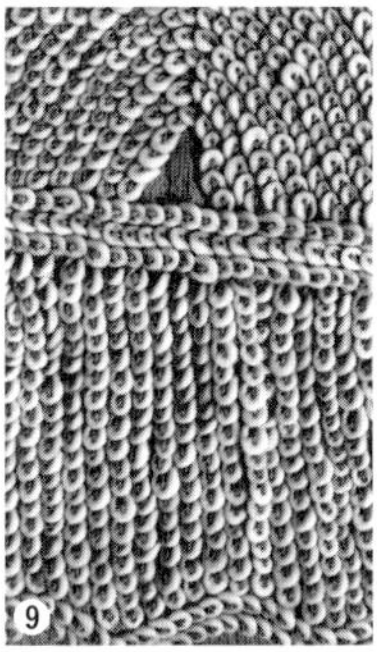

⓫

●新井の民族衣裳関連の蒐集品から
❽―⓬蒐集品は民族資料、アフリカ・カメルーン人形「オ・ググン」、ニューギニアの貝縫い付けベルト、首飾り、椅子などに及ぶ

としめられてしまった」というのが現状認識ではあるものの、一九八一年時点で「産業としての繊維関連業に復権の兆しが見えはじめている」ともいう。その兆しを確かなものとする染織参考館なのである。

そのためには、参考館自体が生きていることが必須だ。染織品を収集・展示するだけでなく、染織工芸の教場であり生産の現場となる、参考館自体が利益を生み、繊維に関するあらゆる相談にも乗る——知の宝庫であると同時に、楽しめる場とするべく、展示物に触れられることを原則とする。博物館や美術館でなく、参考館と呼ぶ新井の意図は、こうした願望のゆえだ。箱物建設などは特に望んではいない。「参考館」（『天衣無縫』57）によれば、先例は日本海軍が江田島に置いた「参考館」を嚆矢として、濱田庄司が八十歳でコレクションを公開することを決意して開いたのも参考館、天理にも参考館が存在する。のちに桐生で、私営の「織物参考館」が誕生したが、名称を進言したのは新井であった。

斜陽が呼ばれて久しい繊維産業にあって、桐生も例外ではなかった。産地全体の生産高の減少に加え、一都市に繊維団体が二十一ある総合性を特徴とする産地にあって、縫製加工賃収入が織物生産額を凌ぐといった現象が起こっていた。織そのものを復興するためにも、織物の博物館がいると考えたことが、「民族衣裳と染織展」のきっかけとなった。

はた音村構想、織物資料館建設運動は桐生にすでにあり、「民族衣裳と染織展」は織物の里の再生にとって一連の企画だった。ただ、事務局は市経済部商工課に置かれたものの、展覧会は民間団体の主催ということで、基本は民間の手づくりで成立した。助成金に頼らないように、桐生の興行組合の協力を得て、向こう二カ月間に上映される映画の共通入場券を売り、そのうちの半額を染織展に寄付するという仕組みを実現。大塚テキスタイルデザイン専門学校、川島テキスタイルスクールなどには学生ボランティアの依頼状を送ってあった。

桐生の「新生」を謳うのには、ルネサンスもイメージにある。企画運営者の一人である武藤和夫は、イタリアでルネサンスが興った理由の一つは、海洋都市の貿易による巨利とともに、ミラノやフィレンツェが毛織物・絹織物で蓄えた富だとする。そのことで都市は自治権を獲得し、古代都市ローマに関心が深い天才たちをフィレンツェに呼び寄せることができた、というのである。

一九八〇年桐生、二日だけの民族衣裳展

たった二日間だけの「民族衣裳と染織展」を、二冊の冊子によってドキュメント風に再現してみよ

⑬

⑭

●「民族衣裳と染織展」（産業文化会館、一九八〇年八月二十二・二十三日）
⑬小池魚心がデザインしたポスターはベトナムシルクの布にプリント
⑭展示会を記念して発刊された冊子。『上州路』一九八〇年六月号特集を再録したもの

う。集めたというより、みずからの力で集まってきた千点をゆうにこえる染織品——とはいえ、出品目録を見ると、関係者がもてるネットワークの限りを尽くしたことがうかがわれる。出品者、出品点数、概要には次の名前がある。

河村幸次郎(グラナダ社長、日本繊維新聞監査役、一五一点)、滝沢久仁子(デザイナー、八九点)、吉田桂介(富山・桂樹舎代表、七〇点)、山本まつよ(フィリピン研究家、七〇点)、岡村吉右衛門(版画家、絣織物研究家、六五点)、大塚末子(大塚着物学院院長、五六点)、大塚テキスタイルデザイン専門学校(五〇点)、山鹿英助(銃火薬商、はたおと工房同人、五〇点)、吉田巌(自転車振興会顧問、四五点)——。内容はメキシコ、東南アジア、アフガニスタン、スマトラ、インド、パキスタン、ネパールから、ナイジェリア、モロッコ、チュニス、スペインの衣裳や小物、さらにはアイヌ、裂織、上布、刺子、袈裟、筒描き、と生産国も布の態様も多様だ。

企画者である新井淳一(一〇〇点)、武藤和夫(二四点)、新井實(一五点)は当然として、小池魚心、浜野安宏、山辺知行、川島織物、BIGI(ビギ)といった名前もあり、国内外から集め、集まった布の移動を知ることができる。小池は出品者であるだけでなく美術宣伝も担った。赤、緑、黒だけで印刷したポスターはビビッドで、民族衣裳のパワーを漲らせている。

地元の若手に委ねた会場構成(鹿沼良輔、渡辺憲司)、音楽(ブライアン・イーノ)、照明は、公的な美術展の体系性、コマーシャルなイベントの完成度はなくとも、力強く「革新的」だったようだ。ガラス越しに布を見るのではなく、来場者が手にとって触ることができる展示も画期的だ。主催者がいくら望んでも、出品者の理解なくしては実現しないからだ。「スゴイ、スゴイ」と言葉を布にぶつける、視覚に障がいのある人々の姿が会場にあったのは、このためだった。

⑮

⑯

⑰

⑱

⑮—⑱展示品は千点ほどが集まり、来場者は布に触ることができた。ボランティア学生が多数参集、織物を巻く芯棒を組み合わせた展示用什器は、建築資材として使われるようになった紙管の原型と言えそうだ

参加した市民やデザイン学校の学生を新井はボランティア＝義勇軍と呼び、この展覧会は「義勇軍の旗あげ」なのだと、誇らしげに何度かエッセーに記すことになる。そうしたボランティア学生の多くは、初日の朝まで展示を手伝い、疲れ果ててオープンの時には楽屋で寝込んでしまった。雨の中、来場者は二日間で七千人を数える盛況ぶりで、七つの部屋からなる産業文化会館に、織物千年の伝統がある桐生市民のどよめきが沸き上がる。金曜日二千人、土曜日は五千人で、主催者は会期に日曜を含まなかったことを悔やみもした。

幾十年、幾百年の眠りを醒した〝きれ〟が、手足を伸ばし、息づき、あたりを見交わし、親しみを込めた囁きを交わしはじめる——若者たちによってディスプレイされた布を、新井はこんなふうに感じた。市長の感想である「桐生の誇り」との一言も素直に喜ぶことができた。

「明日を計る一発の照明弾のように夜空を一瞬照らしだした」と展覧会を描写する三島彰は、山本寛斎、川久保玲、三宅デザイン事務所や鳥居ユキやBIGIの若手たち、吉本忍（国立民族学博物館）、林英次（ブリヂストンサイクル設計部長）など、デザイナー、研究者、企業人と、来訪者が多彩だったことを特記する。実際、市外からの来訪者が三割ほどを占めて、関係者を驚かせたのだった。

記念の冊子には、桐生の関係者とともに、そうした人々の寄稿も収録してある。兵藤充孝「なぜ伝統的のものがラディカルなのか」（クリエーター）、元吉千津子「桐生への手紙——伝統を誇りにNOWいファッションの源に」（ファッションコーディネーター）、馬渕美津江「物作りの原点に接して」（ユキ・トリヰ企画）、久保田穣『無名の作者たちの魂』が生みだすハーモニー」（詩人）。これらが、その一端である。

——「棒ほど願って針ほど叶う」

新井淳一が冊子の終わり近くに載せたドキュメントのタイトルがこれだ。すべての繊維製品を

◉出品作から東南アジア北部山岳五部族の逸品

（新井淳一「民族衣裳と染織展のこと」より）

⑲メオ族のプリーツスカート

⑳ヤオ族の刺繍のパンツ

㉑カレン族の貫頭衣

㉒アカ族の衣裳はアップリケによって抽象絵画さながら

㉓リス族の衣裳は飾り紐に特徴がある

生産する能力はもっているが、ただ一つファッションを企画する能力がない、と言われつづけた桐生で、その企画力を問い直す。さらに、「中央公論の梅棹論文を超えた地方文化の橋頭堡を作るのが今回の企画の精神です」とある。これは梅棹を批判するわけでなく、大阪、京都、神戸といった政令指定の大都市でなくともやれることはある、といった意気込みの表れなのではあるまいか。民族学者の梅棹忠夫★10が国立民族学博物館館長に就任したのは一九七四年(一九九三年まで館長)、大阪千里の万博跡地に建物が竣工したのは三年後だ。梅棹は博物館を研究部と研究者を有する大学共同利用機関とする先見性の持ち主で、二〇一〇年の没後も著書の重版や関連書の刊行が相次ぎ、評価の高さを証明している。

桐生タイムスは「織物関係者に衝撃」(八月二十六日)と題する企画進行役の三人の座談会を、上毛新聞は「わが街の染織展を終えて」(九月十一日)という新井淳一の文章を掲載するが、いずれの記事も特大である。

「民族衣裳と染織展」出品作の一部は、展覧会を機に組織された「桐生染織研究会」(会長＝小池久雄)のコレクションとなり、次いで「桐生地域地場産業振興センター」に移管された。九〇年代に入ると、同センターは『染織デザイン資料誌』を続々と発刊して、そうした作品をフルカラーで見ることができるようになった。

展覧会の続編というべき一九八六年の「民族衣裳展　桐生に集う世界の布たち」(染織研究会主催)開催当時、桐生染織研究会のコレクションは一五二一点に上っていたことが冊子からわかる。内訳は、南北アメリカの三六一点を筆頭に、中国・台湾・朝鮮二四九点、インド・ネパール・ブータン・パキスタンが二二三点とつづいている。そこには、吉田巌が多年にわたる貴重なコレクションを研究会にそっくり寄贈していたことが感謝を込めて記されている。

「布の詩」は思索の旅、歌の別れ

新井は必要とあれば、伝統を知らずして何の先端かと訴え、民族衣裳を含む布の素晴らしさを文章に綴ってきた。もっとも力のこもった文章は、季刊『銀花』に四回連載した「布の詩」(一九八八年夏号—八九年春号)だと思う。

一九八〇年に始まる連載「見たり聞いたりためしたり」(東京タイムス)以来、エッセーで充分な経験を積んだ新井の文章は、各七ページにわたる編集および杉浦康平★11のデザインと相まって、おそろしく読み応え・見応えがある。同じ雑誌に三年前に掲載された二十二ページの特集「布潮流・伝統から未来へ＝桐生・新井淳一の世界」では、布とその作者が「柔らかな綿糸の交響曲」、「作曲及び指揮者」と形容されていた。媒体と執筆者には信頼関係が築けたのだろう。自分と同年生まれのこのデザイナーに敬意を表し、「康平さんという人は…」(一九九二年)と題するエッセーを新聞で発表する新井である。

「布の詩」にふさわしく、各回の枕には一編の詩が寄り添っている。しかし、内容は染織品礼賛でもなければ、よくある織物紀行でもない。布の時空の広がりに呼応し、繊維産業の盛衰、社会の激変、もの心ついて以来五十年の己の来歴も迫ってきて、絶えまない旅を記す筆致は陰翳をはらんで重い。

アントロジー倒産があり、「私の身辺にも多くのことが起こった。布作りだけでなく、生活の基底まで大きく変化した」この時期、たとえばアフリカの文物と出合うことは骨董漁りの楽しみなどではなく、「私の、今の飢えの欲する、渇きの求める生命の糧だ」(一九八九年春号)——といった切迫感が漂う。

読後の手触りを一字で表せば、「索」。これは大縄のことで、ばらばらになるさま、さびしいさまからは「索然・索莫」、さがし求める意では「索引・捜索・思索」といった単語を成す。ここでは、布という大海原を束ねる索条探しの旅を、しばし追跡しよう。

連載は「蠶婦《さんぷ》」で始まる。「蠶」とは中国の『説文解字』に「絲を任(吐)く蟲なり」とあるように蚕であるから、「蠶婦」とは絹を織る婦人ということになりそうだ。三千数百年前の中国殷王朝ですでに養蚕が行なわれ、シルクロードが開かれるに至ったのだ。冒頭に掲げられた読み人知らず（のちに北宋の詩人・張兪の作と判明）の五言絶句の中に、この「蠶」の文字があるという。

――昨日到城郭　歸來涙滿巾　遍身綺羅者　不是養蠶人

これを新井の知人である画家の福田貂太郎が訳すと、「きのふ城下を歩いてきたが　あとからあとから涙が出たよ　絹きる町の人たちは　かいこの骨折りしらなかろ」となる。

前年十一月、新井は英国王室芸術協会から名誉会員（Hon. R.D.I.）に推され、授賞式に臨むためにロンドンに八日間滞在した。友人のアン・サットンが用意した宿のロビーに掛けてあったのが中国古画「耕織図」で、養蚕人の作業を克明に描きこんだこの連作にちなんで、冒頭の五言絶句が選ばれたのだった。そののびやかな絵から、「不是養蠶人」を「かいこの骨折りしらなかろ」と訳すのが正解かどうかとの疑いが兆し、連載初回はこの問を底流とする紀行文となった。「なみだ」と「骨折り」では蚕、ひいては絹織る人の歓びが欠けていると感じたからだろう。

ロンドン滞在中に訪ねたウィリアム・モリスの「レッドハウス」（赤い家）、新井が技術アドバイザーをつとめる結城紬の里で真綿から糸をとる（つむぐ）女たちと詩人・新川和江、インドで貴重なシャトウシュ（毛織物）のために糸をつむぐ女たち、由布院（湯布院）に呼ばれて会った服飾研究会の面々、石川県主催の「フロンティア　アメリカン・ファイバーアート展」のために立ち寄った越後路で見た坂口安吾の文学碑――。新井の一九八七年秋の旅はロンドン、由布院、結城に凝縮されていたようなのだ。

だがしかし、結城について書かれた、「結城紬の工程について、それがどれほど細緻を極め、伝統工芸の粋と崇められようと、私にとってさしたる興味はない」との一文はどう解するべきだろうか。片や、「由布院の誇りを包む服」をつくろうとする非専門家の服談義を「ラディカル」だと称揚する新井である。

その次の文は、「わたしの中に／日々をつむぐ／ゆふき女がいる」（新川和江）★12を援用しての、「ただ、日々をつむぐ、糸をとる工程だけは、私を捕えて離さない」。新井は、江戸期の奢侈禁止令で、絹を禁じられた町人が木綿に似た絹を紬に求めたことにもふれていた。また、新潟に生まれ桐生で没した坂口安吾を、かつては「不是養蚕人」だと思っていたが、今は「日々を太々しくつむぐ人」となった、とする。

「さしたる興味はない」とは、「新布考」最終回で、「甦れ伝統」とは「甦れ古き情熱」ではなかろうかと問いかけたことと、同じ心情の発露と解するべきなのだろうか。いかにつくるか以前に、何故・何のためにつくるかを自らに問うこと、あるいは結果のかたちでなく初発の志こそ――「不是養蚕人」の福田訳を訝りつつ、自分では「訳しかねている」新井に倣って、この問いに答えを急ぐのはやめにしよう。

「布の詩2」のテーマは「沖縄」である。芭蕉布、八重山上布、久米島絣、花織など、沖縄の織の素晴らしさを語るのに接する機会は少なくない。満州国建国の年に生まれた新井は、女性たちが芭蕉布をまとって自決した沖縄戦の地に赴くことを封印して久しかった。その新井が沖縄行きを決意したのは、倉敷と熊本の民藝館館長の任にある外村《とのむら》吉之介★13が竹富島に出講するためだ。新井が愛読した『西欧の民藝』の著者は、九十歳を超える高齢の身であった。

旅の初日に訪れて衝撃を受けたのは、花織で有名な読谷《よみたん》村立歴史民俗資料館——だがその衝撃の理由は、花織や民具ではなく、撃ち落とされた飛行機のジュラルミンを鋳直して作った皿や鉢、薬缶や焜炉といった生活雑具の数々だった。「私は見たのだ。雑器の中に籠められたものの重さを」とは、爆撃から逃れた倉庫に残されたジュラルミンで鍋釜、弁当箱を作った自らの記憶と重なったからである。

那覇在住の染織家・真喜志民子一家の案内で行った読谷、その途中で立ち寄った陶芸家・大嶺の自邸、芭蕉布再興で知られる喜如嘉《きじょか》の平良敏子★14、沖縄県立博物館、西表《いりおもて》の染織家・石垣昭子★15など、出会って厚遇を受け、そこで新井が見たものは多かった。

感動を覚えたのは、ジュラルミンの雑具、外と内の区別がない大嶺の住居、那覇の料理店「くがにや」にあった山原籠《やんばるかご》を背負うための落下傘のナイロン紐で織った細帯、県立博物館にあった「カカン」と呼ばれる見事なプリーツの巻きスカート、そして縞帳の中にだけあった美しき久米島紬など。逆に落胆を隠せなかったのは、鉄筋コンクリートの芭蕉布会館の建物、平良敏子の旧居の庭で切り倒される桑の大木、土産物の絣の久米島紬——。

琉球が持つもののよさ、いや「よさと手放しで誉めるよりも、強《した》かさの前で、立ち竦むことがたびたびあった」と書く新井である。とりわけ希望を託すことができたのは、西表で知った「綾羽＝あやぱに」なる布だ。これは透けて見える翅に葉脈のような綾のある布のことで、新井がオーガンジー楊柳《ようりゅう》と呼ぶもの。「西表で懸命に求めつづけている西表生糸が実現し、野蚕の紬糸との組合わせで織り出されれば、あやぱには世界一の織物となれる。私はその日を待っている」。

田中優子の『布のちから』には、久米島絣、芭蕉布、花織を含む「日本の織物紀行」の章がある。これは雑誌連載を改稿・再録したもので、田中は「手織り」について、「産業の地平から徐々に個人のもとへと移行し始めているのである」、「織物は産業から離れて、意外な展開をするかも知れない」と展望した。

昭和三十二年をピークとして、当時、四十人で年間二七〇反が限度だったという芭蕉布織物工房の生産はどうなったのだろう。西表で「あやぱに」は織り出されるようになったのだろうか。インターネットで検索した限りでは、石垣昭子の紅露工房周囲の農園には糸芭蕉が多く植えられ、桑を栽培してさまざまな品種の蚕を飼っているようだが、「あやぱに」は織物として見つけられず、アーケード街の名称として頻出する。その代わり、石垣昭子、真木千秋、真砂三千代が共同で一九八九年秋にニューヨークで発表した服のブランド「真南風」が進化しているとの報を見つけた。

英国が「布の詩3」のテーマとなったのは、前年につづいて新井が産業革命の中心だったマンチェスターからリーズまで、一週間かけて車で走ったからである。六月末、アメリカで参加する会議や展示会を前にして、成田からまずマンチェスターへ。機上で開いたのは「ユートピア」をテーマとするトマス・モアとウィリアム・モリスの二冊の書物。前年と同じく案内役を引き受けたアン・サットンからエリック・ギルの『CLOTHES』(衣裳論)初版本を手渡されたのは、この折であった。

マンチェスターでの初日、昼食のために訪れた二人の大男の家は、決して忘れることはあるまいと思うほど新井にとって印象が強かった。風刺漫画家とニットウエア・デザイナーのカップルは、仕事では最新のコンピューターを操り、休日には自然と同化する生活を送る。寝台に掛けてある毛布からは、生きた羊の匂いがする――これは現代のユートピアか。旅の最後の晩は、タペストリー作家のコテージで、毛皮の人形を操るその女主人とともに、会話と笑いの饗宴となった――これもユートピアか。「またしても私は、『ユートピア』で描かれた情景と現実との相似と相違の中で混乱する」。旅は酩酊をもたらし、過去・現在・未来を万華鏡のように映しだす。

「産業主義を超えた職人」「漂白の人」と仲間から呼ばれる新井は、産業革命発祥の地で、産業主義とは対極にある大男二人と女性作家に魅せられた。二度までもガイドを買って出たアンだとて、功利の人とはほど遠い。

この回の枕の詩句は、「Love is enough――William Morris」。再びのモリスである。産業革命後の社会とデザインの劣化を危ぶんだウィリアム・モリス（一八三四―九六年）をリーダーとするアーツ・アンド・クラフツ運動は、米国流の資本主義が隆盛の時代には、中世崇拝の歴史主義、時代に逆行する反産業主義として否定的に捉えられる傾向が強かった。わが国の一九八〇年代後半のバブル経済期には、モリスは論外であり欧米に学ぶものはもはやないと豪語する大手企業のデザインディレクターもいたくらいだ。

しかし、産業資本主義の弊害が明らかな今日の目で見れば、工芸家、デザイナー、思想家など多彩な顔をもつモリスの思想と先見性にはあらためて注目すべきことが多い。没後百年を記念する展覧会が一九九六年にロンドンで開かれ、竹原あき子★16は同年、「20世紀末はモリスの手のひらにある」（『日経デザイン』一九九六年十一月号特集）を発表する。モリスが抱えた課題は百年後さらに拡大し変質するが、その問題意識は二十世紀末をも包みこんでいるというわけである。竹原は『ソニア・ドローネ』（一九九五年）の著者であり、画家・テキスタイルデザイナーのソニアは新井が敬愛する作家だ。

その竹原によれば、モリスの先見性は六つある。拡大するサイバースペースは彼のフェローシップ（共同体）が萌芽としてあり、ポストモダンの快楽追求は「喜びをもってなされる作業はすべてアートだ」という思考の後継であり、彼は生態系の保存を意図しないにせよ自然を愛して田園と都市を往復した初期の環境派、教会から各階層のユーザーへと顧客を移して対応したマーケットリーダー、モリス商会は「モリス・ルック」を確立し、その工房は見学者が絶えない初期の観光工場だった――。スピードが鍵の二十一世紀のグローバル社会にあって、喜びを労働の第一の報酬としたモリスの思想は、彼がデザインした壁紙や織物が今も高く評価される以上の意味をもっていると考えることもできそうだ。

史上初の婦人労働者によるストライキは一九一二―一三年にフィラデルフィアで実行され、そこで歌われた「パンとバラ」(BREAD AND ROSES)に新井は何度か言及する。そのストライキソングの最終二行は、「心は身体と同じように渇えている／私たちにパンを、いやバラも与えよ」。新井は布がパンであるとともにバラであることを願う者で、だからこそ布を生む労働には歓びが伴うとするのである。この歌には「私たちがほしいものは／パンだけじゃない／バラもほしい／私たち女は／男たちのためにも斗う／男はみんな女の子供」というフレーズもあるという。

「布の詩4」の「アメリカのアフリカ」は、先のアメリカ行き直前に長崎で入手したアフリカの斧から始まる。大木をも伐り倒せそうな石の斧だ。この石斧はいまも新井の工房の床に横たわっている。出発前の十日間を東京、一宮、東京、長崎と慌ただしく移動し、やっとの思いの、夏に招かれたばかりの米国再訪にはこの石斧のイメージが同伴した。

回想は三年前に見た「二十世紀美術におけるプリミティヴィズム」展に遡り、新井にとって「アメリカのアフリカ」とは、「アメリカに生きているプリミティヴたち」なのだと再確認する。この旅行の目的は、ロード・アイランド・スクール・オブ・デザイン(RISD)の美術館で開催される「Textile by

「Junichi Arai」展のオープニングに出席するためだった。その会場でも新井はアフリカに驚かされることになる。すでに紹介した新井の「布目柄」であるが、その作品と対抗する壁面に飾ってあったのは「KENTE Cloth of Ghana」、西アフリカはガーナの「ケンテクロス」だったからだ。「布目柄」はこのガーナの布から発想され、美術館の展示は「プリミティヴィズム展」とコンセプトにおいて一致していた。

——「布目柄」を考え、機仕掛けを作り、何百枚かのコピーを無駄にしつつ、コンピューター処理の現場に立ち会い、生まれた難産の子が、ここで生きている。

「布目柄」製作時の心境は大木を伐り倒す心であって、RISDで「ケンテクロス」を見た瞬間、新井の手にアフリカの石斧の感触が甦ったのだった。石、すなわち億年を遡って結晶した鉱物と、ここにある布。「無論布の力は、強さや、硬さではあるまい。時に彼等を包み、覆い、敷かれることで、共存し得る」。これが個展会場からロサンゼルスへ回り、「青い鯨」と称されるパシフィック・デザイン・センターを経由してつかんだ布の本質である。

「アメリカのアフリカ」で新井は、私淑した小池魚心の、「氣先き／梨にかぶりつく心／大木を伐り倒す心／鍔元《つばもと》へ切り込め」を冒頭に掲げ、同じ小池の絶筆「こころ花にあらずんば、人に非ず」で連載を終えた。いずれも芭蕉の文を小池流に解釈して成した文章で、前者は新井の結婚を祝って贈られたものだ。小池の店の名は「異国調菜・芭蕉」。俳人・芭蕉の「心、花にあらざれば、鳥獣に類す」と小池の「こころ花にあらずんば、人に非ず」のいずれを好むかは、それこそ人によるだろう。だが、布の人・新井淳一は、「衣服を脱ぐことのできない他の動物」を貶めることがないがゆえに、小池の文の方に共感を寄せるのだと想像する。

「旅から持って帰れるものは、持っていっただけのものだ」。この新井の旅の心得を援用するなら、「旅で与えられるものは、与えただけのものだ」と言えそうな四回の連載である。新井の旅に同道した人々、また新井が旅先で出会った人々は、工芸の素材や製作の過程を語りうる感受性を共有し、そのことで友情のきずなを深めた。

「布の詩」の著者の感受性のありようと思考の肌理を、幾分でもここで伝えることができただろうか。新井の全著作の中で、「布の詩」の密度と切迫感は際立っている。新しい合成繊維の可能性を問うた「布・パラダイム」展(一九八六年)以降、このテキスタイルプランナーは新合織、新世代ウール、ステンレス織物の開発に没頭することになる。「布の詩」は新井にとって、パリコレを魅了した天然繊維による布、そして心血を注いだ見世「布」との、「歌の別れ」(中野重治)だったのかもしれない。

「たゝかれることによって弾ねかへる歌を/恥辱の底から勇気をくみ来る歌を」との二行が、「醇乎として醇なるもの」(定道明)を求めた中野の詩「歌」にある。俳優の宇野重吉が朗読する中野重治★17の文を好んだ新井にとって、野村校長の〝信友〟であったその中野の「歌」が好ましくないわけはないのだから。

古手

……古き良き織物に駄作はない。
怖いのは手を抜いたテクノロジーの駄作である………

有鄰館芸術祭の新井のステージ(二〇〇六年)

●新井の民族衣裳関連のコレクションから
❶—カメルーン仮面舞踏用衣装、人間の髪の毛が刺繍されている
❷—チベットの高僧の骨で作られたという七宝が埋め込まれた数珠
❸—グアテマラのウィピール(貫頭衣型の上衣)、縫い取り織
❹—中国貴州省苗(ミャオ)族女性用上衣、切り伏せ

❺―第一回ジャパンウールフェア（幕張メッセ、一九九〇年）で菱沼良樹がコレクションとして発表した新井の「メタライズド・ウール」

❻―「新井淳一の布――五〇年の軌跡」展（清華大学美術学院美術館、二〇一〇年）。新井の布を学生がピンワークでマヌカンに着せて展示

❼―「手とテクノロジー」仙台巡回展（一九九二年）

❽―スーザン・シングルトンと行なったインスタレーション「モンゴロイドの幡」（ワシントン大学、一九九一年）

❾―英国ハリスミュージアム・アートギャラリーでの個展（二〇〇二年）

❿―「新井淳一の布展」（府中市市民文化センター、二〇〇六年）

3

1

4

2

8

10

9

7

11

12

14

15

⑪—ビクトリア&アルバート・ミュージアム所蔵の「布目柄」（一九八二年）
⑫—アルミニウムを真空蒸着したポリエステルフィルムを
伝熱プレス機にかけて製作した「万華鏡」の連作（一九九〇年代）
⑬—「新井淳一布展　透明と反射」（高崎市美術館、二〇〇三年）出品作
⑭⑮—「手とテクノロジー」（有楽町・朝日ギャラリー、一九九二年）出品作
⑯—新井の布を用いて歌手の加藤登紀子がまとった舞台衣装

16

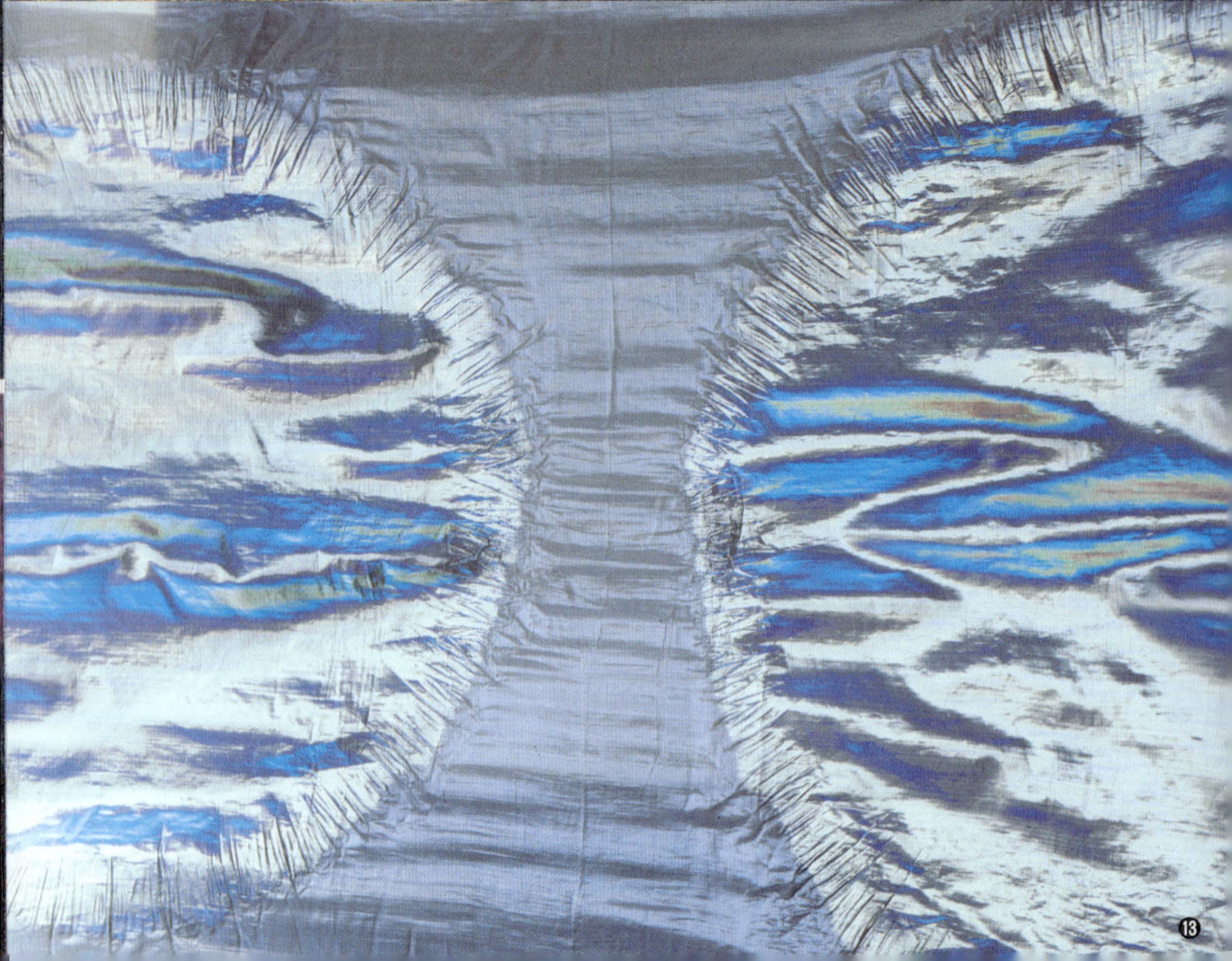

⑬

織師にとって新しく産まれ出た糸を与えられることは、
詩人が愛に満ちた五十の言葉を授かったと同じだ。
——ピーター・コリンウッド

For a weaver to be given a newly developed yarn is
like a poet being offered fifty new words, all shimmering with love. — Peter Collingwood

「透月・反対」展出品作（二〇〇三年）

鳥に翼あるが如く人間に労働あり
——人形劇「ファウスト」より

第四章　桐生人として

「西の西陣、東の桐生」

転機を迎えて新井が執筆した「布の詩」には、幼年期から青年期に至る、記憶に蓄えられた鮮烈な光景も点綴《てんてい》されている。

曾祖父の仕事だった水車づくり、年季奉公で機屋に連れてこられた少女、戦時中に破砕され供出された鉄製の織機、そして敗戦直後に鋸屋根の織物工場に残された航空機部品用のジュラルミンで作った鍋、釜、弁当箱……。「産地クリエーションの象徴」となって以降、取材のたびに訊かれる生い立ちは多数記事となっているが、心象風景を知るのに自筆にまさるものはない。

「布の詩」の初回、「蠶婦《さんぷ》」（絹織る婦人）の枕に引用した五言絶句の訳者・福田貂太郎は桐生・新宿の生まれ、先代は裕福な機屋だ。新宿は「しんじゅく」ではなく「しんしゅく」と発音し、新桐生駅から車で新井宅に近づくとその地名が見えてくる。桐生名物は河鹿《かじか》と水車《みずぐるま》であって、昔の新宿には機屋よりむしろ撚糸業者が多く、水車が並んでいた。

中国の古詩にある「不是養蠶婦」を福田が「かひこの骨折りしらなかろ」と訳したことに、新井は疑問を残したと三章で書いた。ロンドンのホテルのロビーで見た中国の「耕織図」には、巨木の桑に梯子を掛けて桑摘む少年や芭蕉の葉のもとで遊ぶ子供たち、作業のあいまに赤ん坊に乳を飲ませる婦人、整経台、熟練の技を伝える老人などが描かれていた。新井はこうした絵を見飽きることがなく、「養蚕人たちの生活は、のびやかで誇り高く、貧しく辛いものであったとは思われない」のだった。絹を着る町の人はかいこ、ひいては絹織る女たちの骨折りを知らないだろう。知らないだろうが、絹を織るのに骨折る女たちには歓びもまたあったはずだ——新井はそう考えたのではなかろうか。「甦れ伝統」とは「甦れ古き情熱」のことだとする新井は、手織りを礼賛はしないが、ウィリアム・

モリスのいう労働の喜びこそ甦らせたいものなのだ。その原風景とは次のようなものかもしれない。

紺碧《こんぺき》の浪《なみ》うち寄せる東の島国、日本は古《いにしえ》から「絹」の国であった。島をかこむ山脈の切れ戸から遥けき海を渡って来た春が訪《おと》ずれて、温かい風が地上をなめる頃になると広漠たる桑園は一声に笑い始め、緑の大葉が枝をたわめる。すると水晶の虫、蚕《かいこ》はそれを食《は》んでビイドロの糸を出す。こうして美しい絹が乙女《おとめ》の手で糸にひかれ、機《はた》に織られて愛の衣に縫われるのであった。

養蚕と機織りを描くうるわしい文章である。一個の繭から採れる絹糸は千五百メートルほど、絹織物の起源は五千年も前の中国北部だという。産業革命以前なら、インドでも中国でも見られた風景のはずだ。『女工哀史』中「第一　その概要」の二からの引用である。この本は細井和喜蔵が大正期の実体験をもとに調査を重ねて著し、一九二五年（大正十四年）に改造社が発刊、戦後の一九五四年に岩波文庫に入って現在六十一刷を数える。紡績業という基幹産業を底辺で支えた女子労働者たちの過酷極まりない生活の記録であるが、この描写はそれにつづく近代の女工たちの悲惨さを際立たせるために置かれたのだろう。桐生にあっては、戦後も養蚕と機織りが盛んであった。

民芸運動の柱であった柳宗悦★1が李朝工芸を愛で、日露戦争勝利による韓国併合（一九一〇年）を憂えて行動したことはよく知られる。大正時代の終わりからは全国の工芸産地を調査に訪れ、一九四二年に執筆に着手した『手仕事の日本』は戦後発刊され、その後、岩波文庫に収められた。文庫版にも型染作家・芹沢銈介★2の「小間絵」が多数添えられていて、読者の目を楽しませてくれる。

この本で柳は、関東の織物産地として東京都の八王子、青梅、村山、埼玉県の秩父、群馬県の伊勢崎と桐生、栃木の足利と佐野、茨城の結城を取り上げ、結城を除くと営利主義によって物が粗末になったと惜しむ。群馬では、伊勢崎は銘仙一点張り、「それに対して桐生は何でも作ります。全町これ機屋《はたや》といいたいほど仕事は盛であります」と述べ、足利、佐野を加えて、「いずれも商品化し過ぎた恨みがあって、これとて地方色に富むものは見当たりません。段々お互いが似通《にかよ》って来て一列の品になりつつあります。これは機械や化学染料に仕事を任せた必然の結果と思われます」(岩波文庫、一九八五年初版)と結論づけている。あるべき手仕事がテーマなのだから、この評価は当然といえば当然なのだろう。

その柳は京都・西陣に対しても厳しい評価を下す。「綴錦《つづれにしき》」を代表として京都の織物の技術には驚くが、デザインはだめだとする。曰く、「甚《はなは》だ見劣りするのは意匠の点でありまして、模様と色合とは、もはや昔の気高い格を持ちませぬ。本能の衰えに帰すべきでありましょうか、末期の徴《しるし》とも見るべきでありましょうか。いたずらに細かい技に落ちて、活々とした生命を忘れた恨みがあります」と。清水焼、京友禅も同様で、見るべきは京染の一つである「絞《しぼり》」、とりわけ「鹿子絞《かのこしぼり》」にすぎないとしたのだ。

柳宗悦の思想は、英国のジョン・ラスキン★3、ウィリアム・モリスに連なるといっていい。柳が創設した日本民藝館の館展選定の任を新井は長くつとめ、館長を宗悦、濱田庄司★4から引き継いだ柳宗理★5と懇意にした。[布の詩1]にはモリスの「レッドハウス」訪問の感慨として、「芸術と産業主義」の問題や、「民芸」が置かれている諸問題を想起するくだりがある。「今は筆を止めよう」と書いたこの民芸をめぐる諸問題については五章で検証しよう。

ここで、戦前昭和までの桐生の歩みを簡略に記すことにする。

「桐生新町織物産業史近代建築図」(企画・制作＝桐生森芳工場運営委員会、二〇〇八年)には桐生織物に尽くした先達十人の業績と遺構がマップになっていて、参照するのに好都合だ。天満宮から南に直線で二キロつづく桐生新町の起源は一五九一年説が有力で、当時の代官の手代・大野八右衛門の発案とされる新市街は一丁―六丁に分けられ、東裏通りと西裏通りもあり、西裏通りには水路を設ける画期的なものだった。

その建築図によれば、森芳を興した森山芳平(一八五四―一九一五年)が「近代化の先駆け」である。紋織りの器械やジャカード導入の功労者であって、彼の美術織物は高く評価された。なお、ジャカード導入に関しては、建築図には載っていない藤生佐吉郎を忘れてはならないと新井は補足する。「創意工夫の機業家」は後藤定吉(一八四八―一九一〇年)。森山芳平らと共に化学染色を学び、能率を格段に高める緯糸を管に巻く「管巻器械」で特許を取得、また独特な紋織物「ばらんす」により桐生の女性帯地産地としての声価を高めた。

政治家の飯塚春太郎(一八六五―一九三八年)は「輸出織物のパイオニア」とされる。欧米・アジア各国の織物業を視察して、「タフタ」「スパンクレープ」というインド向け絹織物を開発した功績は大きい。輸出には力織機(動力で動かす織機)をということで一九一〇年に桐生一の個人工場を建て、工業組織も必要と考えて組織した織物組合長に就任。「女工哀史」の時代に一定の公休日を定めるなど従業員の待遇改善に配慮した。

「桐生産地向けの力織機開発」に功あったのは新潟生まれの村田兵作(一八六八―一九二四年)。工場を立ち上げて複雑な模様を織り出す村田式力織機の開発を成功させ、大正時代後半には津田式、豊田式を抜いて桐生で一番の台数を製造するに至った。長野出身でキリスト教に基づく「博愛精神で工場経営」にあたった堀祐平(一八七七―一九五五年)が人絹織物の先覚者であって、従業員に週休制を実施し、スポーツを奨励して新川運動場を完成させた。

大正生まれで「お召し専業、教育に情熱」と評される二代・森島秀(一九二三―一九七七年)は森秀織物社長となって新鋭織機を導入するとともに、取得した三十種類の特許技術を桐生の同業者には無料で使えるようにした。ちなみに、特許法の前身である「専売略規則」成立は一八七一年(明治四年)。意匠法にあたる「意匠条例」のそれは一八八八年であって、意匠登録第一号は「織物縞」(出願人は足利の須永由兵衛)であり、明治期には織物地が登録意匠の半数を占めたという歴史がある。

なお、「近代建築史」と銘打つこのマップには、桐生の近代建築に功績のあった人物として三人が挙げられている。大谷石造りの鋸屋根工場を建てた曽我助松(一八七七―一九五三年)、無鄰館を残した北川政七(一八八五―一九四二年)、レンガ造り工場建築で知られる二代・金谷芳次郎(一八八五―一九五八年)である。三人とも織物業を営んだ。

二代・金谷芳次郎の旧金谷レース工業は男女工員七十人、力織機五十台といった規模をもち、紋ビロードゴブラン織で名を馳せた。北川政七が建てたのが「無鄰館《むりんかん》」、なお、同じ本町通りにある矢野本店レンガ蔵「有鄰館《ゆうりんかん》」は、リノベーションされてイベントスペースとなり、新井の個展会場ともなる。この建物の名称「有鄰」は孔子の「徳は孤ならず必ず鄰あり」に由来する。倉敷の大原家別邸「有隣荘」も由来は同じだろう。平賀源内がこれを「悪は孤ならず必ず鄰あり」と皮肉ったと、新井は教えてくれた。また、住善織物工場の鋸屋根の建物はやはりリノベーションされ、彫刻家・掛井五郎★6が一九九一年にアトリエとした。

こうした先達の業績を瞥見《べっけん》すると、江戸・天保年間の一八三七年に五九三戸の織屋数(元機のみ)を数えた桐生は、明治期に入っても中小規模の工場が主体で、少なくない先覚者は海外視察を経験することで、工員の福利厚生に一定の配慮をしたことがわかる。ただし、製糸と織物では利益配分に違いもあったようだ。これらの事実から、英国に秀でようとの意図をもって興した秀英舎（現・大日本印刷）の創業者の一人である佐久間貞一（一八四八―九八年）が、キリスト教を信奉して労働問題の先駆者となったことを想起する。

大正リベラリズムが花開く土壌が桐生にはあった。また、県外者を受け入れ、然るべく遇する気質もあったと推測できる。

官営の富岡工場、創業五十年の歴史をもち一九三六年に半官半民の八幡製鉄所に次ぐ売上高を誇った鐘紡の国内外の工場などとは、労働風景を異にする桐生だったようだ。創業時に世界最大規模だった富岡製糸場の女工たちは、地元に戻って指導者となる先端的職業人の一面もあったとされ、対して『女工哀史』に描かれたのはその後のおもに大正期の大工場だった。

明治期の桐生を代表する近代的マニュファクチャーは成愛社である。富岡製糸場が開業した一八七二年（明治五年）に遅れることわずか八年の一八八〇年、青木熊太郎を創立者の一人として織物会社「成愛社」が設立された。そこに外来の蒸気整理法が導入されて、絹・綿・繻子製作の機械化が顕著となるのは八〇年代半ばとされる。成愛社は青木の急逝もあって一九〇二年に解散したが、最盛期には観光繻子のほか輸出羽二重の生産などで全桐生の織物生産の一割超を記録した。この青木家の関連家屋は現在、新井の長女である新井求美が塾長をつとめる「桐生織塾」となっている。

大正期の桐生産地では中国・朝鮮向けの輸出織物が盛んになった。太平洋戦争突入までが「対円域（満関支）貿易」全盛期ということになる。その間の一九三二年（昭和七年）、全桐生織物宣伝会が京都で開催され、「西の西陣、東の桐生」と謳われるまでになる。絹と人絹（レーヨン）中心に千四百の工場が稼働する桐生の全盛期だ。

ときあたかも、京都での全桐生織物宣伝会開催の前年に日本は満州事変を引き起こし、翌年に満州国が建国される。日本の綿布輸出は一九三五年に世界の綿織物の四割超を占め、翌年には人絹糸生産で米国を上回った。いずれも世界一である。桐生の人口はこの昭和十年、高崎や前橋を抜いて群馬県内一を誇った。織物類のわが国での消費量も一九三七年がピークとされる（中村隆英『昭和史I 1926―45』、東洋経済新報社、一九九三年）。

一九三〇年代中盤の日本は二面性をもっていると思う。二・二六事件（一九三六年）をはさんで太平洋戦争突入の暗雲が立ちこめると同時に、都市文化が頂点に達した感があるからだ。一九三六―三七年に小説の名作が集中することは吉田健一や田辺聖子ら文学者が指摘するだけでなく、経済学者の中村隆英も注目する。その例として中村が前掲書で挙げているのは、志賀直哉の『暗夜行路』、永井荷風の『濹東綺譚』、横光利一の『旅愁』、堀辰雄の『風立ちぬ』である。これらの発刊は「エロ、グロ、ナンセンス」系の読物のせいで谷崎潤一郎や島崎藤村がさっぱり読まれなくなったとされる一九三〇年直後のことだ。

デザインの水準も高まり、豊田自動織機製作所は流線型乗用車トヨダＡＡ型（一九三六年）を発表した。対外ＰＲ誌と呼ぶべき『NIPPON』のパリ万博特集号（第十一号、一九三七年）掲載の出品作は工芸、工業、建築と多彩なばかりでなく、雑誌のデザイン自体が群を抜いて戦前のピークをなしている。ドイツ帰りの写真家・名取洋之助が一九三四年に創刊したこの雑誌は、一九四四年まで三十六号発刊された。Ｂ４版と大型、総アート紙、英・独・仏・スペイン語の四カ国語表記で、英国王室芸術協会から日本人初の名誉会員に推された河野鷹思★7の表紙デザインが秀逸である。創刊にあたって七千円出資した鐘紡は広告主でありつづけ、柳宗悦一家はこの媒体が海外に打ちだす文化国家日本のシンボルとして何度か誌面に登場している。

機屋の三代目に生まれて

新井淳一は一九三二年三月十三日に生まれた。みずからを「戦争の申し子」というのは生年が満州国建国と重なるためである。「戦争の申し子」なのは確かだが、同時に「桐生隆盛の落とし子」でもあるようだ。

誕生の地は群馬県山田郡境野村字関根といった。境野村は翌年に桐生市に合併されているから、生粋の桐生人と言っていい。その境野村に耕地は少なく、全村これ機屋といった具合であった。新井が通った境野小学校入学の〝村人〟による「一八会」は今も会報を出しているくらいで、新井は境野生まれということにも愛着があった。ただし、群馬県人という意識は薄い。一九二一年発足の桐生市は隣接する足利市とともに長く栃木県に属し、群馬県では上毛新聞が一番のシェアを誇っているのに対し、桐生では今も中央紙と桐生タイムスが圧倒的だ。

新井の父方の曾祖父は能登の船大工で、明治に入って桐生に住みついてからは、新宿《しんしゅく》の水車づくりを業とした。近所にあった「福田家の水車も手がけたやもしれぬ」(「布の詩1」)との新井の記述はこのためである。なお、岩瀬吉兵衛なる人物が桐生にあって水車動力の八丁撚糸機を発明したのは一七八三年(天明三年)と記録にあるようだ。

片や、母方の曾祖父は文明開化期の横浜に入り浸り、その妻は横浜から連れてきたモダンガールの芸者、桐生ではじめて自転車を乗り回す、といった逸話の持ち主だった。曾祖父が遺した横浜滞在中の日録を読み、「祖父は商売下手で文弱に流れ、末には禁治産者扱いされた」ことが「私たちの血」と従姉から聞かされたこともあった新井である(「天衣無縫」141)。横浜は母方の男たちにとって青春の依代《よりしろ》だった。新井の母方の本家へ嫁いできた祖母の日光本陣の生家の庭には、芭蕉の句碑「あ

❶一九三二年、長男として機屋に生まれ、妹四人と弟一人がつづいた
❷一九〇七年生まれ母のなか（仲とも表記）
❸撚糸業を営む祖父と妹
❹❺境野小学校に入学、帽子とコートと自転車はなかなかモダンだ

らたふと木の下闇も日の光」があった。

父・金三は一九〇五年（明治三十八年）、母・ナカ（仲とも表記）は一九〇七年の生まれである。新井は長男であって、妹四人、弟一人がつづいて誕生している。祖父は撚糸業、父は帯地を中心とした織物業を営み、母の生家も織物を生業としていて十五代つづく庄屋であった。「おやじは婿に入ったようなもの」と新井が言うのは、両親の結婚にちょっとした経緯があったためだが、両家の来歴と経済状態も理由のようである。

豊かだった母方の実家には、大正時代から馬場《ばば》や剣道場とともにテニスコートが二面あった。母は文学好きで、若いころテニスをよくし、晩年でも姉妹が集まるとピアノの連弾を楽しむといったハイカラな人。残された写真から美貌の女人だったことがわかる。父方の家系もまた音楽好きで、祖父の本家には巨大なオルガンがあり、昼休みにバッハのオルガン曲が流れていた……。大正リベラリズムの華があったわけだが、桐生の機屋ではじめて欧州視察に行ったのは明治四年と維新早々だったことからも知れるように、繁栄は大正期を大幅に遡る。

桐生の隆盛は、西陣に次ぐジャカード織機の導入に起因した。一八〇四年にリヨンでジョセフ・マリー・ジャカードが初公開したこの機械によって、図柄を機械で織ることが可能になった。日本がこれを輸入するのは一八七三年（明治六年）と遅かったものの、京都・西陣の次いで一八七七年に導入に走った桐生に繁栄がもたらされたのだ。毎日ファッション大賞の創設が「ジャカード導入から一一〇年」と特記されるのはこのことを指し、特別賞を受けた新井の桐生にとっては一〇四年目となる。

織機の音と西洋音楽を子守唄とした新井は、長男だったこともあってたいそう大事に育てられたようだ。学校は境野小学校（のちに国民学校）。「昭和の子供境野国民学校一八会便り」第一回（冬号）に新井が寄稿した「桐生・今は昔」にこの学校のことが書いてある。それによれば、付近には林間学校が開かれる天神森があり、桐生唯一の二十五メートルプール、赤松林（養老の松）、大銀杏が学校のシンボルだった。台湾から赴任して自分のいる一年三組を担任した教員がつくった歌の一番を新井は今も記憶している。

僕の学校境野学校
お森もあって良い学校

プールもあって　良い学校
学校　学校　学校　良い学校

入学年の五月の養老会運動会には、桐生小型映画研究会の面々が控えていた。行進する小学生を撮影するためで、その時の16ミリフィルム映画が現存するほど、進取の気象に富んだ地域だった。

校内の記念館には出身者が顕彰してあった。東歌《あずまうた》研究の国学者・橋本直香の油彩画、日露戦争の日本海海戦で「敵艦見ゆ」と打信しつづけた信濃丸副艦長の丸橋彦三郎少将、第一次世界大戦でドイツ領チンタオ（青島）を占領した新井亀太郎中将ほかで、とりわけ二人の軍人が境野村民の誇りだった。のちに司馬遼太郎★8の『坂の上の雲』を全巻朗読することになる新井は、丸橋少将を想い出さないはずはなく、司馬が嘆く日露戦争後から太平洋戦争敗戦までの「鬼胎の四十年」を身をもって経験することとなる。

新井はなによりも本が好きな子供で、「本好きの淳ちゃん」と呼ばれた。幼稚園児にして人形芝居や紙芝居の台詞をすべて覚え、小学生になっては配られた教科書を一日で読了、授業時にはすでに暗記していたといった具合で、先生を呆れさせた。読書量は一日一冊だったというから、旧制中学生並みである。ただ、書物に不足することはなかった新井家の一方で、その工場には尋常小学校を終えるか終えないかで年季奉公に出された少女たちが働いていた。柱にもたれて泣くその姿に、機屋はいやだな――そう思う新井少年もいたのだ。

エッセイストと呼ぶことができるくらいに文章を発表するようになるのは一九八〇年からだが、「はじめに言葉（テキスト）ありき、思いつきはいけない」としばしば語る新井の素地は、少年期に培われものなのだった。長じてはポール・ヴァレリー★9の「文章法は魂の能力だ」といった言葉に感銘を受け、テキスタイルの語源にあたってはロラン・バルトの『テクストの快楽』に親しみ、「テキスタイルとはテキストだ」との認識にたどりつく。テキスタイルにおいて織の構造を第一とする新井にとって、テキストは数式による構造式になることもある。テキスト、テキスタイル、テクスチャーは一本の糸でつながる。アフリカのケンテクロスがその例証である。

「戦争の申し子」の旧制中学時代

新井が桐生中学校（現・県立桐生高等学校）に入学したのは一九四四年である。市内の国民学校で標語一等に「死んでも勝つぞこの戦《いくさ》」が、選ばれたころだ。「忌まわしき戦争の申し子」にとって、前年の学徒動員開始と鉄製力織機の供出はショックだった。桐生で破砕され供出された力織機は一万四千百二十四台を数えたとの記録があるという。むろん新井の工場も例外ではなく、力織機のなくなった工場からは、「ハル」「ナツ」「アキ」「フユ」と呼び捨てにされた年季奉公の少女たちの姿も消えた。父親は中国戦地に動員されていた。祖父母が物置から出して組み立てたのは大正時代の手織機「バッタン」で、新井の織物事始めは、手紡糸機で紡ぎ、父親が見習い時代に用いたことのある手機《てばた》で織ることだった。

沖縄でジュラルミンを鋳直してつくった雑器に衝撃を受けた新井は、敗戦前後の体験を「布の詩2」に生々しく綴っている。

布の里、群馬県桐生にいた私たちも、似たようなものを作った。近郊の太田市に、中島飛行製作所（現在の富士重工業）があって、戦争中の企業整備令で、鉄製の織機たちは破砕供出され、がらんとした北窓鋸屋根の織物工場の多くは、航空機の部品倉庫となった。

エンジンの組立てを行なっていた太田の工場は、完膚なきまでの猛爆撃の下で潰えていき、十キロの道を自転車で通っていた大人たちの多くが一トン爆弾の直撃で死んだ。

そして鋸屋根の工場に残されたジュラルミンは、プレートのまま、あるいは一度もガソリンを満たすことのない空タンクのままであった。私たちは、飛行機を作る工具をそのまま使って、これらから鍋釜を作った。弁当箱などは商品の花形であって、その中に二、三本の甘藷をつめて学校に通ったりした。

甘藷《かんしょ》とはサツマイモのことで、戦時中に米が払底すると主食になった。鋸屋根の工場については、先の「桐生新町織物産業史近代建築図」が参考になる。建築近代化の産物である鋸屋根工場は、桐生では染織業で使われることが多かった。織られつつある生地の具合、織り終えた生地を点検するのに、影がなく天候にかかわらず光量が一定な北窓からの自然光は最適だった。また、織機の上にジャカードを取り付けるのには広い空間が必要で、両方を理由として桐生には鋸屋根工場が多数あった。

沖縄のジュラルミン製の雑器が新井に痛撃を与えたのは、自分たちが材料としたジュラルミンは新品だったのに対し、沖縄の材料の多くは撃ち落とされ、海で漁《あさ》った飛行機の残骸だったからだ。沖縄の悲惨はより深く、そのことに思い至らなかった自分を恥じる新井だったのである。

――僕が光る織物が好きなのは、十代でピカピカのジュラルミンを体験したことが理由かもしれない。

客員教授をつとめる多摩美術大学の特別講義で新井はこう漏らした。思わず、隣に座るリコ夫人と顔を見合わせ、「ほんと?」「いえ、そんな話は聞いたことがない」、と小声で私語を交わした。これは二〇一〇年秋のことだ。

「戦争、敗戦、虚無、そして『堕落論』を書いた坂口安吾★10がコリー犬を連れて闊歩する桐生の街、『あゝ風の中の日よ』」（「布の詩1」）。敗戦の翌日、新井は親友と近くの赤城山に登り、沖縄戦に散った先輩の形見を抱いて来し方行く末を語り明かしていた。坂口安吾は一九四六年に『堕落論』を発表、桐生市本町の旧家に仮寓したのは一九五二年から没年の五五年までである。

——機屋にだけはなるまい、と思っていた。

❻一九四四年に旧制桐生中学校に入学し、一九五〇年に群馬県立桐生高等学校を卒業
❼❽旧制中学時代は演劇部長、文芸部員として活動し、人形劇にも熱心だった
❾長澤延子は卒業年の一九四九年に服毒自殺。新井は遺稿詩集『海』（私家版、一九六五年）を共同編集し、クロス装用に赤城玉糸のくず繭を使用した藍色の布を提供

そんな新井を鼓舞したのは、桐生の豪商・森家に生まれて羽仁家に入った羽仁五郎★11、夫人は自由学園創設者の一族である羽仁説子である。羽仁は「桐生の織物資本の申し子」と自己規定し、桐生を自由都市、時には日本のフィレンツェと呼んだ。戦中も節を曲げることなく獄に落とされた羽仁の著書『ミケランジェロ』の中で、怪物ゴリアテを倒す少年ダヴィデが描出された第一章冒頭の「十世紀も後に！」を、桐生の思春期の少年・少女たちはこぞって諳《そら》んじた。ルネサンスからバロックへとまたいだ天才彫刻家・ミケランジェロの初期の傑作が「ダヴィデ」像である。

その羽仁が桐生にやってきた。一九四七年五月三日に日本国憲法が施行され、参議院選挙に立候補してのことである。旧制中学と女学校の少年少女だけを集めて「選挙権を持たぬ若き諸君！」と語りかけ、人民民主主義を説く羽仁の語り口はまぶしかったと新井はいう。新学制で旧制中学が高等学校へ、高等女学校が女子高等学校へと移行する前の年のことである。

ところが、光明が射したかに思われたこの一九四七年の九月、新井をどん底に突き落とす出来事が襲った。

キャサリン台風（カスリン台風）と通称される台風第九号（国際名＝Kathleen）が、関東地方や東北地方に大災害をもたらしたのだ。被害は稲荷町に次いで境野町が甚大で、境野町内では新井の組合だけでも二十七人が死亡し、家屋の多くが流失してしまった。同年の女子生徒の半裸の脇腹に流木が突き刺さった屍体を見た記憶は今も鮮明だという。

「夕闇が深まり、消えなんとする蝋燭の灯のゆらめきのなかで、畳が浮き、家具は倒れ、泥水と天井の空間が圧縮されている恐ろしさ。轟音の中から、泣き叫ぶ子供たちを抱きしめて脱出し、幾人かの人を助け出すことも出来ました。この体験が私に、死にたいする免疫体質を与えてくれました」（『江古田文学』第六八号）。こう書くのは平成の新井である。

新井の家も床上まで浸水した。戦前二十台ほどあった本体鉄製の織機は供出せざるを得なくてすでになく、設置したばかりの力織機が泥にまみれて損傷、付帯設備がすべて失われるという壊滅的被害をこうむった。中国から復員したばかりの父親は茫然自失。それでなくとも、南京大虐殺の現場にいたとおぼしき復員兵は心身ともに弱っていた。以来、父親は今で言うところの心的外傷後ストレス障害（PTSD=post-traumatic stress disorder）症状を呈するようになり、もともと好きだった酒の量が増えた。長男の新井は大学どころではなくなり、十五歳で進学の希望が断たれた。

伴侶との出逢い、夭折詩人とのその後

桐生中学校では演劇部長、文芸部員として活動した新井である。課外活動として国防部海洋訓練班（旧・水泳部）にも属した。桐生高等女学校で同じく演劇部長だったのが高村瑛子で、その高村を介して知ることになる長澤延子が、十代の新井にとって重い意味をもつ。一九四九年三月に桐生高等女学校最後の生徒として卒業した長澤がその年の六月、詩集の草稿を高村に託し、手記を残したまま、服毒自殺をするのである。

桐生中学演劇部の面々を青年共産同盟に勧誘したのは高村と長澤であって、新井を含めた何人かは、その青共員となった。長澤、新井、高村の母親は学年が一年違いでつづいていた。長澤が始めた壁新聞「ホノホ」の題字の下には永らく、「燃えさかる炎も一点の火花から」が印刷されていた。一八二五年ロシアで皇帝専制と農奴解放を求める「デカブリストの乱」があり、シベリアに流刑された反乱者たちにプーシキンは激励の詩「シベリアへ」を贈った。その返礼として獄中から出された詩の一節が「燃えさかる炎――」なのである。

合同班会議、ピクニック、国際婦人デーなどで会っても、新井は長澤と直接話すことはなかった。だが、同年生まれの彼女が残した文、とりわけ手記に強く惹かれた。台風によって「死にたいする免疫体質」ができたとする新井は、生身の人間の死というよりも言語化された死に揺り動かされた。だからこそ、その死は尾を引く。長澤の「挽歌Ⅰ」の最終節を引いておこう。

——ボツボツと燃えさかる岩塊
ここもえさかる暗い谷間にもえさかる不死の言葉
この言葉息絶えだゑに肋骨に縛りつけ
いつわることも凝視することも出来ぬのだ
いまは碧空のむなしさより
バラバラと散る私の肉体

新井は長澤延子遺稿詩集『海』(私家版、一九六五年)を友人として共同編集し、クロス装にするべく表紙用に藍色の布を創作した。赤城玉(赤城産の玉まゆ)を素材として、海のない群馬からの海への想いなどを新井はこの藍の織物に込めた。

矢牧一宏の命名による『友よ、私が死んだからとて』(装幀＝粟津潔、天声出版、一九六八年)発刊にもかかわり、長澤の三十三回忌を迎えても、新井にとって「十七歳で死んだ少女の吐いた言霊《ことだま》は、いまも、はげしく、ひびき、鳴る」のだった。さらに、その死から六十年目の二〇〇八年に出された『江古田文学』夏号の特集、「夭折の天才詩人・長澤延子」のために長文のエッセーを寄せる。「長澤延子の生まれた桐生　その風土と私たちのかかわり」が題名である。

長澤が「Ｔへの手紙」（Ｔとは高村瑛子）で引用した「ゆきづまりは體系《たいけい》にあり、體系を変えてみませんか」は羽仁五郎の『歴史』（一九四七年）からであり、高校二年生の夏休みの課題として長澤が提出した「シャーマニズム」は羽仁の『生と死について』（一九四八年）に触発されたのではないかと新井は想像している。

当時全国の若者に影響を及ぼした若者に、ランボーに傾倒し逗子海岸で入水自殺した詩人・原口統三[★12]がいた。遺書『二十歳のエチュード』が広く知られるが、「二十歳のエチュードⅢ」は死の年に赤城山にあったヒュッテ「森の家」で書かれたとされ、身近だった。敗戦の翌日に新井が一夜をすごしたのが赤城山頂であり、長澤もこの山に登っていた。「原口病原菌」（新井）は長澤ばかりでなく、多くのグループや個人に感染し、その影響もあって桐生近辺では自殺者が後を絶たなかったのだという。新井の親友の兄もまた、「純粋な精神の沙漠において、／枯れない樹木はない」（「同」Ⅲ）と自宅の壁に大書して自死している。

この時期の愛読書として新井は、アルチュール・ランボー、オスカー・ワイルド、ポール・ヴァレリー、宮澤賢治を挙げる。ラファイエット夫人の『クレーヴの奥方』、コデルロス・ド・ラクロの『危険な関係』といったフランス心理小説にも魅せられ、ロシア文学ではドストエフスキー、トルストイ、ミハイル・アルツィバーシェフに親しんだ。

新井は、原口統三にも長澤延子にもならなかった。「敗戦後、感化を受けた思想の基底に、羽仁五郎の存在を無視することはできません。戦後民主主義高揚期のはじまりは、わが町に羽仁五郎ありきでした」とする希望が、一方にあったからだろう。後年、「わが街にすぎたる物はと問われたら、少し誇らかに羽仁文庫であると言おう」とする新井だ。羽仁はかなりな量の和書、洋書、雑誌を桐生市に生前贈与していた。

詩人の福島泰樹著『悲しみのエナジー　友よ、私が死んだからとて』（三一書房、二〇〇九年）第一章は「純血の墓標――原口統三」。第二章は「友よ、私が死んだからとて――長澤延子」であり、カバーには彼女のセーラー服姿のポートレートが掲げられている。長澤の詩は六十年へても死んではいない。福島がこの章を執筆する契機となったのは、萩原朔太郎文学記念館に勤務する詩人・久保木宗一に依頼して送ってもらった長澤のノート四冊のコピーだ。久保木がコピーした元のノートは、新井淳一から借りたものだったと本文に記されている。

新井は七〇年代、久保木が勤める前橋の図書館が催した「朗読研究会」に参加した。その折、新井に長澤延子のことを訊かれた久保木が、「私は、中央大学のバリケードの中で、泣きながら読みました」と答えて、貴重なノートが受け渡されることになった。一九四八年生まれの久保木がバリケードで愛読したのは、天声出版刊の『友よ、私が死んだからとて』だったのだ。

「長澤延子の生まれた桐生　その風土と私たちのかかわり」は、高校生の新井を取り巻く桐生の精神風土、そこに端を発する死生観がうかがわれて、新井淳一研究には必読の一文であることまちがいない。

戦争とキャサリン台風に脅かされた高校生の新井の光明は、玉川利子《トシコ》との出逢いだったこともまちがいがない。新井夫人となるリコがその人である。新井はどんな青年だったかと訊ねるとリコは一言、答えた。

――挫折から立ち上がる人ですね。

その挫折をリコは分かち合おうとした。玉川利子は桐生市内で従業員二十人ほどの縫製業を営む家の長女として、新井から一年と一日後の三月十四日に生まれた。戦後、利子が桐生高等女学校（中学に相当）三年生、新井が桐生高等学校二年生の夏休みの哲学講座で二人は出逢っている。

女子高校生となり、故知らぬあこがれに生きる毎日の中で、ひそかに想（おも）う人を、図書館に通う高校生の中に見た。彼は十七歳、私は十六歳であった。

小雨の降る小暗き六月の宵、図書館の車寄せの柱から屋根に茂るツルバラは、深紅の小花を無数に飾りたてていた。丈高い彼は、一輪の赤いバラを、私に摘んでくれたのである。

今は幻の図書館である。

これは新井リコによる「桐生・小曽根町　図書館のバラ」（東京新聞一九八八年三月十九日）の一節であ

⑩⑪新井リコとなる玉川利子（リコ）は桐生生まれで、新井十七歳・リコ十六歳で出逢う。リコは東京藝術大学に進学し、美術学部洋画科で林武に師事

る。リコも新井と同様に本好きで、瀟洒《しょうしゃ》な木造洋館のその図書館に通っては民話や童話を読みふけり、宮澤賢治★[14]の「貝の火」に胸を焦がした。一九五二年三月、学制で変わった県立桐生女子高等学校卒業。卒業式で総代に抜擢されるほど目立って優秀で、東京藝術大学美術学部洋画科に現役で入学する。学んだのは林武研究室だった。新井はリコと会うために芸大に何度か足を運んでおり、その時の二人を撮影したスナップが何枚も新井家のアルバムに貼ってあって、なんだか嬉しくなった。

高等女学校はよしとして、東京芸大進学に家族の反対はなかったのだろうか。美術はもとより、学科科目に苦労することもなかった長女の進学を、父親はそう迷うことなく認めたという。中学校に先立って女学校をつくり、明治期の織物同業組合にあって婦人選挙権のみならず被選挙権も認めた街だった――羽仁五郎が桐生の少女たちを励ますために披露したこうした事実は、戦後の女子の大学進学を容易なものとしたようだ。

⓬一九五八年の結婚式（桐生倶楽部）

二人が結婚したのは一九五八年、出逢って十年目だ。機屋の嫁の苦労をよく知るリコの家族はこの結婚には反対した。新井家は大家族であり、従業員が二、三十人いる「機屋にだけは嫁いではいけない」と母親は娘を諭した。新井の父親の症状や酒好きも心配の種だった。新井淳一がタバコに手を出さず、酒もほとんど嗜《たしな》まないのは興味がなかったからだというが、リコの家族の反対を押し切るための態度表明でもあったかもしれない。長女・求美は一九六一年、二年後に次女・真理が誕生。新井は幼子に宮澤賢治の童話や『アラビアンナイト』といった絵本を読んで寝かせつける良き父親となった。

長女の小学校入学、新井家の祖父母や両親の介護をへて、リコがリトグラフを中心に画家としての活動を再開するのは四十近くなってからだが、大川英二・大川美術館館長[★13]の文章を引用しておこう。これは世紀が変わって、同美術館が「新井リコの絵手紙」展を開催した折のものである。大川は元ダイエー副社長で、桐生の景勝の地に一九八九年、松本竣介、野田英夫のコレクションを柱として美術館を設立した。宮澤賢治の『農民芸術概論』、松本竣介の「全日本美術家に諮《はか》る」、プラハでの「二千語宣言」と連ねた文脈で新井は、大川の著書『美の経済学』の主張に耳を傾けるべきだと書いたことがある（「天衣無縫」42）。ちなみにこの美術館の看板は新井の筆文字になる。

> 今回は私の知人であり秘かに期待している同郷の画家、正にプリミティブな新井リコさんを採り上げたい。
>
> 彼女は昭和八年、会津藩士の流れを汲む家に生まれた。少女時代は、戦後ロマンに彩られた南川潤、小池魚心、オノサト・トシノブ、小島市造、石井壬子夫、等々、望外極まる有名無名の超一流文化人との交流に囲まれ、その延長に東京芸大の林武教室があった。恵まれた多くの友人達にかこまれた新星だった。

玉川家は経済的に恵まれ保守的ではなかった。こうした家庭と女学校とを通じて、将来に希望のもてる人々との交流が展開されたことがわかる。小池魚心は新井が私淑する「芭蕉」の主。女学校の二学年上で、画家のオノサト・トシノブ夫人となる田口智子も輪の中の一人であり、年齢や家の格式の違いもあって大反対を巻き起こした末の一九五一年の二人の結婚が、勇気を与えもしたようだ。オノサト（本名＝小野里利信）は一九一二年桐生生まれ、シベリア抑留から奇跡的に生還した時には三十六歳になっていた。

新井の知人が自死するのに原口統三の詩句を大書した家の壁もリコは目撃していた。また、詩稿「宇宙への通信」を遺して二十二歳で逝った仲間・中沢清は田口家に集う一人で、同年生まれで桐生工業学校卒の中沢に対して新井は四十年後、「六月には霊歌が聴こえる」（「縦横無尽」11）を贈った。こうした敗戦直後の桐生の光と影をリコは新井と共有している。

リコは新井の「fort＝砦」だとの記述（『翼の王国WINGSPAN』、一九九五年）に深くうなずく。ただ、二〇〇三年、ロンドン芸術大学よりの名誉博士号授与の式典で主催者に勧められて「妻のリコに感謝する」との一言を挨拶に入れたのが謝意を表明したはじめての出来事だというから、国際的に活躍する新井ながら、戦前生まれの日本男子そのままの面も持ち合わせているようだ。この年は二人の結婚から四十五年もたっている。

大川栄二が名前を挙げた小池魚心についてはここで書いておこう。『月刊染織α』の連載として新井が執筆した「小池魚心さんの創造」（一九八二年六月号）に思いは尽くされている。同年二月十五日、七十五歳で没した小池の戒名は「清流魚心居士」。若き日より私淑した小池について、新井は「民族衣裳と染織展」（一九八〇年）のために小池が製作したポスターのことから書き起こす。展覧会の告知以前、出品を依頼する文書とともにコレクターに送られたこのポスターが、出品数の多さとなって返ってきたことをまず明記した。

ベトナム産の紬の生地に朱と緑で文字と図柄を染めたそれは、染織家としての魚心の真骨頂が発揮された。魚心の染織品は手ぬぐい、暖簾《のれん》、風呂敷、布巾《ふきん》といった実用品に限られ、おもに注染技法で製作された。反物の上に型紙を置いて糊付けし、その上から染料を注いで裏まで染み込ませる日本伝統の技法が「注染」である。小池は染織、版画、書、建築を手掛け、「商業美術」という呼称を好んだ。

新井が次に記すのは、季刊デザイン誌『アクシス』創刊号（一九八一年）の特集「生活におけるエクレクティシズム」で浜野安宏が描出した小池である。桐生にあるレストラン「異国調菜・芭蕉」を設計、「出張《でばり》小屋」に使われていた古材をおもに用いて建物とし、自分でしつらえた作品と蒐集品とで空間を埋め尽くして「見世」の営業をつづけた。東京・日本橋で開いた椰子《やし》の実入りのカレー屋「趣味の洋食・芭蕉」、一九三七年には桐生で洋食屋を開店した小池であるから、レストラン経営は筋金入りだ。「糸屋通り調菜人」を自称して提供する食事と空間はエクレクティシズム（折衷主義）にふさわしく、

⓭新井が私淑した小池魚心（一九〇七―八二年）のレストラン「異国調菜・芭蕉」内の小池の私室「煮泉堂」
⓮小池の年賀状は毎年「世界に平和を」。小池はグラフィックや染色もよくした多芸の人
⓯新井夫妻の結婚を祝して小池が木版に彫って贈ったのが芭蕉にちなむ「氣先き／梨にかぶりつく心／大木を切り倒す心／鍔先へきり込め」

桐生を訪れる新井の客で「芭蕉」に案内されなかった人はまずいない。『アクシス』創刊編集長の浜野安宏は初対面の小池が発した「日本はまにあわせですよね……」との一言をよく覚えており、間に合わせでない「芭蕉」の空間を「狂気のように純真なる創造意欲がつくりだした居心地」と形容した。これに関連して新井がのちに懐かしく思い出すのはパリの一夜だ。一九八〇年代、パリコレがはねた夜のフランス料理店で「世界料亭品定め」が話題となり、ワシントンポスト紙のニナ・ハイドが「芭蕉」を推すと賛同の挙手がつづいた夜のことである。

「芭蕉」の一階真ん中にある「茶をよむところ—煮泉洞—魚心私室」なる極小空間で浜野はコーヒーの馳走にあずかり、小池がアジア各地の鈴を鳴らすのを聴いた。馳走とは良き素材を求めて走り回ること、立派な料理ともてなしをともに意味する。茶を「よむ」とすることに新井は特別なものを感じ、のちに「よむ」(「天衣無縫」55)で思考を巡らすことになる。

三十年余り、数えきれないほど新井はここに招じ入れられ、反原発と反権力、世界連邦とはた音村構想について小池が語るのに耳を傾けた。戦後に再開されたエスペラント普及運動に新井が参加

⑯毎日ファッション大賞特別賞の祝賀パーティーに駆けつけた大塚学院創設者の大塚末子と哲学者の谷川徹三。新井は十代より大塚と親交があった

したことには、小池の世界連邦構想が反映してはいないだろうか。また、二〇一一年の東日本大震災の地震と津波にはキャサリン台風を、放射能汚染には小池の反原発の思想を新井が想起しなかったとは考えられない。阪神大震災以降ボランティアが一般化したことも、民族衣裳展のポスターを無償で制作した小池と併せて感慨が深いかもしれない。

ショップ「布」を見世と記して内装を自分で手掛ける新井だった。展示会のチラシでは、織と同じように図像を反転・反復・増殖させて畳み方まで工夫を凝らし、手書き文字を配することで手織りの手触りを印刷物にもたらす。「グラフィックは面白い」とする自在さも、「商業美術家」小池の影響なのではあるまいか。商業美術、商業デザイン、グラフィックデザインへと変貌するわが国モダンデザインの流れを小池が知らないはずはなく、知りながらそれを無視したのだ。羽仁五郎、小池魚心と、新井は思想の人に恵まれている。

高校卒業からの家業にかかわる仕事については第二章で述べた。それと並行して、卒業からほぼ二十年にわたって断続的ながら新井が展開した人形劇、演劇、小説、朗読といった活動については六章に譲りたい。こうした演劇・文学の経験が新井をエッセイスト、文筆家とするのにつながるからだ。

ここでは、新井が企画をリードし、小池魚心がグラフィックで参加した一九八〇年の「民族衣裳と染織展」に至る桐生織物の戦後の動向を見てみよう。

桐生の斜陽と再生計画

戦後の一九四八—四九年には、国の経済復興計画で桐生の織物業も持ち直した。ジャカードを一回「ガチャ」と動かすと一万円(多額の意味)儲かることを指す「ガッチャマン」または「ガチャマン」なる語がそれをよく表すという。

だが、国は農業、石炭鉱業とともに「比較劣位化」した繊維工業に対して操業短縮や旧式機械の廃棄促進を政策とする(橋本寿朗『戦後の日本経済』、一九九五年)。ナイロン、テトロン、ポリエステル、アクリルといった合成繊維開発が急だったわが国の五〇年代、桐生が化学繊維使用の婦人服地を生産し出したのは一九五五年。六〇年代には既製服が一般化し、合織は輸出の花形となる。繊維産業を主導するのは製品や生地の製造業であった。ここまでは桐生の隆盛がつづいた。

時代の分水嶺には、書籍『ファッションビジネスの世界』(ジャネット・ジャーナウ他、尾原蓉子訳、一九六八年)と『ファッション化社会』(浜野安宏、一九七〇年)、そして高田賢三がパリで開店した「ジャングル・ジャップ」(一九七〇年)があった。「糸で縄を買った」と揶揄《やゆ》された沖縄返還(一九七二年)に際しての米国との密約とは、糸=繊維交渉で譲歩して、縄=沖縄返還を買うことを指し、通産省は日米繊維交渉での攻防にこの前後からなすすべを失った。「すべて揃っているが企画力だけがない」とされた桐生の斜陽はここに始まる。繊維産業の主導者が製造業から卸売業(アパレル流通業)へと変わりつつあるのも逆風だった。一九八〇年代半ばまで日本の衣料の輸出は輸入を上回りつづけるものの、企画力・デザイン力がなくては時代に取り残される。

民族衣裳展開催が目的とした織物博物館設立計画には、短くない前史があった。「無残なまでにおとしめられた、産業としての繊維関連業」(新井)を復興する試みの跡を、雑誌『上州路』の特集を参照してたどってみる。

一九六三年に桐生文化史談会が「郷土博物館」建設についての陳情書を市に提出したことを嚆矢《こうし》と

し、市議会産経委員会は一九七九年に青年会議所が陳情した「織物資料館」建設を採択した。市役所内で繊維産業の振興と街づくりに関する「はた音村構想」が市長に答申されたのはその前年であって、中核となる資料館建設のために、市はまずは全資料保存規則をつくり、一般市民に資料の提供を呼びかける。その方法は寄付と登録の二通りとした。

群馬大学教授の書上誠之助は、「桐生における郷土資料館の建設について」と題する長文を、特集に寄せている。

書上が繊維で見るべき世界の博物館に挙げたのは、リヨンの織物博物館、カイロ博物館、ルーヴル美術館。わが国では、国立民族学博物館(大阪)、国立歴史民族博物館(千葉県佐倉市)、日本民藝館(東京)、東京農工大学付属繊維博物館(東京)、シルク博物館(横浜市)などなど。東京農工大とシルク博物館では当時、桐生出身者が館長をつとめていることが付記してある。

同じ特集で、川島浩は繊維専門の資料館として、杉野学園付属衣裳博物館、岡谷蚕糸博物館、西陣織会館、東京農工大学付属繊維博物館、十日町紬資料館の五つを挙げ、桐生にあっては建物を建設するのではなく、桐生織物会館を改装して資料館にするのが現実的だ、との意見を開陳した。

なお、わが国で繊維学部を有する唯一の大学である信州大学では、一九九八年に、文部科学省科学研究費COE形成基礎研究費による「信州大学先進繊維技術科学研究拠点」が発足し、その一環として、国内外の繊維関連博物館・資料館を網羅してリンクを張ることで、だれもがデータベースにアクセスできるようになっている。

ところで、織物資料館建設が採択されるより先の一九七五年に開かれたのが、桐生織物の現製品と歴史資料を見せる「繊維総合展」だった。注目を集めたこの展示は、桐生繊維製品関連団体連絡協議会が主催、「民族衣裳と染織展」の会場となる産業文化会館で催されている。

このころ、国から伝統的工芸品の指定を受けた「桐生織」には、技術を継承すべき責任も生じた。一九七七年に指定を受けた技術は、お召織（おめしおり）、緯錦織（ぬきにしきおり）、経錦織（たてにしきおり）、風通織（ふうつうおり）、浮経織（うきたており）、経絣紋織（たてかすりもんおり）、綟り織（もじりおり）の七種類だった。北関東での織物・染織品の伝統的工芸品は結城紬、伊勢崎絣、桐生織。染織分野では沖縄、京都、新潟の順に指定品が多い。

しかし、桐生に栄光は戻らない。「エイジアン・クリエーション・フロム桐生」（主催＝桐生地域地場産業振興センター）について新井が書いた「身衣《みごろも》」（「天衣無縫」18、一九八八年）はそのイベントのテーマであるが、「今一番の低位置にあって呻吟を続ける桐生産地が多くの不協和音を抱えつつ捨て身のイベントのコンセプトが『身衣』であった」とのくだりにも停滞がうかがわれる。

「千のアジア」を見直すなら、「ニューマニュファクチュアーへの転回」を目指すなら、と新井もこれに参加している。石川ヨシオと菱沼良樹のファッションショー、インドネシアのファッション、桐生が蒐集したインドネシアの染織品の展示などをプログラムに、渾沌のまま本番に突入して「狂気が支配する一週間」になったという。

新井はこのイベントに、雑誌『アクシス』創刊号の特集「生活のエクレクティシズム」（折衷主義）、そこに登場した小池魚心の「異国調菜・芭蕉」を想起していた。その精神に則り、市役所に吊るされる旗は「ファッションの街」ではなく「エクレクティック桐生」とすべきではないか、新しいスタイルを標榜するのではなくスタイルを超えることを目指すべきだと考えながら……。ただ、民族衣裳展以降、桐生がこの種の染織展を継続して開催していることは注目していい。民族衣裳展の灯は消えていなかったのだ。

公共の染織参考館は桐生にまだない。平成に移って繊維リソースセンター構想が検討に付された

もの の、蒐集品を公開するには至っていない。

——物と収蔵庫さえあれば、たとえ五十年後になろうとも。

これが、染織参考館に対する現在の新井の心境である。桐生地域地場産業振興センターには数千をこえる民族衣裳があり、収蔵庫も万全なのだ。片や、桐生市市民文化会館は、地下の壁にナスカの羽飾りの逸品が掛かり、オープンのために新井がネットワークの限りを動員して生まれた新作とともに、「織物たちの聖地」(新井)の一翼を担うものとなった。

新井がコロンバス市リバーセンター外部壁面のための巨大なアートワーク制作に邁進したのは、この都市が桐生の姉妹都市だからだ。コロンバス市長が市民文化会館竣工時に桐生を訪問し、新井と作品制作で契約したのは一九九九年。ステンレス製のロープに吊るされた酸化チタンプレートは空気を浄化しつつ難燃性がとても高い。作品名は「REFRECTION」(照射)、各々の断片が光を反射し音を発して、時々刻々表情を変えてとどまることがない。リバーセンターはパフォーミングアーツとビジュアルアーツのための建物であり、身体と同様に変化することにおいて作品は成立し、新井は同時に死すべき身体とは異なるエターナルな作品を姉妹都市の市民に贈ったことになる。

わが国の繊維産業は現在、出荷額がピーク時の三分の一に減少して、全製造業出荷額の一・四%を占めるにすぎない衰退産業だという。一九八五年にはアパレルが輸入超過に転じていた。繊維製品はアパレルよりも先に新興国からの輸出攻勢にさらされるから、落ち込みは三分の一にとどまるかどうか。産地に与える影響は甚大だろう。個人消費に占める衣料品支出の割合も低下しており、「織物・衣服・身の回り品小売業」の年間商品販売額は約十一兆円、従業者数は六十八万人(平成十九年商業統計確報)となってしまった。

桐生産地と新井のバブル経済崩壊後の動きも点描しておこう。

愉快な出来事は一九九二年五月、桐生地域で開催された「テキスタイル産地フォーラム」で、東京と桐生を往復する東武電車を借り切って四つの分科会の会場としたのだ。新井が書斎とするのが常の車内が、このときばかりは会議室と化した。ただ、ファッション産業人材育成機構（理事長は山中鏆★15）設立で創刊された『実学』掲載のアンケート調査において、テキスタイルに対する関心が著しく低いことを危惧する新井であったのだが……。

翌一九九三年に新井は、地元の企業ジュニアたちが立ち上げた「ウール研究会」で顧問をつとめる。これは、通商産業検査所桐生支所監督課にあった高橋和夫が、官による地域の底上げ施策だけでなく、即決即断するグループが必要だと肝煎りして産声を上げた。

国の施策である「地域資源等活性型起業化支援」という長い名前の助成金を獲得して「ウール研究会」は「グループ布の鼓動」と名称を改め、六本木・アクシスで成果を発表したのは一九九五年。「最前線を身をもって知って欲しい、顧問である私はそう思った。反響の是非両論もまた受け入れてみたい。私は展示会の間、三島先生のいう照明弾のことを思いつづけた。照明弾によって照らしあばかれるものは、自分たちの側でもある」（「ロビー」、『月刊繊維情報』No.239、一九九七年）。この照明弾とは、三島彰が「民族衣裳と染織展」について著した一文の締めの言葉であった。

「グループ布の鼓動」の若手リーダー・下山智弘は自社を休業状態にして身軽になり、二年後にオランダの国立テキスタイル・ミュージアムで開催された「新井淳一と布の鼓動」にグループとして主体的に参加する。出品したのは新作六十点ほど、価格も糸使いの記述もない未来に向けた「予言」（新井）だった。「布の鼓動」は、若手の呼吸のあり方も生き方も変えたことになる。オランダ国立デザイン研究所所長のジョン・サッカラは、「これは単なる美しいオヴジェの展覧会ではありません。デザイナーと生産者と消費者が協働する新しい経済への道をさぐる、重要な実験の開始なのです」とオープンを祝した。

サッカラは研究所の冊子に、大量生産・大量消費の年月に歴史は「異常な百五十年」と断を下すだろうと書き、その二年前、「新井淳一とそのマスタークラス」展に新井を招いていた。哲学を学び、英国『デザイン』誌の編集長だったサッカラには、オランダと日本で何度か会ったことがある。旅先では早朝、ジョギングを楽しむ習慣があった。彼はポスト・インダストリーとしてのニュー・マニュファクチャーを追求する編集者にしてオルガナイザーなのだ。

その精神に沿うように、ものづくり文化を桐生の中心商店街から発信しようと企画された「一店一作家運動」の第一号店が工房兼ショップ「Jun-ichi Arai」である。本人は「見世工房」と呼ぶ。一九九九年に構えたこの店で二十一世紀を迎えた一月、新井は展覧会「アシャンティ」を開催する。アシャンティは船頭歌を意味するフランス語とのことだが、アフリカでケンテクロスを紡ぐのもアシャンティ(Ashanti)族だ。東京、アメリカ、ヨーロッパ各国を巡回するこの世界展を桐生発とし、自らの織物生活五十周年を記念しては、新旧の作品や集めた古い染織品が当たる福引も計画するといった入れ込みようである。

ここで披露した新作は、世界各地の民族衣裳の模様などをコンピューターでデータ化して織り上げた大きな布——矢羽根や麻の葉、菖蒲《しょうぶ》、鮫小紋《さめこもん》といった日本の三十六柄を一枚に構成したり、砂漠の風紋といった自然現象、アボリジニのドット柄やカメルーンの絞り柄を再構成したり、といった作品だ。デザインは新井、シミュレーションは地元の両毛システムズ、実際の織にも地元の会社が協力した。これは「本六商店街活性化事業」の一環だった。

「見世工房」オープンの年、「桐生外語学院国際デザイン科」が開設されている。学生たちは週一日か二日は学び、ほかの日は物づくりに専念するのが仕組みで、そのためだけの教室はない。新井が念願した「生きた染織参考館」のひな形である。翌年、群馬県繊維工業試験所などの協力を得て新井は「染織　大人の学校」を立ち上げた。インダストリーとホーム・インダストリーとに関わる人材の育成を目指す二つの〝学校〟ということなのだろう。

前者に設けられたデザイン科テキスタイルクリエーターコースの面接試験合格第一号は中国人の女性だった。その学生は中国に帰国後、テキスタイル講師として大学で教鞭を執っている。日本で消費される衣料の大半は中国製だとの報道もある現在、「中国は安さだけでない次の段階を期して真剣だ」とする新井の弁を裏付ける感がある。産地は人材の純粋培養では生き残れない。

二〇一〇年四月末、筆者は新桐生駅から大川美術館を経由して皆沢峠に向かい、峠の入り口にある桐生織塾でタクシーを降りた。織塾で開催された「中国少数民族染織展」初日、新井の講演を聞くためである。前景に茶畑が広がり、芽吹く木々に白や桃色の小花が咲いて桃源郷のごとき趣の地であった。緩やかな傾斜地にひっそりたたずむ平屋と土蔵が織塾で、そこは明治期桐生のマニュファクチャーを代表する成愛社の青木一族の母屋だったと教えられる。長屋門には新井の筆文字による「經」が掛かって来訪者を出迎え、集まった人々は講演者である新井の到着を待った。

武藤和夫が一九九〇年に開設した桐生織塾は、翌年には市の創作工房第一号に認定され、塾長の武藤和夫が桐生ファッションタウン大賞を受賞したのは二〇〇五年だった。この賞はファッションタウン桐生推進協議会（事務局は商工会議所）が一九九八年から実施しているもので、「一店一作家運動」も四つの委員会からなるこの協議会の活動の一つなのだ。

新井とともに武藤が一九八〇年の民族衣裳展の企画者の一人だったことを思い出してほしい。群馬県繊維工業試験場に勤務するかたわら、武藤は失われゆく技術や道具や布を収集し、定年前に退職して全国ネットの銘仙研究会の会長もつとめる。当然のことながら、新井は織塾に協力を惜しまない。

官民問わず、心ある人々は桐生の次代に育つ植物の種を蒔こうとしてきた。新井もまた、種蒔く人のひとりでありつづけようとしているのだと思える。新井のエッセー「種蒔く人」（「私のファッション考」、一九八四年）には、作家のヴィクトル・ユゴーがミレーの絵「種蒔く人」に寄せた評が引用されている。「この神秘の労働者は、夕暮れの中で、胚子《はいし》を、種を、未来の収穫を、パンを、生命を……宙に向かって投げている」。蒔かれぬ種は芽生えない、新しい生命は自らを種蒔く人によってのみもたらされる——この冷厳な事実を、地域に根差す新井ほどよく知るデザイナーは多くないのでは

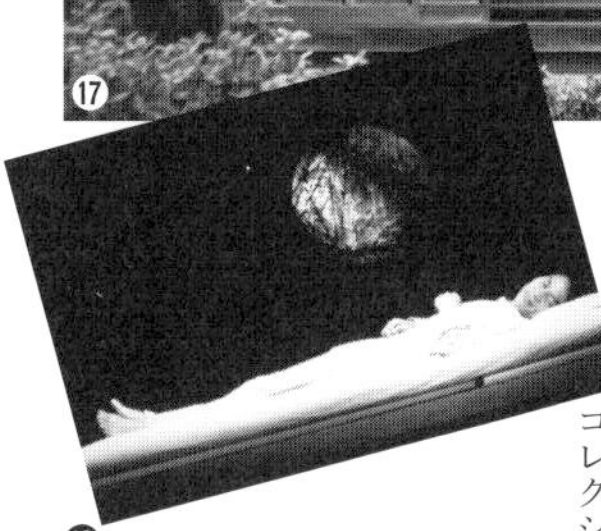

⑰⑱小栗康平監督映画「眠る男」（群馬県制作）に布を提供。「寝たきりの登場人物のわずかな動きで生きていることがわかるような布」との要望に、細い綿の強撚糸をくたくたにして制作

⑲⑳新井が協力を惜しまない桐生織塾。武藤和夫を塾長として一九九〇年開設、風光明媚な場所に建てられた成愛社の創業者の一人の母屋を施設とする。武藤、新井、和田良子のコレクションを有する

あるまいか。

㉑㉒絹織物からハイテク繊維への脱皮に成功した福井県勝山。「布ストリーム」（勝山、ケイテー記念館）と「繊維新展」（SEN-ISIN、福井県立美術館）のフライヤー。いずれも新井が企画をリードし、一九九〇年に開催

結城、勝山、一宮――産地に向ける眼差し

「天衣無縫」という心踊るタイトルの連載が新井にはある。『ウーマンズウェア・デイリー・ジャパン』（ＷＷＤ）に一九八八年から週に一回、後半には月ごとの掲載に変わったものの、一九九四年の最終回まで実に一四八回を数える長期連載である。この七年間に実際に訪れた産地についてのエッセーは、新井の足跡と思考をたどることができる点で貴重である。福井、小松、秩父、結城、沖縄、桐生などで技術アドバイザーをつとめて試作制作に関与する新井は、そうした産地にどんな視線を向けていたのだろうか。

「結城紬の今日と明日」（「天衣無縫」5）は、技術アドバイザーの任に就いた新井が、結城紬のデザイ

ン高度化事業を前にしての考えを表明したものだ。かつて柳宗悦が賞賛し、一九五六年に重要無形文化財の指定を受け、「布の詩」で新井が織の巧緻などには関心がないとした茨城県の結城紬である。二〇一〇年には前年の「小千谷縮」「越後上布」（新潟県）に次いでユネスコの「人類の無形文化遺産の代表的な一覧表」への記載が決定した。

「結城紬のデザイン高度化事業とは、その柄色だけの問題ではなく、（糸と織りについては非のある筈はない）産地自身が、新しい仲買人となるための覚悟を固めることではないか」というのが新井の展望である。毀誉褒貶《きよほうへん》のある仲買人のうちで、つくり手を励まし育てた優秀なプロは「自ら、確信をもって、色、柄を指定し、それを一手に押さえて巨利を得た」。

現在も「万に近い糸取りや千を超す織り手たち」がいて、ホーム・インダストリーとしては並ぶ産地とてない結城には、自らリスクを負って企画する覚悟がいると言いたいのだろう。その試みに義勇軍（ボランティア）として参加することは、「人の身体と精神のきものを考える者の光栄でなくて何であろう」——これが末尾の一節だ。

このエッセーの前には、高校時代以来四十年ぶりに手仕事だけで織物を織った丸一カ月の経験に基づくエッセー「手仕事に篭められるもの」が置かれている。「労働における第一の報酬は、創造の喜びである」（ウィリアム・モリス）ことは変わらず、かつての手仕事と織物と女人の想いには感動するが、手間と時間をかけたのだから高価で当然と現在考えるのは「産業主義の裏返し」ではないのか——これは、手織りにも見紛う風合いの天然繊維の織物をコンピューター・ジャカードで成し遂げた新井ならではの疑問である。新井の八〇年代後半の業績の一つに「結城紬の再生」を挙げるのは山村貴敬（『テキスタイル・クリエーション［2］』）であるが、全産地が渇望する伝統再生の方途はここには書かれていない。

これに関連して「紬のこと」(『天衣無縫』97)には、一九九〇年に米国サン・ノゼで開催された「Connecting・Treads」(『Convergence '90』)で結城紬の織の実演が行なわれ、世界のハンド・ウィーバーたちから絶賛を浴びた模様が詳述されている。「今、紬の仕事をしています。結城の真綿《まわた》糸を機械で織ろうというのです。それもフルオートの織機です」(二〇〇一年)といった試みも新井はしたのである。なお、新井は関与していないと言うが、原始機に一部機械織を取り入れ、手に入りやすい数万円といった価格のストールを結城が販売しているとは、最近の女性誌で知ったことだ。

結城と対照的な産地としては、羽二重の産地から変貌を遂げて合成繊維で先端を走る福井県の勝山が挙がる。「勝山・アートフルの会」(『天衣無縫』6)とは、勝山市での新井の作品と民族衣裳の展示会を主催した会の名称で、展示会の会場は「磯崎ホール」(設計=磯崎新)と称されるアートフルの会の活動拠点なのである。

織物業を営む若手からなる会の会長はケイテーの荒井社長。この工場の二十四時間稼働の四百台もの最新鋭織機、コンピューター制御のウォーター・ジェット・ルーム、自動搬送機、その結果として工場に人影が少ない様子が、初訪問の新井の目に飛び込む。驚いたのは、白一色の布が多種多様な表情をしていたことだ。白一色であるから、色と柄は購入企業の仕事となろう。

勝山・アートフルの会は、素材としての合織から最終商品づくりへの飛躍を期して新井を招いたようだ。これがのちにケイテーの顧問を新井がつとめ、一九九〇年にはケイテー記念館のオープンを祝って新作の「布ストリーム」を、福井県立美術館で民族染織と現代の布を対話させる「繊維新展」をプロデュースすることになる勝山、そして福井との関係の始まりであった。

ケイテー記念館には結城とは異なる豪快な居座機《いざりばた》と高機《たかはた》が並び、瑛九、ルチオ・フォンタナ、オノサト・トシノブといった抽象絵画のコレクションも豊富にあった。「繊維新展」の方は「繊衣心=布のプリミティヴィズム」を含意しており、新井がのちの個展において自作と民族衣裳を並存させる皮切りの位置を占めることとなる。

監修・発行人はFTT（福井テキスタイル・トゥモロウ）、発行所をFTT事務局福井経済同友会として、一九九二年に創刊されたPR誌「ミクサージュ」（MIX-AGE）がある。誌名はフランス語の「混合」「配合」の合成で、世代「混合」との意味も込められた。繊維の歴史、福井の現状、文明論といった具合に三十ページ余りの記事が載ったこの創刊号は、A3版と超大型、ヌード写真掲載で物議をかもした。バブル経済が崩壊してからはとんと見ることがなくなった豪華な編集とデザインで、五千部発行して製作費は一千万円強。ヌード写真問題を報じる「夕刊フジ」にそう書いてあった。

FTTのメンバー十六人は「アートフルの会」の構成員と重なる。「創刊の辞」にあたる「始まりは、ない。」には、「人体と環境の間に、確実に存在する繊維。地球と宇宙の間で、確実に消滅する繊維。一見つかみどころのないこのメタファーの中にこそ、私たちが提案する繊維世界がひそんでいるのである」と記されている。それへの応答として号末尾の「終わりは、ない。」に、「FTTの旗」を寄せたのは新井である。ハイテクノロジー、新用途開発、二次・三次加工の工夫、流通の変革、ユーザーの発見によって、どのようにでも明日は開けるというのが推薦文の趣旨だ。

「ミクサージュ」が何号出されたかは知らない。だが、福井の若手が産地をこえて羽ばたこうとしたことは創刊号から伝わってくる。福井産地の第二の脱皮に対して、新井の期待がいかに大きかったかも――。

合成繊維の国内生産で六割ほどを占める石川、富山、福井の北陸三県でも事業所数は減っているが、競争力は失われていない。二〇〇四年発足の「東レ合織クラスター」に参加する企業約百社の多くは北陸にある。その東レは連結売上高で四割弱の繊維を「基幹事業」に据え直し、世界市場に攻勢をかける構えだ。

連載「天衣無縫」には、「ジャパン・テキスタイル・コンテスト」（JTC）の開催地、一宮に関する「艶屋物語」（「天衣無縫」24）もある。織よりも整理仕上げ、したがって機屋よりも艶屋が大事だとされるウールにあって、一宮は尾州艶屋物語の中心地だ。この年、新井は両毛産地で織った毛織物を尾州で艶出しする作業に一週間を費やしている。国際羊毛事務局が翌年に開催するイベントの中で、テキスタイルデザイナーとしてオリジナル提案を発表することにしたからだ。

水洗いの工程で基本的な作業データを得るために、毛織物を濡らす、絞る、叩く、蒸気を加減する、タンブラー（回転式染色機）を調整する——労を楽しみつつこうした作業を数限りなく積み重ねる様子が、新井には信じ難かった。毛織物において両毛が尾州の後塵を拝するに至った理由をみる思いもしただろうが、それより重要なのはデザイナーがその道のベテランと共働する重要性に気づいたことだった。

川上から川下まで複雑な仕組みのある繊維産業にあって、その真ん中にいる染色加工業とデザイナーが仲間意識（フェローシップ）を築くことがニュー・マニュファクチャーへの転回につながるのではないか。物づくりが専門分化して地位が上がったデザイナーだが、分化する前の原点に立つべきではないのか。このことを発見または再認識させられたのだ。

一八八九年創業で尾州産地きっての染色整理企業、艶金の工場には標語「3つの言わない約束」が掲げてあるという。一、できないとは言わない。できる方法を考える。二、過去のことは言わない。先のことを考える。三、人のことは言わない。他の人のせいにしない——これら三つを、パートナーシップ、フェローシップに重ねることは、あらゆる産地の現状打破にとって有益な処方箋となるにちがいない。

東レ、帝人、東洋紡、大東紡といった大手企業と組む一方で、いくつかの産地で顧問やアドバイザーをつとめ、開発者として、企画や製品を「共働」で進めてきた新井である。そのいずれでもない国際羊毛事務局（ＩＷＳ）と付き合うようになった八〇年代後半、新井の布づくりのスタンスに変化があったという。群馬、茨城、愛知、沖縄のどこでも、織物を「地場産業」と捉える限り、地域にとらわれがちだ。地域産業の活性化政策では自治体単位の枠を越えることが難しい。それに対し、ＩＷＳなら、もしオーストラリアのウールの原毛がほしいと思えば、すぐに行動に移せるだろう。英国王室芸術協会の名誉会員となってから、作品の発表も人との交わりも国境を越えていた。その後に始まった国際羊毛事務局とのかかわりが、新井の心に一種の「桐生ばなれ」を招いたようだ。第一回ジャパンウールフェア（幕張メッセ、一九九〇年）で新井の「メタライズド・ウール」が注目されたのが、変化のメルクマールかもしれない。

それでも新井は桐生人であることを止めなかった。桐生以外の国内産地との交流も絶やしてはいない。新井淳一の流儀――日本人を中抜きして国際人であり桐生人であることも、そう呼ぶことができるようだ。

夢を見たと云ってはいけない。夢を見ると云うべきである——ヴァレリー

第五章「ドリーム・ウィーバー」アジアを行く

二〇一〇年春、北京にて

友人皆々様——そう宛てた新井淳一からのメールが届いたのは二〇一〇年の四月も中頃のことだった。北京にある清華大学美術学院が開催した「新井淳一の布——五〇年の軌跡」展ための訪中から帰国したことを知らせる挨拶文である。この個展は清華大学建学の百年目、同学院美術館のオープニング記念展として企画されたものだ。

ご無沙汰いたしております。

体調をかばいつつ、新作テキスタイルに取り組み、その仕上がりを持って、四月三日に訪中。一昨日ふらふらになって、北京から無事に帰宅しました。

桜も満開、黒椿も健気に咲いて待っていてくれました。

清華大学・美術学院の新装なった美術館の大展示室（六五〇平米）にて、「新井淳一の布——五〇年の軌跡」と題し、一九六〇年に制作し、第一回化学繊維グランドフェアにて通商産業大臣賞を受けて以降、国際繊維学会から二十一世紀を飾る「メタルカラー」と言われたPPSフィルムのスリットヤーンを使った難燃性金銀糸の布にいたるまで、五十年間の約百点を展示し、内三十点は学生たちのピンワークでマヌカンに着せ、十点は、加藤登紀子さんデザインの舞台衣装を中心に来館者を魅了することができました。

清華大学美術学院を中心に、人民大学美術学院、南通大学美術学院、中国美術学院、魯迅美術学院、天津美術学院、西安美術学院、南京美術学院、四川美術学院、広州美術学院、北京服装学院と、中国全土からの組織委員会の肝いりで、第七回亜洲繊維芸術作品展、第十回となった中国の全国テキスタイル・コンペ、そしてInternational Conference Collectionとの同時開催でした。

全体会議の開催セレモニーに出席し、挨拶・テープカット、特別講義と、幸い好評を得て、私の仕事の集大成を、中国の地で披露することができました。予定時間を大幅に超過したのは、質問が相次いだためです。いつものことながら、中国学生達の瞳の輝きには圧倒されました。

帰国して三日、疲れはいたしましたが、亜細亜テキスタイル界の逞しい胎動に感動の旅でした。

同行してアシストいただいた真木千秋さんのご夫君が、「真木テキスタイルスタジオ」のホームページの中の、〈いといと雑記帳〉に報告と数枚の写真をのせてくれております。一度、覗いてみていただければ幸いです。

以上、ご報告までといたします。

ご健勝を祈りつつ、再見。　新井淳一

彼の地のデザインに対する熱気と、デザイン学生たちの生き生きとした動きが伝わる嬉しい文面である。それもそのはずだ。中国の温家宝首相は二〇〇三年に「デザインは新資源である」としてデザイン産業の発展を国家戦略にしっかり位置づけ、デザイン教育の充実に注力してきた。

その成果は目覚ましく、芸術系を中心に工学系、社会科学系を含めた大学約五百校におけるデザイン学生の総数は八〇──一〇〇万人と推計されている（佐井国夫「中国デザイン教育の現状と課題」、『芸術工学会誌』五十号記念号、二〇一〇年）。デザイン学生数の伸びは、増えつづける全大学生数の伸びを上回るという。織に長い歴史をもつ中国は、デザイン、それもテキスタイルとファッションを重視しているのだ。

「今後の繊維・ファッション産業のあり方」（経済産業省、二〇一〇年）によれば、日本のアパレルの輸出額対輸入額は一対五〇（二〇〇九年）。比率としては韓国の一対二、米国の三対五〇にも劣っているのは、中国製衣料の流入がおもな原因だ。輸出額上位国はイタリア、ドイツ、フランスの順（中国を除くかもしれない）だが、輸出超過を維持するのはイタリアだけで、輸入額トップは何といっても米国、意外なことにファッション大国フランスでさえ輸入超過に甘んじている。しかし、中国よりも格段に工賃の安いバングラディシュ等新興国の台頭があり、この国は繊維産業の次の段階を見据えている。

アジア開発銀行は、二〇五〇年の世界総生産に占めるアジアの割合を五二％と三一％（現在は二七％）とする二つのシナリオを発表した。前者の楽観的なシナリオにおける五二％は十八世紀初頭のアジアの比率に迫り、その場合の国別割合は中国が二〇％、日本は三％と予測されている（日経新聞二〇一一年八月三日）。アジア隆盛の時代をアジア人自身が忘れてしまっているようだ。

展覧会の会期は四月七日から十四日、清華大学は入試倍率五〇倍と難関で知られる名門校だ。同展のオルガナイザー兼通訳をつとめた鄭暁紅《ていきょうこう》は、多摩美術大学で学び、桐生での新井の教え子でもある。桐生外語学院国際デザイン科テキスタイルクリエーターコースの面接試験合格第一号で、中国に帰国して清華大学と人民大学で教鞭を執っている。

さっそく「いといと雑記帳」をのぞいてみた。

田中ぱるばがテキスタイルデザイナー・真木千秋の夫君であって、展示準備初日、四月五日（月曜日）のブログのタイトルは、ダライ・ラマならぬ「北京のアライ・ラマ」と洒落ている。新井は北京にリコ夫人を同道しており、三人は大学の研究者用ゲストハウスに宿泊した。中国での展覧会名は「新井淳一的布――五〇年的軌跡」。中国語の「的」は「の」であるらしいとわかる。ちなみに新井淳一の中国語読みは「シンチン・チュン・イー」だとか。またメールにある「再見」は「ツアイチエン」と発音して「また会いましょう」の意味である。田中ぱるばは、「僕の一番弟子」と新井が言って展示を認めた真木千秋のストール十数点を持ち込んでいた。

オープン後となる八日の「いといと雑記帳」には、会場写真が数点載っている。天井がばか高い会場に、この催しのために作り上げた金と銀の巨大な布が吊り下げられて目を引く。新井お得意のアルミ蒸着の布だ。壁面にはとりどりの布が垂れているが、全体としてはモダンな会場構成に見える。林立するマヌカンに学生たちが思い思いに布を着せている様子も掲載してある。

なお、新井のメールにある歌手の加藤登紀子★1は新井の古くからの友人である。「東京タイムス」

◉**「新井淳一の布――五〇年の軌跡」展**（清華大学美術学院美術館、二〇一〇年）

❶―❹美術館のオープニング記念として企画された展示風景

の連載コラムで、カーラジオから流れた加藤の声に「ひと目ぼれ」ならぬ「ひと耳ぼれ」したと新井が書き、浜野安宏と三宅一生の推薦もあって以来交遊があることはすでに書いた。この歌手は、四十歳前後から新井の布を用いて自分でデザインした衣裳をステージで着用している。二人が出演したNHKのテレビ番組「親友」の収録日はあの二〇〇一年九月十一日であり、新井の「9.11」は加藤登紀子とともに存在している。収録場所の桐生織塾で、「日本は文化圏としては欧米に属するが、土壌はアジア。出会いには見えない河、不思議な地図がある」と語りかける歌手の言葉にうなずく新井だった。

会場で特別講義を行なう車椅子の主役には学生が迫っている。その日、新井は体調がすぐれなかったのだろう。それでも一時間の予定を大幅に延長したのだから、学生ばかりでなく講師もだんだんに熱が入ったようだ。テレビクルーが会場に詰めていて、田中にもインタビューした。果たし

❺会場で挨拶する新井
❻特別講義は質問が相次いだため大幅に時間を延長した

て、中國日報ネット放送で二分四十三秒間の映像が流れた。

オープニングセレモニーで新井は、「テキスタイルの仕事とは世に平和をもたらすこと」と挨拶し、特別講義では「体を包むのではなく心を包む布を」、「明日のものづくりに共通する心根とは」、といった内容で聴衆に語りかけ、質問攻めにされたのだ。挨拶状にある「いつものことながら」とは、一九九九年に中央美術学院（現・人民大学美術学院）で展示会「シルクよりスチール」を催し、メルトオフのワークショップと講演を行なって以来、という意味だろう。

同じ北京にあって、人文科学と社会科学に秀でて国家重点大学に数えられる中国人民大学が新井を客員教授として迎えたのは二〇〇二年のこと。この年には五月と十月の二度、訪中している。二〇〇六年、清華大学美術学院において五月に講演とワークショップ、十一月には「芸術と科学・国際作品展」に参加するとともに基調講演者として登壇する。

『メトロポリス』誌（二〇〇四年）にテキスタイル教育をどう思うかと質問され、新井は先の「シルクよりスチール」の体験に基づき、こう答えた。

正しい方向に行っているとは思わない。問題なのは、学校で学べるのだと人々が考えていること。学ぶには現場にいなければならず、学校それ自体が工場みたいなものになるべきだろう。私がもっとも関心を持っているのは、中国で起こっていることだ。私は、中国に招待されセミナー「シルクよりスチール」を行なったが、彼らは自分たちが実際にモノづくりをできる工房を作ろうとしている。徹底的な産業化の結果として起きたのは大量生産。だけど、そんなことを言っているのではない。私が言いたいのは、少量のモノづくりをして、無限の方法で多岐にわたるものを作れるようになるということ、人の指紋のように。すべての人が異なる指紋をもっていることが、私が探し求めている多様性のサンプルだ。けれど、それは自分だけでできることではない。そういったものを作り出せるようになるには何十万という人々の協力が必要なんだ。

IFIビジネス・スクール学長だった尾原蓉子は、近代化の過程でわが国の服づくりが喪ったのは物づくりの生産拠点、ブランディングのチャンス、仕入れる目と力量、物を大事にする伝統だとする(「FB40年—これまでとこれから—」、繊研新聞二〇〇八年十二月九日)。新井は日本と同じ轍を踏まない教育を、価格の次を模索する中国に期待している。

北京につづく新井の訪問地は香港である。二〇〇八年に香港理工大学で開催された国際繊維学会で基調講演を、翌年には同大美術館で「Innovative Cloths 新井淳一」展と二人展「Junichi Arai & Kinor Jiang」を開いた。新井は当時、この大学の名誉教授に任じられていた。Jiangは十年前に人民大学で会った若いテキスタイルデザイナーであって、布と服を展示するこの企画を新井は喜び、美麗なパンフレットに「創造の源としての自己組織化」を寄せた。

デザインメダル(テキスタイルデザイナー勲章、一九九二年)を授与された学会の招聘《しょうへい》に応じるのは当然としても、肺と胃の手術を受けて体力が万全でなくなった七十歳以降も、新井がこれほどまでに中国行きに熱心なのはなぜだろう、との疑問があった。

「忌まわしき戦争の申し子」であることが理由かもしれないとまずは考えた。新井は満州国建国の年に生まれ、父親は中国を戦場とした。だが、北京で挨拶した「テキスタイルの仕事とは世に平和をもたらすこと」が心情のすべてではなく、近代化の先を見据えてのことだった。

「血の濃く通い合ったはらから」として微笑む五十五民族からなる中国少数民族服飾展に衝撃を受け、その感動は日中両国の明日をつなぎ、世界平和の潮流の一つとなると思った体験をもつ新井で

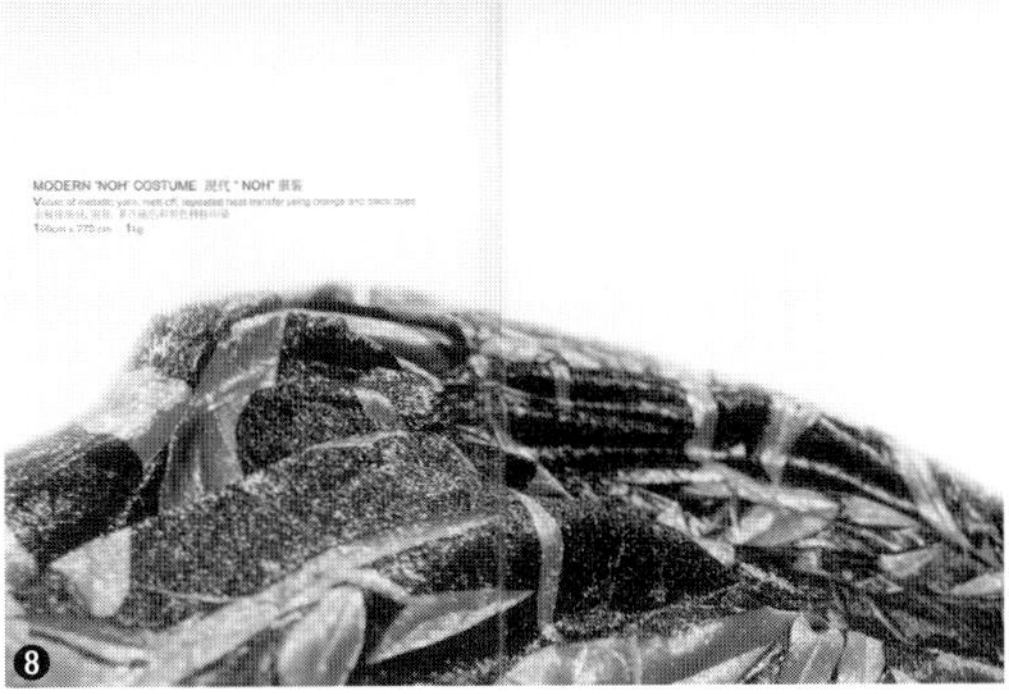

◉「**Innovative Cloths 新井淳一**」**展**
（香港理工大学、二〇〇九年）
❼表紙ビジュアルは「朝鮮人参」
（KOREAN CARROT、一九七九年）。
リーフレットは二十四ページ立て
❽「現代〝能〟衣裳」（MODERN 'NOH' COSTUME）
❾「圓」（CIRCLE）。アルミニウムを蒸着した
2Plyナイロンフィルムに絞り加工
❿「銀色漩渦」（SILVER EDDY）。
銀糸をラッセルレース機で織った

ある。それまでの人民中国の展覧会には期待を裏切られてきたのだが、一九八一年に日本橋三越で開催された「生の讃歌」を響かせるこの展覧会は違った。これは桐生での民族衣裳展開催の翌年のことだ。

インド、韓国、オーストラリア

中国に行くようになる前後の新井のアジア行脚を振り返ってみよう。

一九九五年、「TEX—STYLES INDIA '95」に招かれてボンベイとデリーに二日だけ滞在、インド・

⓬

⓫

⓭

⓮

◉「Junichi Arai & Kinor Jiang」（香港理工大学、二〇〇九年）
テキスタイルとファッションによる二人展
⓫リーフレット表紙　⓬左ページは「Black and white」（ファッション＝加藤登紀子、一九九五年）。右ページは「Crocodile」（ファッション＝元吉千津子、二〇〇六年）。「Crocodile」は緯糸をウール、経糸にはナイロンフィルムとPPSという二種のスリットヤーンを用いて原布を織る。それをくるなどしてフローテア加工機にかけると、ウールの縮絨によって鰐皮模様が「自己組織的」に現れる　⓭⓮新井の布を衣装にデザインして舞台に立つ加藤登紀子

アメダバードで開催された「世界絞り会議」に参加して、作品展示、ワークショップ、講演を引き受けた。この年が個人的な旅行でないインド行きの最初であるようだ。だが、ボンベイで入手したのはヒンズー教のガネシア神の板絵のみで、一九六九年の一人旅で体験したインドとは大いに違う物づくりの光景に落胆を禁じ得なかった（「縦横無尽」27）。二年後、デリーで開かれた「日本芸術祭」では三島彰とともに「新井淳一織物展」開催と基調講演で参加する。章の扉の新井作品はアジアの造形の原点、インドのシヴァ・リンガムを中心に据えた渦である。

同じ一九九五年の七月に新井は、「羊の国」オーストラリアのキャンベラ・スクール・オブ・アートで「布への新たなる挑戦」（Challenging ideas of Cloth）をテーマとする講演、ワークショップ、展覧会に招かれ、これにはテキスタイルコンテストでウール大賞を受賞し「ウール・クイーン」となった教え子の高橋英子を同道した。特筆すべきは当地のメディアでの露出度で、開催前後に新聞、雑誌の記事掲載が相次いで関心の高さを物語った。「手とテクノロジー」展（一九九二年）の図録に寄せたジャック・ラーセンと三島彰の文章がそうした記事の随所に引用され、期待はニュー・マニュファクチャーにあったことがわかる。

シドニーのパワーハウス美術館アジア装飾美術・デザイン部門学芸員であるクレイアー・ロバーツが個展のリーフレットに著した「新井淳一＝産業主義を超えた職人」を新井は日英併記で再編集している。ロバーツが序に掲げたのは松尾芭蕉の俳句、そして英国を代表する詩人エリオット★2の「われらは探求をやめない／そしてあらゆる探求の終わりは／われらの発足の地に達し／その地を初めて見ることとなのだ。」（二宮尊道訳）である。

韓国での初の展覧会も一九九五年、戦後五十年の「光復節」に沸くソウル。世界八カ国を一年かけて巡回した新井の展示会とワークショップ（研究会）の終着地点がソウルだ。日韓にとって政治的には逆の意味を持つこの年、韓国の人々は新井を繊細に歓待したのだった。次のイベントは二年後に弘益大学校（ソウル）で開いた「新井淳一織物展」で、この時もワークショップと特別講義付きである。同じ年に、釜山《ぷさん》にある東亜大学でも特別講義を行なっている。

それ以前、十数年ぶりだったため「別世界であった」一九九四年のソウル訪問は三島彰、黒柳徹子も一緒で、檀國大学校の民俗博物館と韓国刺繍博物館でそれぞれの館長と会っての感慨が記されている（「縦横無尽」8）。刺繍博物館館長の許東華館長が韓国の民具を用いてみずから製作した一群のオヴジェに感銘を受け、大学から二十冊の重厚な研究書を背負って桐生に戻った新井だった。

二〇〇四年のソウル行きは大学での講義がメーンではなく、大規模な国際シンポジウム参加が目的だ。韓国ファッションビジネス協会（KSFB＝Korea Society of Fashion Business）および韓国テキスタイルデザイン協会（KTDA＝Korea Textile Design Association）共催のイベントに日本代表として基調講演を行なうよう招聘され、それに応えたのだ。このソウル訪問中、建国大学校で特別講義もこなした。二年後、今度は草田美術館での「新井淳一・秦泉寺由子テキスタイル・キルト」展を開催、新井はテキスタイルを、秦泉寺はキルトを出品したのだが訪韓はしなかった。

韓国人が「こんにちは」の意味で交わす「アンニヨン　ハシムニカ」にこの国の文化の優しさを感じる新井である。何度か新聞コラムでふれているのだが、「アンニヨン」とは「安寧」を意味するから、挨拶を直訳すれば「こころ安らかですか」とでもなる。韓国の国花は無窮花《むくげ》（ムグンフォワ）で、桐生にはその花が多いと感じる……。こんな眼差しを向けてきた国なのだ。

したがって、日本のテキスタイル教育の場に留学してくる韓国人学生に向ける新井の眼差しは厳しくも温かい。新井によれば、ソウルオリンピック開催時（一九八八年）、韓国の繊維の輸出量は世界三位、同国全輸出高の二五％を越えていた。留学生の中には、先行する同国のファッション専門教育機関に次いで、まだ皆無のテキスタイルのそれを開こうとの大望を抱く者もいた。

六十代の新井がアジアで公的な役目を果たした最初といっていい年は、韓国が一九九四年、インドが一九九五年、そして中国が一九九九年。むろん、アジアに頻繁に出かけるようになっても欧米での展覧会や講演の旅はつづけていた。だが、これら三カ国は、インド発祥の仏教が日本に伝来して以来、宗教、社会、造形にわたって多大な影響を日本に及ぼしてきた国の代表なのだ。

どの国も日本を含む欧米列強の侵略にさらされ、どの国も独自の織の伝統を有する。「血の濃く通い合った同胞《はらから》」は中国少数民族の衣裳ばかりではない。新井が精力的にこれらの国に赴くのは、「戦争の申し子」という個人的な動機に根差すばかりでなく、歴史の彼方から連綿とつづく「布」への恩返しに思えてくるのが不思議である。

インドを訪問した一九九五年、全日空の英文機内誌『翼の王国 WINGSPAN』が組んだ特集記事の題名は「Dream Weaver : The World of Junichi Arai」だった。「DESIGN NEWS DREAM WEAVES」(『INTERIORS』一九九一年六月号)、「DREAM WEAVER」(『METROLOLIS』一九九二年九月号)といったタイトルが新井の特集記事に冠されるようになって、この呼称は定着した。

夢みる織師、夢のごとき織師、夢を紡ぐ人、夢織人——どんな訳語が適切なのだろうか。織物にあたる英語にはcloth, textilé, fabricsとあるが、織り人に相当するのはweaver以外見当たらない。いずれにせよ、その夢は布へ恩返しすることだと考えれば、すんなり腑に落ちる。その夢を後押し、夢の実現を予感させるのは、学生たちの瞳の輝きと「亜細亜テキスタイル界」の逞しい胎動である。

——確かに人は夢みて来た。これからも夢みるであろう。夢みることほど人を人たらしめてきたことはない。

これは新井が三十年も前に書いた新聞コラムの一節である。「なべてゆめはうえとかわきのものがたり」と記したこともある。アジアの飢えと渇き……。「ドリーム・ウィーバー」、実にいい形容だ。

思想体験としての「一九六八年」

アジアへの熱心な布伝導の旅は、新井が三十代半ばで体験した一九六八年の世界的な反体制運動のうねりと関係があるのだろうか。友人たちは新井のことを「産業主義を超えた職人」と呼ぶという。また、国際人であり桐生人であることは新井淳一の流儀の一つ——前章でこう述べた「日本人を中抜き」する思考と一九六八年問題は深いところで通じてはいないだろうか。東欧から帰った新井は、織物を止めて映画の吹き替えやアナウンサーといったメディアの仕事に転じようとさえしたのだ。

東欧をはじめて訪れた新井が見聞したのは、ソビエトに蹂躙《じゅうりん》された「プラハの春」翌年の夏のチェコだった。旅の同行者の一人は人形アニメーション映像で世界に知られた岡本忠成。「百塔の都」と呼ばれるプラハの旧市街広場に像が建つヤン・フスは宗教改革を押し進めて一四一五年に火あぶりの刑に処せられた英雄だが、処刑から五五五年目の広場に新井は立ち、それが縁で反体制の幼稚園の女教師からポスター「血の涙」を入手した。時事通信と評論家のいいだもも(飯田桃)に渡し、自身も大事に持っている。

チェコ、そしてスロバキアへと行き、列車で目指したポーランド国境ではソビエトの女性兵士が乗客の持ち物検査に乗り込んできた。同行者に「反体制ポスターは危ない」と言われたものだから、新井は女性兵士に持っていた金銀糸の布を渡した。そのことで、検閲の難は逃れたのだが、賄賂が効くというのはソビエト共産主義の腐敗の一端ということになる。モスクワへも行き、その証拠となるゴーゴリ記念館前に新井が立つ写真の絵ハガキが最近届いた。

四十日におよぶ旅で、この種の出来事が行く先々で多々起こり、人形劇を通じて親近感を寄せていた社会主義の実態に大きな幻滅を抱くこととなった。

一九六八年、学生によるパリの五月革命、六月二十七日にプラハで発表された「二千語宣言」、米国での反ベトナム戦争運動に新井は感銘を受けていた。その翌年のプラハだ。破壊された民主化運動を地上で、しぶとく残る宣言の精神を地下の秘された会合で、新井は垣間見た。

宣言を正確に記せば「労働者、農民、勤労者、芸術家およびすべての人々のための二千語宣言」であって、概要は、「国民の大半は、一九四八年二月、希望を持って社会主義のプログラムを受け入れた。しかしその運営は、正しくない人々の手に落ちた。（略）政府が、われわれが委任していることを実行する限り、われわれは武器を手にしてでも政府を擁護するであろう」。改革路線を堅持するためには武器を取って闘うことも辞さない、と表明する内容だった。

作家・文学ジャーナリストのルドビーク・バツリークが起草したとされるこの文書には七十人が署名、そこには日本人にもよく知られた体操のチャスラフスカ、マラソンのザトペックの署名もあった。この文書、そして人気のあった国際ラジオ番組「ミレナとワインを」に明らかな民衆のエネルギーをソビエトは反革命勢力の蜂起とみなし、戦車と銃をもって圧殺した。

ラディスラヴ・ムチャチコの『七日目の夜』（一九六八年）、『戦車と自由　チェコスロバキア事件資料集』（一九六八年）、A・ドゥブチェクの『証言　プラハの春』（一九九一年）、新しいところでは春江一也の小説『プラハの春』（一九九七年）——これらは新井宅で東欧旅行に話題が及んだとき、奥の書棚から工房の床に積まれた和書である。大学入学のために地方から上京したのが一九七一年であったため、新井が三十六歳で経験した激動の一九六八年を十分に実感できないまま、目の前に積まれた書物を手に取った。

新井がそれ以上は語らなかった「プラハの春」については、いいだもも★3の証言がある。当時、「プラハの春」に連帯するために日本で組織した市民運動はいいだに、美術評論家のブラスタ・チハコヴァ女史とチェコから帰ったばかりの新井淳一という二人の「心友」をもたらしたというのだ。冬のある日、東京にあるいいだ宅を訪れた新井は「長澤延子の言葉がわたしに作らせた悪魔のマフラー」と言って、黒く長いマフラーをこの評論家に贈るという一場面も描かれている。

このことは、佐山一郎が新井ほか二十五人にインタビューして雑誌に掲載した記事をまとめた

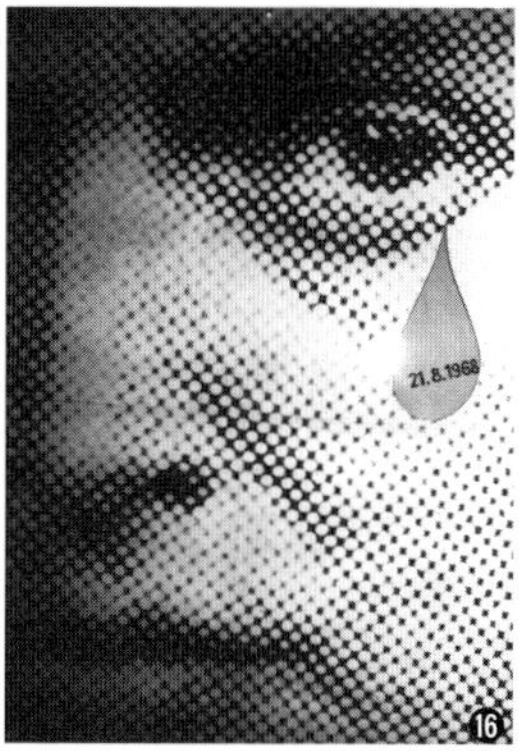

⓯一九六九年一月、メキシコに出発する羽田空港での新井と家族
⓰プラハで入手した反ソ連ポスター「血の涙」。圧殺された「プラハの春」で無抵抗の市民が流した涙をポスターにしたもので今も大切に所持
⓱同じくプラハで入手

『作家の仕事場　25人のデザイン・ジャイアント』(二〇〇四年)の註にある。いいだの証言の出典は『さよならだけが人生、か。』(一九九八年)。左翼陣営のいいだと関わることで得られる刺激の方が、ファッションのために「身過ぎ世過ぎでやっている」織物よりも面白かったとの発言が本文に収録されている。「身過ぎ世過ぎ」の仕事なら捨ててもいい、との考えがこのころ新井の頭をよぎったのだ。

同じ註にはウィリアム・モリスに関する記述もある。それによれば、五十歳の年に民主同盟から社会主義者同盟ハマースミス支部に移ったモリスが、自宅を集会の場に開放したり諸派の統合を図ったりしたことがイギリス労働党の基盤づくりに役立ったとの見解があるという。モリス没後百年を記念する英日の展覧会に関しては、そうした政治思想をまったく扱わない日本展に呆れた新井だった。「文債は借金より辛い」とよく口にするプランナーにとって、「文債」の意識さえ皆無の日本展だったことになる。

新井が東欧を再訪したのは一九八五年、二十二人からなる「第一回七夕ツアー」を組織してのこと

⑱プラハからモスクワに回り、ゴーゴリ記念碑の前に立つ新井(一九六九年)

である。第二次大戦終了から四十年後のアウシュヴィッツ、「プラハの春」後のチェコスロバキア、ルーマニアの秘境探訪が目的だった。ルーマニアの奥地のシク、マラムレッシュでは布狂いのメンバーを黙らせる布と衣裳に出合う。その地では織ることは仕事というより生活そのものだった。政治の遺構巡りはそこそこに、新井のエッセー「東欧見聞録」は織の里を記述することに終始している。それからまもなく、ソ連の崩壊でチェコスロバキアが解放された年には、ヤン・フスの銅像の立つ広場でクーベリック指揮でスメタナの「わが祖国」が演奏される感動的な映像を新井は幕張のホテルで視聴した。

ところで、一九六八年を新井に思い起こさせるのは、先に挙げた書物ばかりではなかった。工房の壁に掛かる秀島由己男★4の絵「霊歌〈影〉」もそうなのだ。黒インクとペンで一九六八年に描かれたこの作品は対になる「霊歌〈祈り〉」とは異なり、人物はいなくて人の影だけがある。実体ではない影が、逃れることのできないほど新井には切実だった。

秀島は一九三四年熊本県水俣市生まれだから、水銀汚染によって一九五六年から発症した水俣病の悲惨をだれよりもよく知る画家だ。水俣の悲惨を書いた名著『苦海浄土』の著者である石牟礼道子と活動をともにし、修験者のような態度で絵を描きつづけたとされる。

水俣病への怒りを新井は画家と共有しており、東京・京橋にあった南画廊を介して、自身の持つ桐生出身のオノサト・トシノブ★5の抽象画と交換する条件でもたらされたのが「霊歌〈影〉」だ。「この絵は私のイコン」とは、新井宅を訪れる客に発せられる一言で、絵の所有者は〈影〉の背後に水俣病、プラハの春、五月革命を見ずにはいられない。秀島によって「化学繊維から離れようと思った」というから、新井の布づくりにとっても重要な作品である。

二十世紀最後の年、熊本県立美術館で「秀島由己男展」が、群馬県立近代美術館で「オノサト・トシノブ展」が会期を一部重ねて開催された折、新井は里帰りした秀島の絵と手放したオノサトの絵とを見て回った。こうしたエピソードは、「秀島由己男展に寄せて　20世紀を生きた人々の良心」（熊本

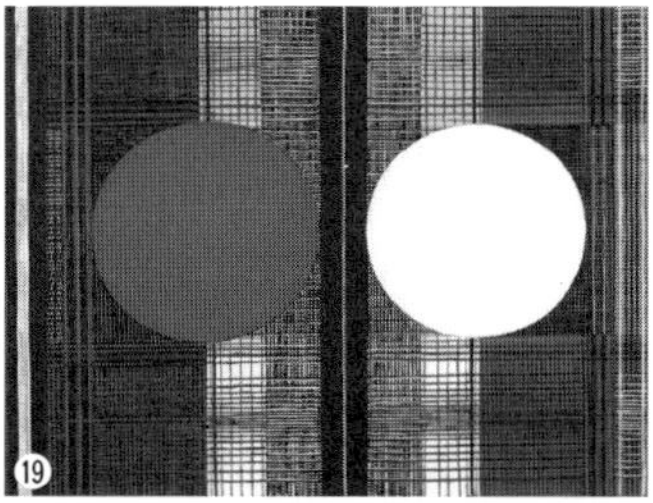

●新井にとっての「一九六八年」問題のイコン
⑲⑳新井がかつて所持していたオノサト・トシノブの絵画二点。現在、上は大川美術館、下は横浜美術館が所蔵
㉑秀島由己男「霊歌〈影〉」（一九六八年）

日日新聞、二〇〇〇年十月六日）に詳しく書かれている。

「オノサトから秀島へ」との小見出しがそのエッセーにある。シベリア抑留と抽象絵画が水俣病とモノクロの心象風景画に席を譲ることで、新井の部屋の様相は一変したという。これは、国家による愚劣な戦争から、産業資本主義による地域破壊の非情な論理へと新井の関心が移った瞬間だったかもしれない。この時に新井の戦後は終わり、ギャラリー通いで精通したモダンアートに対する評価も変質したのではなかろうか。

その翌年の東欧旅行は、社会主義思想を悪魔払いする結果となった。資本主義と社会主義、いずれのイデオロギーもしばしば都市と地域と人間を破壊する……。

生業の織物を止めようとした背景には厭世観と反産業主義があり、言葉の仕事を志向したのは「二千語宣言」や「ミレナとワインを」の反映なのではあるまいか。この時期の新井は「ドリーム・ウィーバー」ではなかった。

それから四十年後の二〇〇八年、日本国憲法改憲に反対して反核を掲げる「9条世界会議」の呼びかけ人に名前を連ねた。呼びかけ人リストには加藤登紀子、田中優子の名もあり、加藤は全体会のフィナーレを飾ったが、新井を誘ったのは大塚テキスタイルデザイン専門学校の教え子だったという。注目すべきは署名しただけでなく、会場の幕張メッセに大量の布を設置するべく奔走したことだ。これを「テキスタイルの仕事とは世に平和をもたらすこと」との信条から発した行為だとすれば、アジアでの活動も「9条世界会議」参加もともに、「ドリーム・ウィーバー」であることの証と言ってもいいように思える。

日本人論の中の職人・工人

日本と日本人について、新井がタイトルに掲げて真正面から書いたコラムは発見できない。「鈍感な日本人」という題名のエッセーがあるくらいだ。

この一文は新井がオランダを訪問した折に、ユダヤ人が収容所で着せられるストライプの服を思わせる新作を発表した日本人デザイナーに対する当地のユダヤ系オランダ人の悲憤をめぐるものだ。オランダには、ナチスによるユダヤ人迫害の犠牲者が多く、世界最古の日本学科を有するライデン大学がある。同じころ、筆者はアウシュヴィッツの虐殺はなかったと報じた雑誌『マルコポーロ』の謝罪会見の場にいたから、両事件とも「なぜ」という疑問符とともに記憶に残っている。

「東西・縞の文化考」(竹原あき子、二〇〇二年)によると、中世ヨーロッパにおける「罪の縞、劣等の縞」には、アメリカの独立戦争でつくられた赤と白の縞の国旗に発する陽気な縞が加わった。だが中世以来の伝統は消滅せず、南北戦争時のアメリカの囚人は横縞を着せられ、「ナチスが強制収容所に送った者たちの衣服はこのもっとも悲惨な思い出にまちがいない。ただし収容所のそれは縦縞だった」。その際の縞は青。それに対し、身につける人と場が意味をつくり出す縞、その表現の自由を楽しむのがアジア、というのが竹原の主張だ。

新井は先のエッセーを、オランダはティルブルクの国立織物美術館とその隣に建ったばかりの現代美術館が、歴史の記憶をどれだけ大切にしているかという事実で締めくくった。

船曳建夫の『「日本人論」再考』(二〇一〇年)はＮＨＫ教育テレビの番組「人間講座」のテキストを改稿・増補したものだ。二千を超える日本人論を読み直して書いたとのことで、作家・司馬遼太郎が提出した日露戦争後の「鬼胎の四十年」や、歴史人口学者・速水融の日本にあったのは「産業革命」(Industrial Revolution)でなく「勤勉革命」(Industrious Revolution)といった興味あるテーマも扱われている。ここでは、やや異色と思われる第七章「職人——もの言わず、もの作る」を参照したい。民俗学者・宮本常一《つねいち》の『忘れられた日本人』(一九六〇年)やタレント・永六輔《えいろくすけ》の『職人』(一九九六年)で描かれた日本人像から船曳が抽出するのは、モノもつくってきたけどヒトもつくってきた、忙しさを楽しむ、仕事に合わせて手は変形、触知可能な事・人を重視、常に工夫を怠らない、モノづくりが価値観や生き方と連動、といった特性である。職人芸にとどまらないこうした広範な職人像の体現者は一九六〇年あたりを境に農民から工業人へと移動するが、船曳は「触知し得ない抽象的なモノへの不信」、すなわち抽象的な理論とシステムに対する弱点を日本人はいまも抱えたままなのだと指摘する。

新井は「産業主義を超える職人」とも呼ばれ、語源を等しくする芸術(アート)と職能(アルス)を現代に同化させる必要を強調してきた。アルスとはもともとは技術・技法を意味し、アートは技術と芸術の両方を含意するが、新井は一時期その「アルス」の方を自社の名称に掲げた。少年期に桐生図書館の児童室で愛読した『アルス日本児童文庫』もその命名に関係していた。

「アルス」(一九六六年)から「アントロジー」(一九七九年)、さらには「新井クリエーションシステム」(一九八七年)へと新井は社名を変えた。フランス語の「アントロジー」は、作り・編まれた選集(作品集)を意味する。会社改編にはさまざまな理由があったにせよ、社名は船曳がいうところの抽象の度合いを高めている。

先のアルスとアートの同化について述べた一文は、シーラ・ヒックスと新井の二人展「テキスタイル・マジシャンズ」の開催地であるスウェーデンのボローズ市を訪れ、産業人でありつつ現代美術の前衛たらんとする人々の気概に打たれてのこと。注目すべきは、同市で織物学校として創設されたボローズ大学のテキスタイル学部テキスタイルデザイン科は手織りコースを卒業していることが入学の条件で、本格的な絵画作品の審査も課せられることだ。デザインは手ともアートとも切り離されてはいない。アルスにも職人にも敬意を表してやまない新井は、アルス（職人の技と心）をアートと結びつける「システム」を志向していたように思える。

――「桐生」というこの場が私の磁場である。

歴史、人情、人口、織の産業集積のさまが共通するボローズと桐生に想いを馳せながら二人展へと新井は旅立った。同市のテキスタイルミュージアムは国営ながら、運営はボローズ・コミューンが担う「生きた美術館」（ア・リビング・ミューゼアム）を標榜することにも感銘を深めた旅人だった。アルスを大事にするがゆえに地域コミュニティーにリアリティーを感ずる。桐生人であり国際人であって日本と日本人に言及することが少ないのは、それが理由と言っていいようだ。

彫刻家の佐藤忠良没の追悼文には、「ごく普通に営々と歩むほかない。大げさなものではない、僕は職人なんだ」といつも佐藤が言っていたとの一文がある（安野光雅「営々と歩んだ『職人』」、日経新聞二〇一一年三月三十一日）。ここにもアルスとアートの同化を見ることができる。職人に関連する語には「工芸」「工人」もあるから、少しふれておこう。

一八七六年（明治九年）開校、フォンタネージが指導にあたったことで知られるわが国初の美術学校である工部美術学校は、殖産興業政策を司る工部省が設けたものだ。『眼の神殿』（北澤憲昭、一九八九年）によれば、工部省設立の主旨にある「工芸ハ開花ノ本」の「工芸」は現在の「工業」の意味に近く、漢語の「工芸」の方は弓術、馬術、囲碁、書画を含むことから、絵画と工業を「工芸」という語が媒介していたことになるという。

柳宗悦が一九二五年に発案した「民藝」(Folk Craft)は「民衆的工藝」の略称で、「名もない工人達が作る実用的工藝品」を意味し、翌年に柳は物を作る人間の心得についての「工人銘」の草稿にとりかかった。その冒頭は「一、作をして美しきものたらしむべし　されど美を工夫すべからず。作為は美の殺戮なり。美は自然に在り。よき工人は自然の欲する以外の事を欲せざるべし」。「工夫すべからず」とは製作の過程における工夫を全面的に否定するものではなく、無心な工藝を称揚するための一文と理解すべきではなかろうか。日本民藝協会の全国大会が仙台で開かれた折の前夜祭は「工人の会」(一九八九年)であったから、民藝と工人は不可分の用語なのだろう。

「工藝の道」(一九二七年連載開始)において柳は民藝論を拡大・発展させる。ここでは、「手工藝にまさるよき工藝はない」と断ずるものの、人を「主」とし機械を「従」として用いるなら、手工はさらに冴え、機械も重要な意義を持ち得よう、とした。水尾比呂志は、「個人作家と民藝工人との結合による工藝の可能性、という柳宗悦の工藝論は、さらに次の協団の構想と相俟って、来るべき工藝への確固とした指針を樹立する」(『評伝　柳宗悦』、二〇〇四年)と述べる。この「協団」は「Communion」の訳語として、生活や仕事をともにして相互に扶《たす》け合う修道院にたとえて用いた語で、宗教哲学者である柳ならではの用語のようだ。

一九三一年『民藝』創刊(一九五一年に百二十号をもって一旦終刊し、五五年復刊)、一九三四年に柳は日本民藝協会を設立して会長に就き、一九三六年日本民藝館開館。新井はこの間の一九三二年に生まれている。少年としては桐生図書館の児童室、戦後は洋館の本館に通って、本館にあった「特別閲覧室で接した『工藝』から受けた印象は忘れ難く、今も私の物作りの底流となって生きている」(「縦横無尽」7)とのことだ。このエッセーの掲載図版は芹沢銈介の型染、棟方志功[★6]の版画が表紙を飾る戦前の『工藝』である。

日本民藝館と新井は縁が深く、一九八四—二〇〇六年の長きにわたって館展の織物部門の審査にあたり、審査委員就任の年には三代目館長の柳宗理、柚木沙弥郎《ゆのきさみろう》、岩立広子★7と座談会「これからの布『印度の民藝』（ヴィレッジ・アート）展に因んで」（『民藝』三七九号）を囲んでいる。『岩立広子コレクション　インド大地の布』（二〇〇七年）に文を寄せることになる柚木と新井である。

新井の試作品を前に柳は、コンピューターワークに全面的には賛同しないものの新井の行き方には感心し、「一種のクリエーションですね。だから、そこに何か喜びがあるんじゃないか」と発言した。柳宗理は手仕事の信奉者ではない。その四年後に柳が『民藝』で書いた「新しい布」には、「手仕事のみに固執して、コンピューター等の科学的技術を蔑《ないがし》ろにすると、もはや新しい時代に即応することは難しくなってくるでしょう」とある。これは柳が巻頭連載「新しい工芸」欄において、英国王室芸術協会から名誉会員に推された新井を讃える一文なのである。

「工芸と民藝」（『天衣無縫』22）で新井は、民藝協会と民芸教団、日本民藝館（東京）と民芸博物館（通称＝日本工芸館、大阪）、日本民藝館展と日本民芸公募展の分離・並存については不問としながら、「工芸」なる語を「本来の意味のＡＲＴ（熟達）の方向で捉えたい」として、分離してしまった芸術家と職人を再統合すべきだとの主張を展開した。それにはデザイナーが新しいマニュファクチャー、つまり頭脳によるマニュファクチャーに転回することが必要だとする。

芸術家と職人の再統合とともに新井が望むのは、学問と芸術の「共働」である（『天衣無縫』38）。経済学者・内田義彦★8の『学問の散策』を再読して提示した「共働」（相互作用）であり、それに英国十九世紀の詩人キーツ★9の消極的能力（negative capability）で錘《おも》りをつける。「不確実さや不可解さや疑惑の中にあっても、事実や理由を求めようとして、焦ることをしないでいられる」能力が「消極的能力」であり、詩的想像力の極意だという。ゆっくり急げ、である。

これに関連して思い出されるのは、イタリアの建築家・デザイナーのマリオ・ベリーニが発した「不完全工業」(Imperfect Industry)だ。ドイツや日本のような巨大資本による物づくりの対極にイタリアがあり、身体をスケールとするのがイタリアデザインの基本ということだった。自動車産業に傾斜するわが国テキスタイル業界の動向を追って企画した特集「揺れるテキスタイル産業」(『にっけいでざいん』一九九一年十一月号)と合わせてのインタビュー記事「インテリアデザインは超産業化を疑う」中にその発言はある。新井が第三回ジャパン・テックに関連して「インテリア・ファブリック冬の時代」と書いた七年後のことで、その間に一時活況を呈したメーカーはベリーニが暗示したとおりになってしまった。

新井は「手工藝にまさるよき工藝はない」ことを信奉する者ではなく、ファッションを「その時代の民衆の感性が選択した表現」と定義して流行のすべてを否定するわけではない。そんな新井にとって、「個人作家と民藝工人との結合」とはアートとアルスの同化のことで、自身で体現し、時には両方の媒介者となろうとした。協団に相当するのは桐生の磁場そのものだったのではないか。「桐生人として」の連綿とつづく新井の活動はその磁場に促され、その磁場を強固たらしめようとの行為だったように感じられるが、どうだろう。

新井の活動はその磁場を乱すと受け止められたことがあったかもしれない。また、そうした活動の成否の度合いを即断することも難しい。だが、桐生にあってインダストリーとホーム・インダストリーの二本立てでテキスタイル指導を行なうさまは、宗悦民藝を超える可能性を熟考してのことのように思えてならない。職人デザイナーと職業デザイナーを対比して前者に軍配をあげ、「私にとって『デザイン』とは、『思う』と同時に『テクニック』の世界であるとはいえまいか」(「天衣無縫」32)と問いかけた一節もある。

木田元の『反哲学入門』(二〇〇七年)によれば、反哲学の思想家というべきニーチェ★[10]はプラトンの超自然的なイデア観、すなわち「つくる」思考によって単なる材料・質量になってしまった「自然《フュシス》」の復権を図り、生成することを生《レーベン》の本性である「力への意志」と名指そうとしたのだとする。同書にはすべての宇宙創成神話は「つくる」「うむ」「なる」の三つの基本動詞で整序でき、「つくる」論理によって「なる」論理を克服するのが近代化だと主張した丸山眞男★[11]が、ニーチェの後継であるハイデガーに対置されている。

機械生産による「つくる／うむ」が未熟だった時代に柳宗悦は「うまれる／なる」を旨とする手工芸と工人を称揚し、洗練の度を増すニュー・マニュファクチャーの時代に新井は「うまれる／なる」の世界を熟知することで「つくる／うむ」の放縦と堕落を戒めようとしたのではなかったか。布の「自己組織化」とは、「つくる／うむ」の側からの「うまれる／なる」への眼差しの産物とも言えそうだ。それが三章で結論を出せなかった「甦れ伝統」ではなく「甦れ古き情熱」と説く新井の真意だったと考えたい。

私たちにパンを、けれどバラも与えよ——ストライキソングより

第六章 エッセイストとしての顔

人形劇、演劇、小説、朗読

旧制中学時代、高村瑛子や長澤延子、さらには玉川利子との出逢いをもたらした新井の演劇活動を追ってみよう。新井の桐生高校卒業は一九五〇年三月だが、前年に卒業した長澤延子の自殺から数日後の六月に、新井は人形劇団プークによる「ファウスト」を観て心を動かされた。

――「鳥に翼あるが如く人間に労働あり」

戦後の荒廃の中で聞いたこの「ファウスト」の台詞を新井はエッセーでしばしば引用することから、感動の深さ、影響の大きさがしのばれる。

卒業してすぐに創設した「ともだち座」の仲間六人を撮った写真が『江古田文学』に載っている。高村瑛子がメンバーにおり、帽子をかぶった長身の新井は楽しげに笑っている。公演は百回を数え、一九五五年の五周年公演「オッペルと象」を最後に活動は休止した。四半世紀のちの一九八〇年、桐生南高校出身者による人形劇グループが「雪わたり」を公演し、同じ年に『上州路』は「群馬に根づいた人形芝居」を特集していることからも、群馬の人形劇熱を推し計ることができる。

プラハ中央人形劇場を主宰したヤン・マリク（一九〇四―八〇年）は国際的な人形劇人組織「ウニマ」の書記長を戦前から四十年間つとめ、人形劇を蘇生させた哲学博士だ。一九七二年に人形劇団「プーク」の招きで来日し、「ファウスト」についての講演会を行ない、日本各地の人形芝居を訪ねている。マリク博士を追悼した当時の日本ウニマの会長はプーク主宰者の川尻泰司★1で、一章に登場した鯨岡阿美子は夫人の川尻洋子と親しい間柄であったことから、「ファウスト」巡回公演を支援し、人形劇団プークに協力を惜しまなかった。

ウニマ会員であった新井が（のちに国際人形劇人連盟会員となる）、一九六九年の東欧旅行に旅立つのは

第十回ウニマ大会出席のためだったことを思い起こそう。戦後初の日本代表団の一員として参加予定だった川尻洋子の病状急変によって、在仏中の友人・富所道子を頼り、新井が代役として赴くことになったのだ。土産用に新井が持参したのは小池魚心が文楽の頭《かしら》をモチーフに染めた布巾《ふきん》。その東欧からリヨンに回っての感慨が「織物と人形芝居。これ程仲のよいともだちは無い」だったこともすでに記した。

　大学進学が叶わなかった新井は、舞台芸術学院夜間部（東京、主宰＝秋田雨雀）に通うことに家族の同意を得ることはできた。金曜の夕刻に桐生を発ち、土曜の朝には戻っている。だが、主役として公演の舞台に立つことを新井家は許さなかった。長男が演劇に溺れて家業を放り出すことを怖れたからである。従うしかなかった。

　学院での演出と劇作の師である風見鶏介は、民族衣裳の研究を新井に奨めた恩人でもある。劇団群馬中芸の統率者でもあった風見は桐生朗読奉仕会の講師もつとめ、七〇年代に新井は再び教えを受けた。「壮烈な生と死」（「スポーツライフ」、一九八二年）とは、風見に対する新井の追悼文なのである。風見の知人がガテマラで入手した「黒い太陽」と呼ぶ衣裳に揺り動かされたことが、新井がメキシコで民族衣裳を探して買い求める遠因である。風見にとって民族衣裳こそが織物だった。

　桐生で声の図書づくりが始まったのは一九六八年、新井は七〇年代に入ってこの活動に参加している。厄年を迎え、急性胆嚢炎から急性肝炎となって入院した病院で、同室の患者に請われて司馬遼太郎『坂の上の雲』の朗読を披露したのがきっかけだ。病院内での朗読は人気を博して輪が広がり、宮澤賢治、井上靖、山本周五郎など、頼まれてこうした詩人・作家の作品も朗読している。「七〇年代は仕事と朗読に明け暮れた」というほど、朗読には熱が入った。新井はのちに「龍馬さん！」

と呼ばれるようになるのだった。

視覚障がい者にのみ貸し出されるテープは一本一時間。文庫本にして八冊の『竜馬がゆく』の録音テープを積み上げると八十一巻になった。司馬遼太郎が産経新聞で一九六八年から連載を始め、四年後に擱筆《かくひつ》した『坂の上の雲』も文庫本にして同じ冊数である。新井はこの小説を全巻朗読した最初のボランティアとのことだ。

——「まことに小さな国が、開花期をむかえようとしている」

こう声に出してから、忙しい夜々を録音機器の前に新井は幾晩座ったことだろう。「七年かけて書かれ、七カ月かけて吹き込まれた朗読図書を何度でも聞くことのできる喜び」、といった愛聴者の感謝の言もあるという。要望による速読に徹したため、テープ数が『竜馬がゆく』を超えることはなかった。

小説最終盤の「ネボガトフ」の巻を、新井の自宅で専用の機器にかけてもらって聞くことができた。柔らかく深い声が終局へと静かに疾走し、『平家物語』を思わせる海戦終結のさまが眼前に浮かんで、実に魅力的だった。

後年、高知県伊野町での「新井淳一の布と土佐の紙展」開催にあたり、高知新聞に寄せた「土佐と龍馬と紙と布」(一九八六年三月二十七日)で新井は、この地に対する愛着は龍馬に端を発すると書いた。李朝時代の民画の龍《りゅう》と龍馬の龍《りゅう》、ともにかけがえのないものであり、織と産地を同じくすることの多い紙を旅先で買い込む癖があるのだとも……。桐生も音《おん》には「りゅう」がある。高知は北緯三三度、東経一三三度にあり、龍馬が生涯を終えたのは三十三歳、みずからの生年の月日だけなら三月十三日だから三十三——サービス精神を発揮してのこの文章はいたく楽しめる。「三十三という奇数の涼やかさを、物心ついて以来好ましく思っていた」とは、数を基本とするテクノロジストらしくもある。
生地づくりにおいてテクスチャーをもっとも重視することは、視覚よりも触覚を優先する、あるいは視覚と触覚を同等に扱うことを意味する。布の風合いとは、視覚と触覚の統合によって感受される質のことだろう。朗読図書は目で読むのではない本。声が波動となって鼓膜を震わせる図書は、新井のテキスタイルの思想と通底するのだ。また、「生きた言葉って、意味じゃない。生きた響きのことなんだ」との発言は、朗読体験に発する以外の何ものでもなかった。

小説も書いた。創刊に参加した桐生の同人誌『証』二号に投稿し、難関で知られる「同人雑誌評」（評者＝中田耕治）で取り上げられたのが短編「こちらはかもめ」だ。カットはリコ画である。

ソ連の女性宇宙飛行士テレシコワが「わたしはかもめ」と地球に伝えたことにちなむが、「我々が作るのは〈宇宙服〉です」と始まり、銀色に輝く素材を探して宇宙服を作る過程はスリットヤーン織物に近似する。宇宙服の着せ替え人形をつくってアメリカに輸出しよう。そう目論んで失敗した中小企業の話で、「ごく短い短篇だが、ここには、いわゆる短編の常識を苦もなく踏み越えながら、短篇でなければ味わえない、きっちりした均斉感がある」というのが中田の評だった。味わいは、星新一のショート・ショートに近いかもしれない。

同じ同人誌の一号に掲載された「喪われた空」とは文章が別人のようだと評にあるから、はじめての掲載ではなかったとわかる。もう一作、人形劇グループを立ち上げた女性が主人公の小説「阪路」には、ドイツのマリオネット劇「年とった傷痍軍人」が重要なエピソードとして挿入されている。この掌編小説の作者の父親は一種の傷痍軍人であることに胸を衝かれる。

同人誌『証』は、新井と桐生高校で同学年の〝信友〟加賀山満が一九六五年に創刊したもので、一九九三年の加賀山の死に際して遺稿集が編まれた。翌年のハンブルク行きに持参して精読したのがその遺稿集であった(「縦横無尽」14)。

人形劇、演劇、小説、朗読と、新井の演劇・文学の活動は一九五〇年から八〇年すぎまで、断続的ながら、途絶えることがなかった。そのどれをも、何かしら生業の織物と関係づけているのが面白い。新井は努力の人、働くことを厭わないことが伝わってくる。学びの人であり、師を求めるのに距離をものともしない翼があった。さらに、「鳥に翼あるが如く人間に労働あり」とともに、同じ「ファウスト」中のメフィストフェレスの言「俺の速さは、思うと同時だ」を好む達成のスピードは、常人の及ぶところではない。これも新井淳一の流儀、新井淳一の法則と呼んでいい。

『竜馬がゆく』『坂の上の雲』全巻朗読をはじめとする朗読図書づくりの活動に対して、一九七七年に日本盲人社会福祉協議会ほかより表彰された。この表彰を何よりも喜ぶ新井にとって、ボランティアが義勇軍の別名であることを再確認しておこう。

始まりは「見たり聞いたりためしたり」

四十八歳から二十年間近く、新井はエッセイストの顔をもっていた。季刊雑誌の特大連載を四回、新聞のコラムを七年にわたって百四十八回つづけるといった活動を、時期を重ねながら十本ほどこなしたのだ。この間、連載だけで執筆本数は四百本に迫るから、単独の寄稿やインタビュー記事を含めれば総数は倍を越えるだろう。掲載はアート・デザインの専門雑誌もあれば、繊維関係の新聞、一般紙誌と多彩で、そうした媒体の特性に応じてテーマも文体も自由自在だ。『銀花』に四回連載した長文の「布の詩」をはじめ、これまでにも随所で引用、紹介してきた。

こうした文筆活動の最初は「東京タイムス」の連載だった。一九八〇―八一年に三十四回連載した「見たり聞いたりためしたり」は、新井らしからぬコラム名に思えた。が、執筆の経緯を知ってなるほどと納得する。詩人・作詞家のサトーハチローが一人で担当していた欄を七人で分担執筆することになり、桐生高等学校の先輩だった奥野史郎編集長に「無理矢理書かされた」というから、コラム名に注文をつけることなどあり得ない。その後に一人で担当した連載「粋筆漫歩」、「私の織物手帖」、「布の詩」、「天衣無縫」、「縦横無尽」のようなわけにゆかなかったのは当然なのだ。

記念すべき八百字ほどの初連載の初回は「リヨンのギニヨール」、署名は〈淳〉。この内容は新井を少しでも知る者には馴染みが深く、「十二年前のこと」(連載十回)で書いた一九六九年の東欧旅行からフランスのリヨンに回った折の体験と思考は、新井のエッセーの基調をなす感がある。若き日に親しんだ人形劇、ジャカード織誕生の地であるリヨン、リヨンに流れる五つの川――ソーヌとローヌの二筋の川、南仏ワインの流れ、滅んでいった機屋たちの流した血の涙の川、そしてギニョールの笑いに乗ったエロスに依る生命の河――は、桐生と対比して幾度か新井のエッセーに登場することになるからだ。

連載第二回の「ボランティア旗揚げ」は、同年夏に桐生で開催された「民族衣裳と染織展」がテーマである。「ボランティアとは義勇軍のことよ」と話してくれたのは朗読奉仕会で講演した中川貞子だというが、隆盛を過ぎた織物産地・桐生における自主独立の催しを締めくくるのに、客死した同市の機屋・佐羽喜六の言「死地に陥らざれば　善士となること能わず」を配するあたり、新井四十八歳の覚悟のほどがうかがえる。

連載四回目の「小さな渦」は、桐生で伝統工芸士がコンピューターを導入したトピックスをトフラーの『第三の波』に重ねて書いたもの。リヨンでは一九八五年からパンチカードによらずにコンピューターで直接ジャカードを動かすダイレクトシステムを稼働させたというが、桐生での取り組みはそれより早かったことになる。この回には桐生の名物は水車《みずぐるま》だったとのくだりもある。「お静かに！」が三回目のタイトルで、学生を引き連れて観た抱腹絶倒のパペットアニメショーにはリヨンのギニョールの笑いが木霊する。これらに桐生を流れる二筋の川を加えさえすれば、連載の初回に提出した五つのテーマは網羅されている。文章術という以上に、テキスタイルにおいて織の構造を第一とする人にふさわしい連載の構成に脱帽してしまう。

この時期の新井は、コンピューターを駆使した天然繊維の生地をトップデザイナー向けに開発して注目を浴び始めていた。華やかな舞台の一員であったのだが、そうした自己アピールとも取られかねない内容は皆無に近い。

「平和の戦士たち」にしても、半年分の作品を持ってパリコレ（パリ・プレタポルテ・コレクション）に旅立つ鳥居ユキ、やまもと寛斎、三宅一生らスーパースターに向けて「永遠の未完成こそが、魅力のすべて」と応援するもので、自分の専門については「素材としての織編物の分野において、日本らしい独自性もでてきた」と控え目なのだ。この文で興味深いのはファッションを実質的なビジネスとして見ると、「一部の人を除いて未だしの感が深い。彼らはおおくまだ貧乏ですらある」との指摘だ。DCブランドは躍進の途上にあり、一九七九年を一〇〇とすると、三年後にはコム デギャルソン三三〇、ビギ二二〇、ニコル一八七と、二―三倍の売上増を果たす（繊研新聞一九八二年三月四日）直前だったのである。

むろん、自分が関わる朗読奉仕や専門学校での卒業制作指導といった日常の話題を取り上げてはいる。そうしたエッセーでも人間の本質にふれるエピソードがすくい取られていて読み応えがある。たとえば、朗読奉仕は奉仕した分、多くの障がい者の見事な生きざまに啓発され、愛聴者たちとの忘年会を心待ちにするほどだという。

また、掲載が一般紙であることに目配りして、発売翌年で国の内外で人気沸騰のソニーの「ウォークマン」といったテーマも扱う。桐生―東京を往復する一日に聞いていたのは座談会録、ショスタコービッチとクラフトワークの曲、志ん生の落語とは興味津々のラインナップであり、電車で隣り合わせた若者のそれは新機種、自分は旧型のままといった落ちもあった。エッセイストとしての面目躍如で、巧まざるユーモアといった類の文章ではないのだ。

一方で、死者についての文章も心に残る。交通事故で義母が即死し、ほぼ一年後に対向車にはねられた従兄が遠くの病院に搬送されて生死の境をさまよう。これは一九八一年が明けて早々の「怒りを込めて」と題されたエッセーの内容である。翌週の「おんどりの歌」も「おんどり座」の主宰者である土方浩平を追悼するもの。長野を拠点として「ふたりだけの人形劇団」をつづけ、「最後の傀儡子《くぐつし》」と呼ばれたのが土方だ。その人物を桐生に迎えるという願いを果たせないままの別れであった。

さらに、「女のとむらい」では、ファッションデザイナーの鳥居ユキ★2に英才教育を授けてパリコレでの成功をもたらした母親、鳥居君子の葬儀のありさまを描写する。「おんなのとむらいをうつくしくみせたのは、遺子ユキ・トリヰのかんばせにめめしさがなく、なにがしか、決意を秘めたいさぎよさをみせていたからではないか。合掌。」との締めくくりの平仮名が美しい。

十七歳で自死した長澤延子の三十三回忌を前にした「死んじまったウエのウタ」が連載最終回のテーマで、紙幅の八割方は長澤の文章と詩の引用で占められている。何ひとつ付け加える言葉はないのだというかのように――。三十二年ぶりに旧制中学の文芸部同窓会の面々が集って歌った「仲間の歌」でも、若くして自殺した同窓の何人かが歌の背後におり、呼びかけ人が話題にしたのも粕谷一希著の『二十才にして心朽ちたり』（この本の記述には誤りが多いとは新井の弁）だったのだ。人形劇から夭折詩人へと、連載は見事な円環をなしている。

テキスタイルプランナーらしいエッセーは「脳＝魔法の織機」だろう。こちらはトニー・ブザン著『脳の社会学』を巡るもので、次の引用を枕としている。「人間の脳は魔法の織機だ。そこには、何百万もの光る杼《ひ》が、持続的ではないが、常に意味をもってさまざまな模様（パターン）を織っているのだ。脳はあたかも、宇宙のダンスを始めた銀河系のように見える――チャールズ・シェリントン卿」。コンピューターは人間にとって代わる不安の対象ではなく、それをつくり駆使する人間という「生物学的超コンピューター」のアシスタントとしてその役割を果たす、と紹介する箇所が文中にある。

脳と織機との比喩には興味を示すものの、脳に起こる未来のルネサンスによって「地上は天才で満つる。かくして地上は天になる。というのだが」との最後のパートに響く疑問には、まったくそのとおりと同意するばかりだ。

「見たり聞いたりためしたり」の内容、つまりこの時期に新井が関心をもって読者に伝えようとしたテーマはいくつかの群に分けられる。「民族衣裳と染織展」直後に始まった連載であるから桐生と織に関するエッセーが多いのは当然として、朗読奉仕を巡る話題、死者を悼む文がそれにつづく。ほかは人形劇、テキスタイル教育、隣国の韓国と中国、本とラジオと音楽など――。異なるテーマを掲げるエッセーに通底するのは「リヨンに流れる五つの川」に似て、希望と悲憤あざなえる縄のごとしである。初回の「リヨンのギニョール」が連載の基調をなすと述べたのはそうした意味なのだ。

雑誌では「アルファ・アイ」「私のファッション考」

「東京タイムス」の連載を終えた年の十一一十二月、新井は上毛新聞掲載の十二回の連載「粋筆漫歩」に臨んだ。地元紙ということで自由度が高かったのだろう、各回のタイトルには先の「女のとむらい」を思わせる平仮名が多用され、感情表出はストレート、文体は一変して濡れて光っている。

初回の「ゆめものがたり―ゆめみるまえ」は、「脳＝魔法の織機」で一旦は疑問符を投げかけた脳のルネサンスによって「かくして地上も天となる」ことを希望にしようと訴えるのが骨子である。もとよりその希望は、ケインズ卿の言葉を引用しつつ、「魔法の杖や呪文が、目標をすりかえてしまったことを、百年たって気づいた時、そこは廃虚になってはいないか」との警鐘と抱き合わせではあったのだが。

――「なべてゆめは、うえとかわきのものがたりではないだろうか」

連載二回目の「たまゆらのかげろい」の一節である。新井にとって夢は飢えと渇きの物語なのだ。このエッセーは「粋筆」にふさわしく夢のつづき、それも文章力が試される「たべもののゆめ」の話である。中国が支那と呼ばれていたころ、超上級の資産家の婚儀の祝宴で最後に供された蚊の目玉のスープに客人たちは酔いしれるのだが、目玉を浮かべる湯は白湯にすぎなかった。「あらゆる贅《ぜい》をつくしたあとの、うえとかわきをいやしたものが、白湯《さゆ》であったというのは、勝手な僕の改ざんである。ただ、まぎれもない僕のゆめものがたりの真実であって、ここだけはゆずれない」。新井がほんとうに夢みたのは白湯のような布ではないのか。著者の真意を計りかねたこのエッセーから、唐突にそんな想いが湧いた。

答えは翌週掲載の「ルバイヤートの服」にあった。

ルバイヤートとは千年も前にペルシャで紡がれた四行詩である。一九六九年に旅したパキスタンとアフガニスタンの国境に近い古都ペシャワールのバザールはルバイヤートの世界さながらで、そこの骨董屋の主《あるじ》から新井は世にも美しい毛織物のことを聞いた。ペシャワールの北にあるチトラルの谷で産する毛織物は、自然の羊毛を染めることなく紡ぎ、黒・白・茶で無数のバリエーションをもつ模様を表現しているのだという。それは「人の眼になごみ、一歩へりくだった主張として、布そのもののあたたかさ、ゆたかさの中に、包みこまれて息づいている」。新井はそれに「ルバイヤートの服」との美称を与えた。

対極には「これでもか、これでもかと表面効果にこだわり、無用の主張を第一義のように思いこんでしまった現代の服飾界」があるのだが、その時にチトラルの谷には行けずじまいで、この服は夢のつづきのままだ。新井にとって、身体と精神の渇きを癒す布のひとつは、おそらくはこの毛織物のことなのだろう。何年後かに新井がパリコレといった場を離れる理由には、この種の体験もあるのではないか――勝手にそんな想像をめぐらせてしまう一文である。

連載四回以降は初回と同様、「東京タイムス」で提出したテーマを反芻し、展開させている。ともに朗読ボランティアを取り上げる「こえをころもでかざられぬ」「わたらせの岸にむかいて」であるが、前者では自分自身の生きた声をつかまない限り朗読ボランティアはつとまらないとの現実を記し、後者では鉱山で知られる足尾の地の朗読講習会に通って知った「渡良瀬川鉱毒文化圏構想」に想いを馳せる。

布とファッションに関連する文章も数本ある。東京コレクションに希望を託する「燃え盛る炎も」。初の展覧会出品で「光る糸」を作る経緯を記した「こころ、花にあらずんば」。業界人同士のラディカルな結婚式に受けた感銘を記したのが「胸いっぱいの引き出物」。「鳥に翼あるが如く」は、雛形《ひながた》のない地方の時代を生きることを織の里・桐生に望む内容だった。

「エロスの河」はリヨンでの体験に関するものだが、新たな知見が書き加えられている。日本が当地から持ち来たったのは織の技術、持ち帰らなかったのは市民革命を招来した織物職人の思想、その懸隔《けんかく》は深いのだと――。人形劇に関連する「言葉を操るもの」には、日本語をマスターして公演に臨んだ天才、ブルース・シュワルツのパペットショー（人形劇）に日本語の新生をみる思いがしたと書いてある。人間の声の表現力は無限で、それはしばしば精神の自由と深く関わるものだとの見解にはうなずく以外にない。

東京タイムスでは、茶道に関連して「好みは千の嫌悪よりなる」（ヴァレリー）以外のアフォリズム（箴言）は記されていない。だが、上毛新聞の連載では、人形芝居「ファウスト」から「鳥に翼あるが如く」、小池魚心の「こころ、花にあらずんば」がタイトルとして登場している。小池の「狂気のような純真さ」については「みどりへのみちしるべ」にあるが、新井と小池の交流は四章で詳述した。

新聞から雑誌連載へ。その雑誌連載の最初となる『月刊染織α』に書かれたのが「小池魚心さんの創造」（一九八二年六月号）だった。同じ連載の「歓喜への回帰」で新井は、「織る」と「折る」が標準語では同じアクセントになってしまったことと、現代の織り人が最終の製品も使い手も知ることなしに生産している境涯を重ね合わせて憤る。ここには例のケインズ卿の予言もあるが、タイトルはヒンズーの言い伝えである「なべて産れいづるものは、歓喜の胎内に発し、歓喜に育まれ、歓喜に昂《たかま》り、歓喜に回帰する」（新井訳）に由来する。したがって、このエッセーは織物への応援歌だ。

時の呼び声は「テキスタイルの時代」。だが、興味ある糸や応用できる技術という地を耕し種蒔く者は少なく、織のパイオニアの孤立無縁は解消されない。着たいものを自由に着たい生活者は売っている服に飽き足らずに、産地やショップにユニークな布の切り売りを求める。市場にあふれる飽き足らない服の例外の一つとしては三宅一生のブランド「プランテーション」を挙げる。天然素材志向、フリーサイズ、男女兼用、ノーシーズン、縫製堅牢、家庭で洗濯可とは、裸の眼をもつ生活者が待ち望んだものだとするのだ。

連載「アルファ・アイ」の「ゆめはまことか」『風よ、おこれ』「裸の眼」で、新井はこんな具体的な見解を明らかにした。『風よ、おこれ』に書いた切り売りを求める声こそは、ファンクショナル・テキスタイルの店「布＝nuno」開店の原動力だっただろう。

東京タイムスも上毛新聞も広範な読者に向けた一般紙である。それに対して、専門媒体『月刊染織α』での連載「アルファ・アイ　生活工芸」や『サロン・ド・ボーテ・ヤスコ』における連載「私のファッション考」では、繊維・アパレルに言及する際の具体性が高い。その分、十回連載の「私のファッション考」では悲憤の声、雷鳴のごとしの感さえある。

たとえば、インテリアファブリックの見本市である「ジャパン・テック」を見ての批評は「あい変わらず、時代錯誤の御仕着せを演出」、流通十七社による服地展示会「イデア京都」には「コンセプトの中心軸になる新しい芽生えを見出したいとの願いは裏切られた」（『月刊染織α』）に加えて、「〃個人周波〃そのものが、今の風見鶏であって、こんな風向きを潮流《トレンド》と誤解して社屋から発している限り、混乱は増すばかりであろう」と手厳しい。「無いものねだり」では繊維大国日本に染織の専門美術館がないことを憂え、表現の種子ともいえる思想を「種蒔く人」の少ないファッション界……。批判の矛先は自分も属する業界であるだけに、とどまるところがない。

ただ、掲載が六本木・アクシスビルでの「布」開店の直前だったため、その店に関連する内容が希望をもって綴られているのに救われる思いがする。「布＝NUNO」『〝アフリカの椅子〟』「好みは、千の嫌悪よりなる（ヴァレリー）」「デザイン投資」がそうしたエッセーだ。しばしば引用するヴァレリーの箴言がここでは、良いものを識別するには千ほどの（無限の）モノをみないといけない、と解されている。

新井は「布」を「職人の店」と呼ぶ。布作りの職人たちがはじめて持つ店と、内装工事は職人芸の見世場であることを重ねているのだ。「デザイン投資」が「布」の店づくりに関連するのは、ブティックのインテリアは通常長くて三年、短くて一年半の寿命と設定されており、商店設計のプロは実際に掛かる費用の三倍もの見積りを出してきたからだ。それを「デザイン投資」というなら、デザイン投資などしないと言いたげである。デザインの功罪を口にする新井にとって、布開店に至る半年間はその「罪」の一半を体験する機会でもあった。

「私のファッション考」と同年の下期に連載した「私の織物手帖」（『カラーデザイン』）については三章で紹介した。「アフリカの寝台」は「私のファッション考」で書いた同名のエッセーの連作であり、「スートラ（たて糸）とタントラ（よこ糸）」「布で織った布」は同じ年の七月に佐賀町エキジビット・スペースで開催された新井の個展「布空間・布人間」をめぐるものだ。

最終回の「布の命」に登場するのは、歌手の加藤登紀子である。二人の交遊はエッセー「ひと耳ぼれ」をきっかけとして始まったことは五章で紹介した。新井の生地を使って自分でデザインした服をまとい、当の新井との座談会に現われるといったチャーミングな歌姫が加藤、初対面はコンサート「昔、人は鳥だった」用の生地を授受した一九八一年の大雨の日だ。その加藤が布と服に関わった三段階とは、民族衣裳と出合い、三宅一生を知り、一枚の布をステージ衣装用に自分でデザインする、とつづいて、「布作りの冥利につきる」と新井を感動させた。こうした布と服の風景が再びつくれないものか。そのための処方箋は次のように記してある。新井は「業」でなく「人」の原点に立ち帰ってのデザインを望むのである。

職人たちが、自らの手業を、自らの生命で、振るうこと。
道具は、さまざまあるではないか。
紡ぐ者、染める者、織る者、艶をだす者、縫う者たち、職人デザイナーの時が来たのだ。
宮澤賢治の農民芸術概論の驥尾《きび》に付して、「職業デザイナーは、一旦、滅びねばならぬ。」

七年にわたる「天衣無縫」の翼

アントロジーを潰し、「布」の経営から離れ、英国王室芸術協会の名誉会員に推された一九八七年が新井の転機の年であることに疑う余地はない。

こうした事情が滲む連載「布の詩」（一九八八―八九年）については三章で詳述した。足掛け七年に及ぶ長期連載となった「天衣無縫」（一九八八―九四年）は「布の詩」と時期を重ねて開始されている。テキストの総量は二四〇〇字ほどを一四八回だから四百字換算すると九百枚近く、これだけで相当分厚い一冊を編むことができる。さらに、「天衣無縫」の完結を見越して「縦横無尽」（一九九四―九六年）の連載をスタートさせる。足跡をしっかりたどれと言わんばかりの連載リレーは著者と編集者の以心伝心の産物だろうが、エッセイストとしての新井の評価の高さの証であるのは言うまでもない。

――「天衣無縫」。好きな言葉である。（略）好きではあるが、空おそろしき表現である。

五十六歳の新井は初回にこう刻んで長い連載に着手した。それはそうだろう、天真爛漫になど容易にはなれそうにない年齢である。こういう時には手本を探すのが人間の知恵だ。その手本が身近にいた。

「極楽に往きて曼陀羅また織らむ　菩薩に蓮の糸をとらせて」。これは桐生近郊、現在の足利市・粟ノ谷《あわのや》に棲んだ江戸時代の創織者、金井繁之丞の辞世の狂歌である。まだ十代の新井は『桐生織物史』で金井のことを知り、粟ノ谷を訪れていた。記録によれば、この人の創案の中に「縫目無くして羽織を織る法」があった。図解も現物も残っていないこの方法こそ、天衣無縫を意識しつつの考案ではなかったかと新井は想像を逞しくする。

同じ織物師として注目するのは、金井による毛織物。毛を糸に撚る法、毛による羅紗《らしゃ》の織法、羅紗紐拵方《らしゃひもこしらえかた》などが、「縫目無くして羽織を織る法」とともに記録にあるようだ。西陣にもない新種の織物で名を馳せた金井は後半生を江戸の狂歌師・朱楽菅江《あけらかんこう》に師事し、「錦織楼音高《きんしょくろうおんこう》」の俳号で盛んに狂歌を詠んだ。七十六歳没と長命で、戒名は「機巧院錦織老居士」。無縫の羽織を織ったご仁は、何ともあっけらかんと天真爛漫に生きたようだ。金井を目標に据え、自筆の題字を欄に掲げることで、この連載は快調に滑りだす。

一九八八年六月に始まるこの年の連載は旅の思索に彩られている。日本民芸学校の夏期学校が開かれる沖縄・竹富島へ高齢の外村吉之介（倉敷と熊本の民芸館館長）の謦咳《けいがい》に接するべく出かけて六島をめぐる。七月にはアメリカ手織物ギルド主催で空前の規模となった「convergence 88 chicago」（七月八—十五日）にスピーカー、出品者、「金の糸」(Golden Thread Award)審査委員として参加する。賞の第一回受賞者であるミルドレッド・コンスタンチーヌのことはすでに紹介した。このシカゴ行きではニューヨーク、サンフランシスコの新井の布のショー、カンサスシティにあるショップ「アジアティカ」探訪も旅程に含まれていた。

ホーム・インダストリーの里・結城で紬のデザイン高度化事業を担当することになり、勝山へは「アートフルの会」が企画した新井の展示会のため福井に行き、桐生での「エイジアン・クリエーション・フロム桐生'88」に参加。文化の日には奈良の「高僧とその聖遺物＝お袈裟《けさ》展」(元興寺)で江戸時代大阪の僧である慈雲の糞掃衣《ふんぞうえ》に驚嘆し、シェーカー家具が配された京都の商空間「SACRA」(ヨーロッパの古語で「聖」)でテキスタイルデザイナー・脇阪克二展を見る――。大阪府の「デザイン・オープン・カレッジ」で講演したのが「デザイン開発のニューウエイブ」。尾州の艶屋で一週間ほど毛織物の艶出しに専念したのは、IWS(国際羊毛事務局)から展示会用にテキスタイルのオリジナル提案を求められたからだ。

この年最後の旅は、ロード・アイランド・スクール・オブ・デザイン(RISD)の美術館で開かれる新井の海外初個展のための米国行きだ。この旅に持参した本のうちの一冊はエリック・ギルの『衣裳論』で、「私は二十世紀の象徴としてラオコーンの物語にまさる、ふさわしいものを知らない。それは戦争及び高利金融なる双児の蛇と闘う人間なのである。この二つは二十世紀の悪の力なのであって、もしも、それらを鎮圧しなければ、われわれは滅びて行かねばならない」との箇所をエッセー「星の時間」に引用するのには理由があった。

「二十世紀」を「二十一世紀」に置き換えても何ら問題ない内容だが、引用の理由はパール・ハーバー攻撃の日が日程に含まれ、ニューヨーク滞在中に「資本主義の〝首都〟が、共産主義の最高指導者を大歓迎」と日本の新聞が報じ、アメリカ市民のペレストロイカに対する関心の深さを実感した「ゴルバチョフ・デー」に遭遇、アルメニア地震が起こったからだ。「星の時間」は、シュテファン・ツヴァイク★3の歴史書『人類の星の時間』にあやかっている。一九八八―八九年は六八年以上に、米ソ冷戦が終焉を迎えて世界の枠組が変わろうとする年だったのだ。

翌一九八九年は、年譜にもエッセーにも海外の旅の記述は少ない。それに代わって目に付くのはファッションデザイナー・菱沼良樹に関する「風を孕んで」と「森と良樹」である。第一回毎日ファッション大賞で新井は特別賞、菱沼が新人賞を与えられて以来、想像を絶する素材に出合うことで創造的な服ができると考える菱沼と共働作業をつづけた新井だ。「風を孕む」はミラノでのショーの模様を伝えるファクシミリが菱沼から届いたことをエッセーの最後でふれ、「森と良樹」の方は「良樹は成長した」と始められている。

先の新人賞受賞後まもなくの数年間をミラノで過ごした菱沼と、倉敷紡績の創業者がイタリア遊学を支援した若い日本人画家とを重ねて、表現者にとっての国際的な交流の重要性を説くのが一文の主旨だ。東京での菱沼のコレクションにテキスタイル学生四十人を同道した新井は、ショーで用いられた自分の生地を分解・再構築することを翌週の課題にすると決めた。

「ものづくりの心」と題する十三回の「菱沼良樹VS.新井淳一ファッショントーク」(センイ・ジャーナル、一九九一年)がある。名古屋で開催された生地素材展「TEXPO NAGOYA」の併催イベントとして企画された公開討論の模様が収録されるという、やや異色の連載記事だ。

討論では、デザイナーにとってもプランナーにとっても先が「わからない」ことが「あくなき欲求」の原動力で、情報に慣らされる恐さについて確認し合った。興味の持てる具体的なトピックも話し合われている。ニューヨーク近代美術館で開催された半導体回路による展覧会「インフォメーションアート」であり、新井が開拓をつづける「メタライズド・ウール」をはじめとするハイテク生地についてだ。美を特に意図しないそれらにも作り手の主張やキャラクターが反映し、逆に会場の一角に設けられた「絞り展」ではハイテクノロジーの所産を手仕事に活かした例を見つけることができる。これらは、いずれも物づくりの「重要なポイント」となるという。

漆の大家が発した「ボクの時代で終わり」に関連する新井の次の独白に、菱沼は「随分、奥深い境地ですね」と返すしかなくて、世代の違いを印象づけた場面が記録に残っている。

> 終わるものは終わる、生まれるものは生まれる。その生まれるものの芽を育てて、そして滅びる、というよりは終わっていく、終わっていかざるを得ない部分というものが自分の中にもあるし、生きているということが、死ぬという問題とウラハラになっているのではないかと思うんですヨ。

これが六十歳目前の、菱沼が感じた新井の「境地」だとすれば、その境地に映じた展覧会やイベントや書籍はどんなものだったのだろう。

「沖縄の染織と漆器」（サントリー美術館）では、下級士族や町方の婦人が着用した「朧型《ウブルガタ》」に必然の理《ことわり》として現われる美を発見する。江戸の柄を現代的に表現することを狙ったタペストリー展「ＥＤＯの柄」で新井は、コンピューターの利用と産地を超えた連携に「虚《うそ》から出た実《まこと》」の成立を期待する。大塚末子の『もんぺ讃歌』上梓に刺激されては花森安治★4の『風俗時評』を再読し、国の政策として浮上する繊維リソース・センター構想にある人材育成に思いを馳せる。八王子織物工業組合のテキスタイル展（東京・銀座）を見て「壮」と評するのは、人材育成とも関連し、いい趣味を生むための産地の苦闘に拍手を送るためである。新井にとっては、プリントとファブリックを分野として分けるかどうかが審査の過程で議論されることになる「インターナショナル・テキスタイル・コンテスト」桐生展を控える時期の八王子展だった。

桜の季節のある一日、東京で八つの展示会・展覧会を見たエッセーが「櫻」、「BEST & ONLY」に描かれた初夏の一週間も、運動量が極めて大きい。足を運んだのは秀島由己男展、柳原義達・難波田龍起・須田剋太三人展、フジイフェスティバル（藤井毛織）、「IWS・MATERIAL 9 ファブリック・コンベンション」。そしてオペラ観劇。「MATERIAL9」の中で企画されて最前列で見た米田和子のコレクションでは、七夕をイメージさせる「天女の透ける、たなびく布たちの一群」を作る手助けをしたこともあり、次の製作のヒントを得るといった具合だった。この布は、新井にとっての「無縫の天衣」ではあるまいか。

仕事の打ち合わせ、学生の課題採点・講評、『テキスタイルデザイン・クリエーション編』のビデオ構成案検討会合、霞ヶ関ビルでの座談会、桐生への来訪者ガイドなどのあいまにこうした展示・展覧会がはさまり、東京泊は一週間のうち一夜だけだった。

エッセー（省察）をものするにふさわしい年齢がある——「天衣無縫」を読み進めてそんな凡庸な感想しか浮かばないのが歯痒《はがゆ》い。連載名について新井は当時流通していた「天衣無縫」なる墨汁がヒントだったと言うが、照れのせいに思える。半藤一利が『坂口安吾と太平洋戦争』（二〇〇九年）で指摘する安吾の天衣無縫ぶりにあやかったというなら納得できるのだが……。デザインの世界が、こんなエッセイストを持てたことは幸いだとつくづく思う。

各連載においてテーマの重複を回避しないのは、本質的なことしか書かないと決めているからだろう。何度か登場するテーマは、朗読奉仕、アンニョン・ハシムニカ、嘘から出るまこと、ルバイヤートの服、エロスの河、アフリカの椅子、教えることと教えられること、星の時間、染織参考館、人材育成、ニューミュージアムなど。確認できる限りでの公刊された新井の最初の文章は「大塚学院だより」掲載の『「織る』と『折る』」（一九七九年九月）で、「言葉の問題に首を突っこむ端緒であったような気がする」と記すこのテーマも、連載で何度がふれられている。ただし、重複するテーマにはその都度新たな知見が編み込まれ、愛読者をも楽しませる変奏曲のようだ。瑣末《さまつ》とも思える文物にも興味深いエピソードが盛られており、片言隻語《へんげんせきご》には咀嚼《そしゃく》された古今の名著の下敷きがある。

たとえば、テキスタイルに関するビデオ撮影の現場で叫ばれた「ピンチ！」はアルミニウム製の洗濯鋏にすぎないのだが、美術家・中西夏之★[5]の六〇年代のパフォーマンス「洗濯鋏は攪拌する」を思い出すといった文章がある。木製でもプラスチック製でもないその洗濯鋏は中西が探しあぐねて神田の古い雑貨屋で購ったもの。四半世紀もたって当の中西と対面する機会に恵まれた新井の元に、その折の洗濯鋏一箱と作品の写真が届き、ビデオ撮影にあたる若者と中西の「熱気の孕み具合」を比較するのが締めだ。この作品は東京都現代美術館に収蔵されて、筆者は偶然にも特別コーナーで対面することができた。

「椅子への思いは深い」で始め、旅の先々で入手した椅子を列挙するエッセーもある。登場するのは、メキシコの床屋で新品と交換した古い椅子、フィリピンで手に入れた竹製の小椅子、ヤオ族の部落で豚の糞にまみれていた二脚の藤の椅子、ロンドンで見つけたアフリカの皮張りの椅子やルソン島で作られリスが背もたれに彫られた椅子……。これらの多くはいまも新井の工房で来客を楽しませ、自作の布張りの床机《しょうぎ》や椅子をその場に加える所有者である。

椅子のリストにはアフリカの椅子やダニー・レーン★[6]の「ガラスの椅子」を加えることもできただろう。五日間で世界一周する無料航空券を入手して立ち寄ったロンドン、パンク全盛の街の一隅で出逢ったのがガラス職人のレーンで、その折には寒さに震える若者に新井は衣服を与えた。それから十年余りたって、大成したレーンのガラスの椅子が東京都庭園美術館で展示される、というエピソードがあるのだ。

情報社会のスピードに言及するのにゲーテの『ファウスト』からの引用を冒頭に置いたエッセー の題名は「思うと同時」。ファウストが魂を売り渡したメフィストフェレスの速さは、「人間が第一の罪から第二の罪にわたる速さだ。つまり、俺の速さは、思うと同時だ」。このエッセーは、森鴎外が「普請中」といい、小池魚心が日本を評する「間に合わせ」とは対極にある「思うと同時」の例を、シーラ・ヒックスと新井の二人展「テキスタイル・マジシャンズ」のスタッフの働きに重ねて書かれたのであった。

業界人垂涎の「新布考」

「天衣無縫」と時期を完全に重ねて執筆されたのが八十九回を数える「新布考」(繊研新聞、一九九二―九四年)である。媒体が専門紙であることから染織研究家としての新井の知見が投入され、業界関係者が舌なめずりしそうな項目が並んでいる。大別すると、布の種類＝羅紗、更紗、絞り、絣、キルト、風通、カット・ベルベット、衣裳の要素＝刺繍、ビーズ、リボン、フレア、パッチワーク、完成品・小物＝ショール、紐、花嫁衣装、枕、帽子、幡《はた》、袋、染色技法＝注染、熱転写、真空セット、とでもなろうか。異色なのは「吉田コレクション」「異形の者」「まだ見ぬ布」だが、「吉田コレクション」と「まだ見ぬ布」については所々で参照したので、各三回連載の「幡」と「異形の者」を紹介する。

「構図のたのもしさ」に登場するのは、桐生の神社境内で開かれた骨董市で発見した手紡ぎ・手織り・筆書きの旗。ガルーダ(伝説上の巨鳥)が描かれたのが「バリ島の手描き更紗」、これは現地で五ドルで入手した。「平安と豊饒を祈念」は、インドネシアに住むトラジャ族の幡(法要の場を荘厳供養する旗)に描かれた生命樹を待ちこがれて書いた。

幡に思い入れが深いことは、一九九一年七月にワシントン大学校庭でスーザン・シングルトンと巨大なインスタレーション「モンゴロイドの幡」を実行したことからもわかる。夏のシアトル、ワシントン大学で翻った幡に対し、「幡」三回目が「寒風の中、ち切れるほどに打ち振る旗を持ちたいと思う。旗印が欲しいと思う」を末尾としたのは、エッセーの掲載が冬だったからだろう。

「異形の者」とされる第一はナイジェリア産の仮面付きドレス「オ・グングン」で、メキシコシティへの中継地だったバンクーバーの美術商「ドリアン」で遭遇した。一九六九年のことで、新井は今日に至るまでに幾度もドリアンで足を止めている。ドリアンでの蒐集品の多くは新井の布との交換により、その美人オーナーは新井の布のコレクターとなる。ニューヨークの「モリーン」でもオ・グングンの仲間を買い求めた。プリミティヴィズムを信奉し「アフリカ病」に罹ることになるテキスタイルプランナーのその後を予告する体験だったようだ。仮面は新井の蒐集アイテムの一つである。

バンクーバーで見たそれは、藍染めの木綿布のつなぎの背割れから入って着用する仕立てで、つなぎには何層にも及ぶ種々の布がかぶさり、垂れ下がって、総重量は数キロ。英国の詩人ウイリアム・ブレイクの「秘密とは、人間のまとう衣服である」を新井が解釈すると、外部に現われ現わす行為によって秘密は強調され、秘事そのものの社会的意味が高まる。そのためにこそ、「オ・グングンは着者をして、シャーマンならしむる」わけだ。掲載図版は迫力があり、新井が受けた「カルチャーショック」を想像させてくれる。

「異形の者」の余韻に浸りながら、新井の長期連載の掉尾を飾る五十回の「縦横無尽」(桐生タイムス、一九九四―九六年)に移ろう。

桐生市民とともに「縦横無尽」に

「天衣無縫」でわがものとした翼は、連載「縦横無尽」をコラム名のとおりに羽ばたかせる。その翼で新井は幾度も海を越え、一九九七年完成の桐生市市民会館のために海外のアートテキスタイルの大物を連れ来たる。たとえば一九九四年の夏の日々の八割方は旅にあるといった勢いで、桐生人であり国際人であるテキスタイルプランナーの面目躍如だ。通読すると細やか、濃やかな人との交流が心に残り、それが国際人たる資格なのだと思えてくる。

一九九四年の一月にスウェーデンへ飛んだのはシーラ・フィックスとの二人展「テキスタイル・マジシャンズ」のためであり、桐生市市民文化会館のメーン・アートワーク制作を引き受けるのは敬愛するシーラ・ヒックスとピーター・コリンウッドの二人である。「シーラ・フィックスの仕事」（「天衣無縫」99）、「桐生の滝」（「縦横無尽」44）、「インフィナティ」（同45）が桐生市民に向けて書かれた彼女の作家像であり人間像だ。

新井にとってシーラとの出逢いは笑いに彩られている。一九三四年米国生まれ、雑誌『WFF』（ワールド・ファッション・ファブリックス）の編集長でもあった彼女は仲間のライターに命じてルーブル美術館前のパリコレ会場にいた新井を探しだし、自邸兼アトリエに〝拉致〟した。その折、『ビヨンド・クラフト』で知った華奢な彼女の様変わりした偉容を新井が揶揄《やゆ》したことが笑いの理由である。そこはかつて画家ドランのアトリエであり、そののち新井のパリでの定宿となる。朝食のためには、買い出しに市場に繰り出したり、サンジェルマンのカフェでテーブルを囲んだりした。

新井はシーラのファイバー・アートの仕事を意識し、シーラはパリコレで話題となる服の生地の作り手である新井に惹かれていた。そうした「親和力」がたちまちのうちに二人を結びつけた初対面だった。一九八八年のシカゴで第一回「金の糸賞」を贈賞する役に指名されたのも両人だった。

一九九〇年に個展のために来日したシーラは、自由学園の明日館（フランク・ロイド・ライト設計）保存運動の一環である勉強会で講演「私の作品――タペストリーとテキスタイルと建築」を、大塚テキスタイルデザイン専門学校の新井の授業には飛び込みで特別講義を行なった。「私と淳一が語り合った最初は言葉ではなかった。（略）今、一番必要なのは言葉でない言葉、そのもの、たとえばテキスタイルの表現でしか伝えられないものを私たちが作ることだ」（『天衣無縫』140）とは、少なくない留学生を前に彼女が話した一部である。

『糸を蘇生する手　シーラ・ヒックスの仕事』を著したのはモニク・レヴィ・ストロース、フランスの文化人類学者であるクロード・レヴィ・ストロース夫人だという。その小論から新井は、「ともすれば我々を孤立させ閉じ込めもする壁を、あらゆる意味で我々を護るものに変えてしまう」、「喜んで無理な要求に従いつつ、意外な、気の利いた解決法を示唆して、技術的難問を解決する」（『縦横無尽』44）といった箇所を共感を込めて抽出する。

桐生を訪れたシーラは大川美術館で「カスケード・オブ・キリュウ」（桐生の滝、一九九一年）を制作して大川館長に手渡した。再度来桐して桐生織物協同組合との会合に臨んでは、未来の桐生市民に自作の「インフィナティ」（無限、一九九四年）を贈った。

その新井が「間違っては困る」（『縦横無尽』45）と声を荒げるのは、緞帳のデザインが外国人のシーラに決まったことに反対の声もあったからだ。「シーラ・フィックス女史は、ボランティア（義勇軍）として馳せ参じたのであって、金儲けの頼まれ仕事でやってきたのではない」、「彼女は桐生という織物都市に未来を見た」と、断固として〝弁明〟する。テキスタイル・ワールドに国境がないなら、外国人であることを理由に反対するのは短慮にすぎるというわけである。

新井が共感し敬愛する海外の仲間にはニナ・ハイド、アン・サットン、アストリッド・サンペ、ジャック・ラーセン、ミルドレッド・コンスタンティーヌ等がいるが、筆頭に挙がるのは桐生市市民文化会館に作品を納めたシーラとコリンウッド（通称コリン）なのだ。そのコリンについては「Peter Collingwood—Master Weaver」展（一九九八年）に本人から請われて「Appreciation」なる文章を寄せている。

――「われわれは歴史を分かち合っている」

その理由は、新井が受けたコリンからの影響、コリンが新井の英国デビューに一役買ったこと、桐生のためにともに作品制作したことだけではなかった。はじめてコリン宅を訪問したときに、エリック・ギルの著作を読んだ年齢まで同じだとわかったからだ。一九三二年生まれのコリンウッドは『衣裳論』の一九四四年版を所持しており、十歳下の新井が読みふけった翻訳本の発刊は一九五四年だったのだ。

「緑のバラ」に登場する三島彰も新井の尊敬の対象である。一九九四年の毎日ファッション大賞鯨岡阿美子特別賞を受賞した三島が受賞記念パーティーで胸につけていたのが、「ヴァンヂャケット」の創業者・石津謙介★7から贈られた緑のバラ数本だった。三島は「芭蕉」の小池魚心と長きにわたる親交があり、石津は敗戦間近の桐生に在ってグライダー（滑空機）の教師をつとめた。三島と同時期にミモザ賞を受けた桐生地域地場産業振興センター専務理事の森山享は三島、石津とも親しい間柄だ。「ファッション界の哲人」とは新井が三島に呈した形容で、三島彰はデザイン界全般における勝見勝（一九〇九―八三年）に相当するようにも思う。

批評とは誉めることだと言ったのは小林秀雄とのことだが、新井が敬愛する人を描く筆致はその言のままであるようだ。コラム名「天衣無縫」も「縦横無尽」もまた、そうしたエッセー群に冠するにふさわしい。

歴史を持たないもののみが定義可能である——ニーチェ

第七章 来たるべきデザイナー

海外メディアの形容詞・形容史

新井淳一を取り上げた海外メディアの束は半端な厚さではない。海外関連のおもな書誌リストだけで五十を下らず、インターネット配信の情報も少なくない。各都市での個展、企画展、ワークショップのカタログ、リーフレットを加えると情報量は膨大だ。それも英文とは限らず、フランス語、スウェーデン語、オランダ語、中国語、韓国語をはじめ言語は多彩であって、すべてを渉猟するのが不可能なのは言うまでもない。

この章ではおもに、新井がどのような形容詞で彩られてきたかをたどり、来たるべきデザイナー像を探ろうと思う。問題は布に関わる訳語だが、原則、yarn＝繊維、thread＝糸、textile＝織物、fabric＝布、cloth＝生地を訳語として採用してみる。

海外メディアが新井に言及した最初は一九八三年、ワシントンポスト紙のニナ・ハイドによる記事であり、『ザ・ニューヨーカー』にケネディー・フレーザーが書いた長文の特集だったことは一章で紹介した。いずれも新井単独の記事ではないものの、執筆者が桐生詣でを敢行して書いたことで共通する。欧米で注目を浴びる三宅一生や川久保玲の服の生地が新井のものであることがわかっての取材だったことも同じだ。

ニナ・ハイドは新井を「最も革新的な布のデザイナー」と形容し、フレーザーは直接的ではないものの、新井の出で立ちを描写する「詩的で理想主義的」との形容は、人間像を直感しての記述であったと推測できる。新井がエスニックなものに興味を深めたのは衣裳以前に仮面、首飾り、腕輪だったが、長髪に黒いスモック、ビーズのネックレス姿はライターに強い印象を与えたようだ。ニナ・ハイドは翌年の『ナショナル・ジオグラフィック』誌におけるシルク特集でも新井に言及している。

単独の記事は一九八四年、『ギャップ』、『マリ・クレール』掲載のフランス語によるもので、新井を一言で紹介するのに「布の創造者」、「魔術的な織師」といった表現をあてた。

新井を論評する本格的な記事は翌年の『スレッズ・マガジン』における「ファブリック・アバウト・ファブリック」である。大判の掲載図版は「ケンテクロス」に基づく「布目柄」。コンピューターによる新井の生地づくりは八〇年代を開くものだと評し、デザイナーでなくプランナーと称する新井自身の定義に注目する。その答えのために、生地づくりは数学に似ていると考えるピーター・コリンウッドを引用しつつ、新井に「思索者」(thinker)との形容を加えた。この記事にはロード・アイランド・スクール・オブ・デザイン(RISD)で新井がシーラ・ヒックス、ジャック・ラーセンらと登壇した同じ年のシンポジウムでの発言が反映している。

次いで、一九八七年に海外メディアが注目したのは、新井が英国王室芸術協会から名誉会員の称号を授与されたこととアントロジー倒産の両方だった。ピーター・ポファムが日本へもやってきて、同年『ブループリント』で、翌年には『ザ・マガジン』で長文の記事を発表したことも一章で紹介済みである。ポファムは新井を「天才」、「現代のファッションを生む最も創造的なデザイナー」と評し、アントロジー倒産は「ビジョナリーかつコマーシャルである」ことを、新井が三宅一生のようには両立できなかったからだとした。

なおこのころ、一九三二年生まれの新井の同時代人として、三宅一生(一九三八年生まれ)、倉俣史朗(一九三四年生まれ)、磯崎新(一九三一年生まれ)を列挙する記事もあった。日本のファッションと建築を評価するニューヨークを代表とする欧米の視線を表すものと言えよう。ちなみに、倉俣の代表作のひとつに「割れガラスのテーブル」(一九八六年)があるが、その死の翌年に新井が発表した布「割れた鏡」は、倉俣を追悼する作品のように思えてならない。

RISDでのシンポジウム参加（一九八五年）、同校美術館での個展「Textile by Junichi Arai」（一九八八―八九年）以降は、新井が各都市で行なうワークショップや個展の予告記事、報告記事が当地での新聞・雑誌に掲載され、リーフレットには主催者や評者が新井について書くことが当たり前になる。

三島彰による『『モード・ジャポネ』を対話する』が発刊され、新井が多摩美術大学客員教授となった一九八八年は、海外での新井の地位が確立した年でもあった。すでに紹介済みだが、七月にシカゴで開催された「convergence 88 chicago」でスピーカー、出品者、「Golden Thread Award」（金の糸）審査員として参加し、第一回「金の糸」賞を受賞したミルトレッド・コンスタンチーヌを壇上に導くのが新井、授章者はシーラ・ヒックスと、文字どおり世界の舞台に立ったのだ。

この年にはシカゴ、カンサスシティ、サンフランシスコで展示会と講演会を行なうのだが、カンサス市の新聞は新井を「メキシコに刺激された特別な布づくり」といった記事で紹介する。この記事には、グアムで新井が実施した子供との服づくりワークショップ、テクスチャーが平滑な傾向に変わったことを理由に新井が服の生地づくりをやらなくなったとの情報も含まれていた。

ところが、ファッションから離れても新井を追う記事は減るどころか増える一方で、そのたびに新井の形容は増えていく。天才、神秘主義者、魔術師、錬金術師とする媒体がある一方で布を構築的な三次元に変えた者とする記事もあり、一言で形容するのに困難を感じ出した取材者は「クリエーターかつエンジニア」、「アーティストのビジョンとエンジニアのテクノロジーを合体する者」、といった捉え方をした。

美術館のコレクションアイテムでもある作品を売る店「布」が付ける価格の安さに驚き、また自作を服や小物にしてそれを着脱しながらの新井のレクチャーにユーモアのセンスを感得するライターもいた。演劇にキャリアのある新井ならではである。多くのメディアは、織物の里の三代目に生まれ、コンピューター活用のファッション素材で世界を驚かせ、英国王室芸術協会から名誉会員に推挙された新井の略歴とともに、新井をプランナーとは書かずにデザイナーと書いた。

九〇年代の評価は「構築―脱構築―再構築」

新井が新合織・新世代ウール開発に協力して以降は、一九九〇年代のテキスタイル全体をリードする者と捉えられるようになる。そうした新傾向の布をクーパー・ヒューイット・ミュージアム（現・デザインミュージアム）での企画展「Color, Light, Surface 現代テキスタイル」展（一九九〇年）に出品すると、キュレーターであるミルトン・サンデイが「新井なしにこの展覧会は開けなかった」と語ったことも記事になった。サンデイは別の雑誌に向かって、新井はテキスタイルデザイナーと呼ぶべきでなく「クリエーター」なのだとコメントしている。それもあってか、新井の名刺に書かれた現在の肩書きは「TEXTILE CREATER」である。

国際繊維学会（本部はマンチェスター）が新井にデザインメダル（テキスタイルデザイナー勲章）を授章したのは一九九二年。同じ年、「ドリーム・ウィーバー」を題名とする六ページに及ぶ記事が『メトロポリス』に掲載された。この年は新井についての代表的な論評が発表された記念すべき年となる。その論評とは、「手とテクノロジー」展図録にジャック・レナー・ラーセンが寄せた次のように始まる「布におけるディコンストラクション？・」（「Deconstruction—In Fabrics ?」）である。

新井淳一は単なるテキスタイルデザインの領域を超越し、古代と次なる千年未来における未知なる技術の成層圏を詩的に航海する。彼は、ポストインダストリーにおけるクラフトマンとしてたぐい稀な存在であるが、同時に脱構築主義のエリート建築集団の一員と見まちがえるほど、稀有なテキスタイルデザイナーである。

この展覧会に新井が出品したスリットヤーンの新たな可能性を追求しての「絞り」技法を解説したラーセンは、「これらの結果であるメタモルフォーゼが醸す興奮は筆舌に尽くし難い。布の表面から火花が飛び散り、稲妻が炸裂《さくれつ》し、そして新たなる世界が創世される。焔燃えさかる才気、だが方

◉一九九〇年代以降の活動と海外デザイナーとの交流

❶「モンゴロイドの幡」(ワシントン大学、一九九一年)。モロッコの絞りにインスピレーションを得てナイロンフィルムに酸化チタンをコーティングした純白の布に黒で絞り染めした「大絞り」ほかをインスタレーションに供した(写真＝桑原英文)

❷一九九二年、国際繊維学会(THE TEXTILE INSTITUTE、本部＝マンチェスター)から日本人初のテキスタイルデザイナー勲章を受章

法論は〝脱構築（ディコンストラクション）〟」と高らかに締めくくる。タイトルの脱構築に付けられた疑問符は、本文にはない。

この論評は、同じ図録に日英併記で掲載された三島彰の「人間愛豊かなテクノロジスト」（A Humanistic Technologist）とともに、海外メディアにとっての基本文献となる。次いで一九九四年には、アン・サットンが著した「新井淳一、最高のテキスタイルプランナー」が基本文献に加わる。アンは英国を代表するテキスタイルアーティストの一人、『織の構造』（The Structure of Weaving）の著者で、パリで会って以来新井との親交は深い。短くはないが、全文紹介しよう。

新井淳一、桐生生まれ。Hon. R.D.I.（英国王室名誉インダストリアルデザイナーの称号）を授与され、世界でも最高のテキスタイルプランナーだ。このように断言するには度胸がいる。どんな専門家も、ごく稀にしか自分がそのような地位にいると認めないからだ。「最高の」と表現するのは、世界中の彼の仲間たちがそう言うからである。「テキスタイルプランナー」、彼自身はそう名乗っているが、これは周りから「デザイナー」と呼ばれることを避けるためで、こうすることで、自分のスキルをしっかりと現場に据えておこうとしている。彼の情熱は、現場に注がれている。それに対し、「デザイナー」は、織り手や織機から離れてアトリエに陣取っている。とはいえ、一九八七年の英国王室芸術協会による名誉インダストリアルデザイナーの称号授与は彼を大いに喜ばせたのだった。

新井の生地は力強く、生き生きとしている。多くの色が使われるわけではなく、大部分は黒と白からなっているか、あるいは単に白のみである。けれど、そこには生命が宿っていて、これこそが、異文化や別の時代のテキスタイルを研究することで、彼が見出したものなのだ。それは、先コロンブス期のペルーの布が持つような時代を超越した魅力であり（素朴な部族民の作品とも言える）、インドのブロケードが持つ華やかさや閃光であり、インドネシアの絣である。新井がこのような喜びの対象に取り組むことにおいてのすばらしい面、他人と異なるのは、幾多の人がこれらの生地を真似ようとするのに対し、手織機や手作業の過程を控え、コンピューターという今日の魔法のような技術に手を付けたことにある。それは、パンチカードの起源であるジャカード織と密接な関係がある。彼は自分が称賛する生地を複写するのではなく、それらの特質をさらに良いものへと積み上げるのである。

新井はその織布でもっとも知られているが、織物製品やその取扱いについてのいかなる方法も、彼の興味をかきたてる。そして彼は、ラッセル織やワープニット、プリントや最終加工の過程において奇跡をもたらす。一枚の生地に影響を及ぼすどんな方法も、彼の布を考える過程にとって価値のあるものとなり、すべての段階のあらゆる機械も、彼の創造性を育んでいく。

彼が行なう生地のプランニングは、織る過程に入る前にずいぶんと長いものがある。というのも、紡がれて糸になる繊維と、その糸の紡績自体というのは、どちらも極めて重要で、彼は生地がこれらによって決まるということを知っているし、完璧さを追求するためにあらゆる手を尽くすからである。彼の深い理解力は、ほとんどいたずら感覚のようにも思えるが、この感覚がそれまでにないような繊維の組み合わせを可能にしているのだ。「私の織物たちはね――」と彼は嬉しそうに説明する。「ドライクリーニング店にとっては悪夢なんだよ」。

ところで、一本の繊維はもう一本の繊維に影響を及ぼし、多くの場合、過度な撚りをかけられて新井の糸は成立する。さらに強く撚られた糸からなる織の構造そのものが生地で際立ち、色というものは必要不可欠ではない余計な装飾だと思わせるほどの結果をもたらす。

生地生産における最終段階（正確には「繊維加工仕上げ」）がなされるとき、たいていの場合、彼はすべてのルールを故意に破るのであるが、その結果、腹の中をかき乱すほどの興奮を呼ぶ織物ができあがるのだ。

深く哲学的に思考するこの人物は、イギリスの英雄としてエリック・ギル、ウィリアム・モリ

❸オーストラリアの各都市で開催された個展に出品したトーテムポール（一九九五年）

❹シーラ・ヒックス。スウェーデンで新井との二人展「テキスタイル・マジシャンズ」（一九九四年）を開催。桐生市市民文化会館の緞帳「花咲く未来」（Flowering Future）をデザイン

❺ピーター・コリンウッド。同じく桐生市市民文化会館のために、代表作の一つとなる巨大な作品「Steel Weave I」を制作

❻アン・サットン。英国のファイバーアーティストで、新井の代表的評論「新井淳一、最高のテキスタイルプランナー」を執筆

❼ジャック・レナー・ラーセン。米国を代表するテキスタイル・ディレクター。ツアーを組んで何度か桐生を訪れており、これは二〇一一年十月

ス、メイナード・ケインズ★1を挙げる。彼は、生地づくりにおけるしきたりや決まり事をことごとくひっくり返し、布をわれわれが生きるこの刺激的な時代に値するものにしようとしている。彼自身があらゆる先進技術を駆使しながら、である。彼は、生活のあらゆる側面において、生地が果たしている極めて重要な役割を指摘する。それは、生まれた時に赤ん坊を包むものから、死出の埋葬布にまで及ぶ。彼が私たちに気づかせてくれるのは、織師が世界を変えたということだ(ルネサンスや産業革命の発端は繊維産業だった)。完全に現代の布のために邁進している彼であるが、その布は将来に目を向けたものであり、過去の栄光から「活力を得ながら」突き進んでいるのである。

プランナーを自称する新井の真意を深く理解するアンが、その「プランナー」を容認してタイトルに掲げていることに注目する。ただ、「デザイナーズ・フォー・インダストリー」の称号を新井は喜んだと付記しているから、「デザイナー」でいいではないか、とのニュアンスも読み取れる。季刊『銀花』は新井を布の「作曲家にして指揮者」(一九八五年)と評した。コンポーザー兼コンダクターとはプランナーを凌駕する感があるものの、こうした形容を海外の媒体では発見できないでいる。

ところで、『小林秀雄の恵み』(二〇〇七年)で橋本治は、近代文芸批評の祖とされる小林秀雄が「評論家」を拒んで「売文業者」と自称したことがあり、自作を「評論」でも「論文」でもなく「随筆」と呼んだことに着目する。橋本はこれを学者より町医者であることを優先させた国学者の本居宣長に重ね、売文業者は主たる生計を示すだけであらゆる定義を不問に付す小林の戦略だったと解する。社会批判風の文芸評論を「寝言囈言《うわごと》」と呼んだ「売文業者」の小林に対し、「一介の機屋《はたや》」である新井ならスター然としたペーパーデザイナーの提案を「机上の空論」と呼ぶだろう……脱線してしまった。

同年開催のシーラ・ヒックスとの二人展のリーフレットに序文を寄せたのはスウェーデン人のアストリッド・サンペ。ラーセン、アン、シーラ、サンペといった斯界の代表者と友愛の関係を築くさまが、九〇年代のメディアを通して確認できる。八〇年代にファッションの革新を支えた布の魔術師は、九〇年代にテキスタイル全体を先導する者と評されることとなったのだ。

「織師にとって新しく産まれ出た糸を与えられることは、詩人が愛に満ちた五十の言葉を授かったと同じだ」。これは新井が、敬愛するピーター・コリンウッドにステンレスファイバーを提供したことに対して返された一文である。一九九六年に受け取ったこの一文ほど新井を勇気づけるものはない。

海外メディアに登場して以来の新井を集大成する感のある特集記事は一九九五年、『翼の王国WINDSPAN』に掲載された英文の「ドリーム・ウィーバー」(「Dream Weaver」)である。これが新井の基本文献に加わったのは言うまでもない。記事は日本の物づくりの伝統から始め、その代表として陶芸家の濱田庄司を挙げていて、英国王立芸術大学から濱田につづく日本人としては四人目の名誉博士号を授与される新井を予見するかのようだ。濱田がエリック・ギルの人となりに感銘を受けていたことも注目していい。

著者のキム・シェフタンはハリウッド生まれのユダヤ系で、群馬に長く住む。それだけに、新井が他の日本人と違って海外の影響下にあったのでなく自国の内懐から創造を始めたことに注目し、桐生、父親と妻のリコ、人形劇団「ともだち座」とプーク、メキシコ旅行で発見した民族衣裳を制作の糧とした来歴を懇切丁寧にたどった。

プリントが中心だったテキスタイルの分野では六〇年代に世界的な「ファイバーアート」の動きが

起こり、そうした作家の多くはファッションに向かわなかった。そこに突然のように登場したのが経糸と緯糸を駆使する新井で、テキスタイルの決まり事をことごとく廃しつつ、布の世界に新次元を切り開いた。具体的には、コンピューター活用のジャカード織であり、ウォータージェットによる新世代ウール、アルミニウム蒸着のポリエステル・スリットヤーンによる「ベルベット」というわけである。

新井を評する「脱構築主義者、ポスト・インダストリアルデザイナー、人間性豊かなテクノロジスト。これらはすべて正しいが、なお十分とは言えない」。これがキムの結論であり、デザインメダル授与に際してチャールズ・メットカルフが新井を紹介する「彼の生地はドライクリーニングに耐えると保証はできないが、心を浮き立たせることなら保証する」との引用で特集を締めくくった。アン・サットンの文章にも出てくる、ユーモアを感じさせるドライクリーニング問題なのである。この媒体は二〇〇八年には日本の絞りを特集し、伝統ある絞りに対する新井の影響の大きさに言及して、「大胆でありながらなお繊細な作品」と評することになる。

世界のテキスタイルにおける新井の位置づけについては、一九九五年にキャンベラで開催された新井の「挑戦的な布の思想」(Challenging ideas of Cloth) 展をバウハウスに関連づけた論評がある。装飾より織の構造を重視するバウハウスの布づくりが、四十—五十年後にラーセンが主導する「アートファブリック」で甦ったという解釈だ。新井は構築し、脱構築し、次いで布を再構築する。新井はさまざまなやり方でパターンとデザインを開発する「真のクラフトマン」であり、近年のインダストリアル革命の生き生きとした部分を担っている、という内容だった。

バウハウスのテキスタイル科の教師と学生は新たな人工繊維にも取り組み、機能的かつ機械時代の美意識に合致するおもにインテリア用の布およびタペストリーを探求した。バウハウスは実習工場とバウハウス商会を有して独自の生産・販売のルートを持っており、日本人では山脇道子がここで織を学んだことが知られる。なおバウハウスの織については、常見美紀子「バウハウスの織物工房」(『アートとデザインの構成学―現代造形の科学―』、二〇一一年)に詳しい。

一九八〇年頃、「日本で開発されるテキスタイルが三シーズン後にパリで流行する」(三島彰)といった現象が起こったのには理由があった。構築的なバウハウスの布はインテリア用で、その流れは時代を画すとされる「国際タペストリー・ビエンナーレ」(ローザンヌ、一九六二―九五年)で代表できる。アートファブリックは言葉どおりアート作品を志向して実用的な布には向かわなかった。新井だけが構築的かつ不均質ながら服に展開できる布を実現、さらにはファッション用の素材を超えてアート作品としてもインテリア用としても成立する織物を再構築する。つまり、「構築、脱構築、再構築」を一人で演じるのだということが九〇年代に明らかになったわけだ。それらが同時並行的であることで、新井の布は万華鏡の様相を呈する。思索に裏付けられたその万華鏡が世界を魅了する。

二十一世紀に入ると、活躍の舞台を米欧・アジアへと広げる新井だが、アジアについては五章でたどったので、ここでは欧米での活動と評価を追うこととする。新井が重要視するのは、英国ハリスミュージアム・アートギャラリーでの個展(二〇〇二年)、コロンバスに設置した作品「Reflection」(「照射」、リバーセンター、二〇〇三年)、ニューヨークでの「One thread to the future」(「この一本の糸が未来へ」、ギャラリー・ゲン/GEN、二〇〇四年)である。

ちなみにこの時期、日本での展覧会としては「透明と反射」(高崎市美術館、二〇〇三年)、「進化する布」(群馬県立近代美術館、二〇〇五年)、「布ものがたり」(トヨタテクノミュージアム産業技術記念館、二〇〇六年)が、規模および内容において特筆できる。敗戦直後に目撃した飛行機部品のジュラルミンの輝きが、

❽ユニセフのカレンダーに使われた新井所有の装身具（二〇〇一年）。苗族が荷を背負うのに使う銀の渦状の器具をネックレスにしてアムステルダムを歩いていたのを、そのカレンダーのデザイナーに呼び止められて実現した

半世紀をへて、未来に番《つが》える矢のきらめきとなる。一九二四年に自動織機を完成して近代織物工業に貢献した豊田佐吉であるから、インダストリーを捨てない新井にとって「布ものがたり」はその意味で感慨の深い展覧会となった。

英国ハリスミュージアムでの個展に関する報道のタイトル「東洋のアート」は、一九八〇年前後の日本のファッションを形容する「東洋からの衝撃」の再来であろう。また、ニューヨークの東洋美術専門のギャラリー・ゲンの個展に対してラーセンは「マッド・サイエンティスト」「メガ・インフルーエンス」なる形容を新井宛の手紙に書き、公表した推薦文では「桂冠詩人」と評した。「桂冠詩人」とはコリンウッドの新井評と呼応する。それに対し、新井自身は新素材（ニュー・マテリアル）に対する「ドリーム・ウィーバー」でありつづけると表明。こうした態度に関連しては「マテリアル・シングス」と題する記事も出た。こちらは何と、マドンナのメガ・ヒット曲にある「マテリアル・ワールドは美しい」とのフレーズを新井の創作に重ねるもので、ニューヨークでの新井の人気沸騰ぶりがうかがえる。

こうした事実を踏まえて、「Urban Magazine of Architecture And Design」を標榜する『メトロポリス』は二〇〇四年十一号で新井のインタビュー記事「布の未来人」（The Futurist of Fabric）を掲載する。この記事は魔術師からドリーム・ウィーバーへと変貌した評価を自身で解説し、未来を展望する発言をすくい取ったものとして興味深い。「あなたの仕事は霊感よりもむしろ想像力を必要とする、とおっしゃっていますね」との冒頭の問に対しての答えは、次のようなものだ。

私の呼び名はいくつかあって、その一つが「ドリーム・ウィーバー」。しかし、夢というものは、自然に発生するものでもなければ、そうすぐに達成できるものでもない。夢は見つづけなければならないし、長い間地道な努力をしなければならない。さらに、その夢に対して自覚的である必要がある。夢は、単に無意識のうちに持つものではない。自覚的な努力をするならば、時に実を結ぶ。私の場合、物事のお膳立てをして、何が起きるかわからないのだけれど、どんなことが起きてほしいかという夢は見つづけているよ。

夢はインスピレーションの側にはなく、サイエンティスト、それもマッド・サイエンティストであることで、運がよければ達成されると考えるのだ。「棒ほど願って針ほど叶う」、「夢を見たと云ってはいけない。夢を見ると云うべきである」(ヴァレリー)を信奉する新井だ。それにつづく「かつて、色は贅沢なものだとおっしゃっていましたが、今、生き生きと色を用いていらっしゃいます」、という質問に対する返答も興味深い。

私は光と無関係な色には関心がない。純粋な銀色の、その輝くさまが好きだ。私は、アルミニウムも用いるが、時にはそれをPPS(ポリフェニレン・サルファイド樹脂)と呼ばれるものと組み合わせたりする。これはポリマー(高分子化合物)であり、染めることはできない、ないしとても難しい。もう一つ、私が使う織物には酸化チタンが中に入り込んでいるナイロンフィルムがある。たとえばこの布はとても黒いのだけれど、染められたナイロンフィルムを取り除けば白くなる。ナイロンと酸化チタン、それにアルミニウムからは全く異なる黒を得ることができる。奇妙に聞こえるかもしれないが、私は光を染めることに関心がある。もしお決まりの布を染めなくてはならないのならそんなに面白くなく、染めたとしても色はインパクトをもたないだろう。

任意の色を簡単に染めることのできる素材では色は使わず、染めが困難な素材でのみカラフルな色にトライする。これもマッド・サイエンティストたる所以と言うべきだろう。ちなみに、PPSは火が着いたとしても、燃えるのは縁の部分だけで、自己消火性によって消火し、有害物質を排出することもない。それに関連して、タイトルにある「未来人」としての素材に対する展望は、「使う素材でも、有名ですね」との質問への答えにあるので要約しよう。

私がもっとも魅了されるのはスリットヤーンとその細さ。我々はそれを、厚さ12―25ミクロンほどのフィルムを幅0.3ミクロンの糸状に細く切る。フィルムとフィルム間には銀やアルミニウムが置かれるが、将来的には間に有機的なものや、デジタル情報までも入れ込むことができるかもしれない。表面を切るのに今は刃物を使っているけれど、もし何百万ドルも使えるならばレーザーで切れるようになると思う。それが可能になった時、糸の中に無限の情報を入れることができるだけでなく、二重織に隙間をつくれば布が呼吸できるようになるわけで――その布を、身に着けられるようになります。

同じ年、「クロス・カルチュラル・プロジェクト」として日英で実施された「Through the Surface 表現を通じて」も紹介しよう。日英の七人の若手作家が相手国に住み込んで大御所と共同作業を体験し、その成果を同年英国で、翌年には日本で公開・展示するもので、桐生の新井のもとにやってきたのは新井より四十歳も若いティム・パリー・ウィリアムスだった。

❾―❿桐生の姉妹都市である米国コロンバス市リバーセンターのためのされた「Reflection」(照射)。一九九九年に依頼を受け、二〇〇三年に設置した。ステンレススチール製ロープと酸化チタンプレートを使用

⓫英国ハリスミュージアムでの個展(二〇〇二年)

天然繊維中心で作品を制作してきたティムは、万全でない新井の体調に涙しながら、合成繊維使用の複合素材に挑戦した。コリンウッドが新井に贈ったフレーズ「一つの新しい糸は五十の詩句に匹敵する」や、コロンバス市のための作品「Reflection」の制作体験、作品「偶成」のことなどが新井が伝授したこととして図録に記されている。ティムは「良き仕事とは、物質や製品を超えて精神に関わる」との観念を得た。「旅から持ち帰れるものは持って行ったものだけだ」（ゲーテ）として新井は、ティムの発見はティム自身の中にあったものだと励ました。

「織っていない時は教育している」と書かれたことのある新井にとって、「教えることは教えられること」、人を導く流儀もクリエイティブである。

テキスタイルの戦後史の中で

バウハウスの布からアートファブリックをへながら、衣服用の生地の組成では革新が希薄だった欧米の虚を突くように新井の布は登場した。着地点としての衣服、インテリア、アートワークに適合し、布の構築、脱構築、再構築を実現したことが、テキスタイルの歴史における新井の功績なのだが、こうした歴史的意義はわが国にあってはどう受け取られたのだろうか。それを知るために、『日本の染織・テキスタイルデザイン』（日本テキスタイルカウンシル＝JTC編、二〇〇九年）を見てみよう。

この書籍は、戦後を代表する造形作家の講演録を中心にテキスタイルの歩みをたどる類書のない出版である。日本テキスタイルカウンシルの設立は二〇〇四年、田中秀穂を発行責任者としてアーカイブス活動の一環として編まれた。講演、インタビュー、遺族の証言によって収録された作家十二人を生年順（出身含む）に記すと次のとおりだ。

三浦景生（一九一六年、京都）、平良敏子（一九二一年、沖縄）、柚木沙弥郎《ゆのきさみろう》★[2]（一九二二年、東京）、四本貴資《よつもとたかし》（一九二六―二〇〇七年、台湾）、藤本經子《つねこ》★[3]（一九二九年、東京）、粟辻博★[4]（一九二九―九五年、京都）、新井淳一（一九三二年、群馬）、山口道夫★[5]（一九三四年、東京）、わたなべひろこ★[6]（一九五七年多摩美術大学卒）、川上玲子（一九三八年、福岡）、森口邦彦★[7]（一九四一年、京都）、脇阪克二★[8]（一九四四年、京都）。京都出身者が目立つ。また戦後、藤本はクランブルックアカデミー（米国）、わたなべはフランス国立装飾美術学校およびフィンランド工芸師範学校、川上はスウェーデン国立工芸デザイン大学で学ぶという経歴の持ち主であって、当時のテキスタイル教育のわが国との違いを知ることもできる。

この時の新井の講演のテーマは「現代布の新しき構造に、自己組織化を求めて」。注目されるテーマの元に多彩な研究者が大集合して発刊した大冊『自己組織化ハンドブック』（エヌ・ティー・エス、二〇〇九年）掲載の新井の「羊毛と混織布の加工における自己組織的な模様の発生」（石井克明と共著）、「タンブラー・一分勝負」（単著）は、脱稿済みだったのかもしれない。

収録された先達、後輩と新井はさまざまな関係を結んでいる。たとえば平良、柚木、粟辻、脇阪に関しては敬意をもってエッセーに記し、「織では粟辻さんのような大胆なデザインはできない」との断念を口にしたこともある。柚木や藤本とはそれぞれ座談会を囲み、粟辻とわたなべとは多摩美術大学でともにテキスタイル教育にあたった。ドイツの展示会に一緒に出品をしたのは山口、また親子二代人間国宝となった森口は京都にあって新井の擁護者だという。

巻末資料として「山脇道子　茶の家のバウハウスラー、織機に向かったそのデッサウの秋」、「染織の新世代」、「上野リチのデザイン活動」が収録してある。一九八八年に筆者が『にっけいでざいん』に書いた山脇道子★[9]の小伝の再録、テキスタイルを冠した展覧会としては嚆矢とされる七一年の「染織の新世代―NEW TEXTILE ARTISTS」（京都国立近代美術館）の巻頭文再録、二〇〇九年開催の「上

⑫⑬ザ・ロンドン・インスティテュート（現・ロンドン芸術大学）から名誉博士号を受けるべく夫妻で渡英、クラシックな授与式に臨む（二〇〇三年）。評価されたのは酸化チタン使用やＰＰＳの金銀糸による布だった

野伊三郎＋リチ　コレクション展」（同館）に関する山野英嗣の書き下ろしだ。

バウハウスの校長がハンネス・マイヤーからミース・ファン・デル・ローエに交代した直後の一九三〇年十月、山脇巌・道子夫妻はデッサウで学びに就いた。山脇道子が属したテキスタイル科では「セロファン、紙、ナイロンなど素材にこだわらず、細長くできるものは何でも織りの材料とした」。指導者はギュンタ・シュテルツほか三人の女性たち。

二年後のバウハウス解散（ベルリンでの私立バウハウスは翌年閉鎖）で帰国した道子は帝展第四部（工芸）に二十五歳で初入選を果たし、「ドイツの新興織物が我が国の生活様式にマッチし手工芸界をリードするかが、斯界にセンセーションを捲き起こしている」と新聞で報道された。

だがわが国の染織図案の伝統と隔絶する新興織物の活躍の場は限られ、山脇は新建築工芸学院、自由学園工芸研究所で教育にあたる中で日中戦争を迎える。戦後いち早く教壇に復帰して被服美学、生活美学を講じるものの、造形作家としての活動は活発ではなかった。山脇の作品は戦前のデザイン史に宙吊りのままだ、と感じるのはそれが理由である。

ウィーン工房でテキスタイルとガラスのデザインを担当し、上野伊三郎夫人となった上野リチ（フェリス・リチ）★10は、戦後は京都市立美術大学（現・京都市立芸術大学）で教育にあたると同時に、リチ流のチャーミングなプリント地や壁紙を市販した。わが国デザインの恩人のひとりだ。

帝展のあとを受けた日展工芸部がおもに見るための染織を、伝統工芸作家と民芸派が用の染織を主張する戦後の流れにあって、西欧に影響された新たな動きが一九六〇年代後半に生まれた。一九七一年開催の「染織の新世代」展は、そうした潮流を二十六人の若い作家で顕在化するべく開催された。JTCが選択した作家と重なるのは、柚木沙弥郎、四本貴資、藤本經子、粟辻博、わたなべひろこ、川上玲子、森口邦彦の七人である。新井はまだ登場していない。

通読すると、テキスタイルデザインなる概念が一般化したのは「染織の新世代」後であることが実感でき、そのために道なき道を探る先駆者のアプローチは多様、実際は試行錯誤の連続だったとの感がある。柚木と四本に見られる芹沢銈介に代表される民芸運動、森口がデビューした日本伝統工芸展の影響は、「染織の新世代」に記されたとおりで、粟辻や脇阪が感銘を受けたマリメッコのデザイナー、マイヤ・イソラ★11を代表とする北欧デザインの影響も大きかった。

脇阪がフィンランドのマリメッコで活躍する以前は伊藤忠商事の繊維意匠課と鮫島テキスタイル・デザイン・スタジオでプリント柄のデザインを精力的にこなしたように、一九五〇年代後半から七〇年代にかけては、わが国の輸出用プリント全盛期だったと知ることもできる。

海外でのデザイン教育について藤本や川上の証言にある、教師や雑誌掲載の作品をサンプルとして学生がトレンドを追うことを厳に戒めたことが興味深い。基本を修得させつつ、脇阪がマリメッコで体験した「Be yourself」が方針だったのである。

新井との関連で興味を惹かれる事実も多い。柚木は芹沢の型染に影響されただけでなくアフリカやインドの文様に注目したこと。個展「名のない組織」に結実する藤本の織の構造、それも斜めの糸渡しへの挑戦。粟辻がメキシコの縞柄を本歌取りし、いち早く生活者向けにショールームを開設したこと。山口の経糸だけのタペストリーの成功——新井が共感し関係をもったこうした作家は、自身の布の思考と活動に浅からぬ接点がある。こうしたわが国のパイオニアの中で、ファッション—インテリア—アートワーク、産業—芸術—教育、地場—日本—世界の間に橋を架けた新井の独自性は際立っていると思える。

そのことを証明するものとして、「現代の布——染と織の造形思考」展(東京国立近代美術館工芸館、二〇〇一年)を挙げることができる。招かれたのは新井を含む十四人。「染織の新世代」展の作家は一人もおらず、『日本の染織・テキスタイルデザイン』収録の作家は新井だけだ。「樹根」(一九八一年)から「メルトオフ」(一九九四年)まで六点出品した最年長の新井の作品が、もっともビビッドかつラディカルだとの印象を受ける。選ばれた六点のうち五点は経糸にスリットヤーンを用いた布で、スリットヤーン、金属繊維、光触媒を「生涯の総決算をかけたプリミティヴワーク」だとするのが理由なのではあるまいか。

わが国デザインの戦後史全体に新井を位置づけるには、フィラデルフィア美術館を皮切りに世界五都市を巡回した「made in japan1950—1994」(一九九四—九六年)が参考になる。日本展の副題は「世界に花開いた日本のデザイン」。すでに書いたとおり、ファッションとテキスタイルは同等、両方とも破格とも思える扱いなのだ。

『日本の染織・テキスタイルデザイン』には、わが国でテキスタイルなる語彙は「繊維、糸、布地、染織、織物全体を示し」「微細な繊維のデザインから、布地のデザインとしての布帛の設計、図柄の意匠に及びます」との説明がある。新井が特異なのは織の構造を主体に、プランナーとしてそれら全領域に関わることだ。そうした活動は繊維の未来とどう関わるのだろう。

繊維の未来を示そうとした展覧会に、二〇〇七年、東京とパリで開催された合成繊維による「TOKYO FIBER '07——SENSEWARE」がある。展示ディレクターの原研哉は「センスウェア」をかつての石や紙と同様「人類をその気にさせる媒質」としており、人間・繊維・環境の新たな像を示すべく、企業とデザイナーによって十六作品がスパイラルガーデン・同ホール、次いでパリで展示された。合成繊維を衣料用に限定せず、むしろ産業資材全域に広がった新素材を目に見える形で提示しようするのが企画の意図だ。

たとえば、「スーパー・オーガンザ」はストッキングの五分の一の薄さの軽く透明な布であるが、プロダクトデザイナーの深澤直人はこれに金属を皮膜加工し、電磁波をシャッタアウトして携帯電話も通じない「シールドカフェ」を提示。超極薄素材は裁断しただけで上部の開口部にゴムで固定してあり、空気の流れに反応して揺れる。本田技研工業のデザインチームによる「Composition "F"」は「フェイク・ファー」など多様な繊維で衣服のように着替えることのできる十五種類の外皮を、八分の一サイズの車にまとわせた。ファッションデザイナーの津村耕佑が見せたのは、裁断面がほつれずカールしない「カッティングフリー・ジャージー」を用いた三種類の服だった。

ニューヨーク近代美術館開催で東京にも巡回した魅力的な「ミュータント・マテリアル」展（一九九五年）の人工繊維版との趣きがあった。物質を輝かせる新用途開発はデザインの使命の一つであり、新井は「ミュータント——突然変異」を題名とする展覧会に出品したこともある。先端的な繊維は人工心臓・血管、風力発電用プロペラ、航空機の胴体といった使用が想定され、日本は炭素繊維糸材で世界シェアトップだ。これに関連して新井が関心を示す事柄は多い。シアトルにあるボーイング社で、東レとデュポン社が共同開発した炭素繊維主体の機体づくり。オランダにおいてデュポンの工場跡が見事な美術館に生まれ変わったこと。一九三八年に世界の長距離・長時間記録を樹立した日本オリジナルの航研機の翼は檜材と木綿で、その木綿は桐生が生んだものだった。

この展覧会を記念するシンポジウムに参加したテキスタイルコーディネーターの池西美知子は、天然繊維と人工繊維を別々に捉えるべきではなく、いずれにも高機能のインテリジェント化とエモーショナルな風合いが期待できると発言した。『メトロポリス』の取材に対する新井の答え——もっとも魅了されるのはスリットヤーンとその細さで、将来スリッターとしてレーザーが採用されれば、糸の中に無限の情報を入れることができ、二重織に隙間をつくることで布が呼吸できるようになる——こうした繊維の未来と池西の展望とは重なるところがありそうだ。

天然繊維と人工繊維を別々に捉えるべきでないことは二章で記したとおり新井の主張でもある。産業—芸術—教育に橋を架けるテキスタイルプランナーはこのテーマでもなお貢献できる。二〇一一年、企業と共働でスリットヤーンに関する「最後の大仕事」に着手した新井なのだから。

観相家によるモダンの複数の顔

『モダンの五つの顔——モダン・アヴァンギャルド・デカダンス・キッチュ・ポストモダン』(マテイ・カリネスク、一九九五年)なる研究書がある。ルーマニア系の著者は比較文学、英文学、西ヨーロッパ研究の学者で、文化の「観相家」を自認している。原著の初版は一九七七年刊の『モダンの複数の顔』で、十年後に「ポストモダンについて」の章を加えて改訂版が出された。セゾングループ総帥だった作家の堤清二が読み込んだ本であり、新井は改訂版発刊年に、英国王室芸術協会の名誉会員となっている。この本を取り上げるのは、新井の形容である「脱構築主義者」(デコンストラクショニスト)の位置づけを確認するためである。

百五十年余りの文学と美術に関する広範な知見が動員されたこの一冊で、「キッチュ」の章はデザインと文化産業にあてられ、「ポストモダンについて」では建築と文学を中心に論を展開して結論が導きだされている。造形に関する記述を中心に、カリネスクの言わんとするところを追ってみる。

「Ⅰ モダンの観念」では「みずからに抵抗する伝統」が抽出され、結論としては、モダンがその特徴である理性、進歩、科学と対立すると、それは「そのもっとも深い使命、決裂と危機を通じての創造という、それをまさに構成する意味をつまり追求しているのである」となる。「Ⅱ アヴァンギャルドの観念」を貫くのは、「アヴァンギャルドは、あらゆる点でモダンより過激なのだ。それは、意味の陰影に対し柔軟でも寛容でもないので、とうぜんさらに教条的になる——自己確信という意味でも、そして反対に、自己破壊という意味でも」といった主張であるように思える。つづく「Ⅲ デカダンスの観念」は文学中心で、大衆文化に関わる内容はキッチュの章に委ねられた。

その「Ⅳ キッチュ」概念は、章の序に掲げられたクレメント・グリーンバーグの「アヴァンギャルドとキッチュ」(一九三九年)で代表できそうだ。「アヴァンギャルド[前衛]が存在するところでは、一般に後衛が見いだされる。じつにそのとおり——アヴァンギャルドの登場と同時に、第二の新たな文化現象が産業化された西洋に出現した。ドイツ人がキッチュという、すばらしい名前を与えたものである。……キッチュとは代用の経験であり、贋造《がんぞう》された興奮である。キッチュは流行にしたがって変化するが、いつでも同じものだ。キッチュは金銭のほかは、顧客になにも要求しないふりをする——時間さえも」。

この「時間さえも」は人々の余暇の増大と「暇つぶし」に対応している。著者自身の見解は、キッチュは流行とその急速な陳腐化に依存する消費用「芸術」であり、経済発展との結合は実に密接だというもの。公衆の興味と欲望の多様性に対応するための「折衷主義」、購入して家庭的くつろぎに供される「家庭性」もその定義に加えていい。

新井は書いた。「かつて、時が今のように早く過ぎ去らぬ頃、多くの布たちは美しかった。そして、日常と非常は心地よく同居していた。多くの民族衣裳や染織品の中にその事は証明されている」(『天衣無縫』100)と。布の送り手と受け手を支配するそうした時間は不可逆だろう。

「V ポストモダンについて(一九八六年)」で著者は、この概念が一般化したのは一九七〇—八〇年代、「もっとも公的な視覚芸術である建築」批評の分野だとしている。モダン建築の機能的な美と形式の純粋性に対する意義申し立てがポストモダンであり、作品は歴史主義的、多元主義的な様相を呈したのだと。ミース・ファン・デル・ローエ[★12]の主張「Less is more」(少ないことはより多いこと)にロバート・ヴェンチューリ[★13]が「Less is bore」(少ないことは退屈)で対抗し、インダストリアルデザイナーのディーター・ラムス[★14]が「Less, but better」(少ない、だがより良い)と再定義したのが象徴的である。

その間、ジャン-フランソワ・リオタールの『ポストモダンの条件』(一九七九年)とそれを批判するユルゲン・ハーバーマスの講演「近代——未完成のプロジェクト」(一九八〇年)の対立はわが国でも大いに話題となった。ポストモダニズムの歴史への再訪は「アイロニーとともにであって、無邪気にではない」とのウンベルト・エーコの発言もよく知られる。

モダンとポストモダンの違いは「強い思考/弱い思考」「大きな物語/小さな物語」で説明されることもあり、弱いも小さいも否定的な意味合いで使われてはいないのはもちろんである。カリネスクはポストモダンを文化的現在を記述するための探索の道具としたいようで、モダンの教条主義か

al textile designer Jun-ichi Arai stands amid
designs (above), which combine fine
aluminum and stainless steel with wool and
bers. Representing the sixth generation of his
nono and obi weaving mill—established in
⓮ Japan—Arai merges ancient tie-dye and

Blending technology and ancient arts, the 72-year-old "dream weaver" continues to push textile design into unexplored realms.

⓯

⓮⓯米国『メトロポリス』誌のインタビュー記事「The Futurist of Fabric」(二〇〇四年十一月号)から

ら離れ、劇作家であるバフーチン的な「対話的」で「ポリフォニック」な「カーニバル化」する見地をもちたい、としている。著者同様「ポストモダン」に違和感をもつ人は多く、実際このころの展覧会は「コンテンポラリー」を冠したものが多かった。この語は現在時を意味するのみで、思想的表明は薄かろう。

カリネスクが言及しなかった「脱構築主義」の建築はポストモダン退潮後に興り、ニューヨーク近代美術館で開催された「脱構築主義者の建築」展（一九八八年）で定着したようだ。西欧形而上学を徹底して批判したジャック・デリダの影響が強いこの「デコンストラクティビズム」（日本では「デコン」と通称）を、折衷主義（エクレクティシズム）を含む「キッチュ」と同様に、ポストモダンの一部とみなす立場もある。だがそこでは、いわゆるポストモダンで目立った歴史様式の引用は影を潜め、非ユークリッド幾何学的に断片を際立たせるスタイルが採用されることが多い。

布の思索の万華鏡

新井を脱構築と関連づけた最初の人は、すでに紹介したようにジャック・ラーセンである。脱構築主義のエリート建築集団の一員と見まちがえるほど稀有なテキスタイルデザイナーでもあるとした。「脱構築主義者の建築」展から四年後、一九九二年のことである。同じ年、『メトロポリス』誌は新井の特集に「ドリーム・ウィーバー」なるタイトルを冠した。新井は「脱構築主義者」を自称することはないものの方法論としての「脱構築」には励まされ、「ドリーム・ウィーバー」「フューチャリスト」なる定義ははっきり歓迎している。

一九六九年の東欧旅行で社会主義に幻滅して以来、新井はイズムというものに不信感があるようで、知る限りいかなる主義も表明したことはない。その前年、水俣で活動する秀島の絵に接したことを契機に資本主義への懐疑もさらに強め、巨大資本の産物である合成繊維を使うまいとしたこともあった。製作および流通の掟破りもした。したがって、ラーセンの言うポストインダストリーまたはニューインダストリーに希望を託し、産業資本主義に無自覚に追随する限りにおいて、モダニズムとその落とし子と言うべきデザイナーには批判の矛先を向けてきた。

ただし、モダンを支えた科学と技術を全面的に否定するのではなく、コンピューターを駆使したのは早かった。それを大量生産向けの省力化のためでなく、人間の多様性に寄り添うクリエーションをサポートするための道具とする。新井にとってコンピューターは人間の第一の脳と第二の脳たる手とをつなぐ、機械ではなく新種の道具のようだ。その後、ニューインダストリーの未来のために人工繊維の可能性を追求する作業も復活させる。

「職業デザイナーは、一旦、滅びねばならぬ」。そう書いた新井は、「業」でなく「人」の原点に立ち帰ってのデザインを望んだ。宮澤賢治の『農民芸術概論』に倣ってのことだが、同じ書には「芸術をもて、あの灰色の労働を燃せ」ともある。種々の掟破りを理由に新井をアヴァンギャルドとすることは可能で、文学に対する造詣の深さはデカダンスを生きる素質十分と思わせるが、新井をキッチュと結びつけることだけはできそうにない。

新井が世界の舞台に登場したのはいわゆるポストモダン隆盛の時期と一致するから、その時代を呼吸しているのは当然だ。ただ、「折衷主義」（エクレクティシズム）に共感を示したのは、「公衆の興味と欲望の多様性に対応するための折衷」、すなわち消費資本主義に賛同するからではなかった。民族衣裳の生気あふれるプリミティヴィズムに魂を揺さぶられた経験から、折衷主義が歴史に目を向けたことに共感したためだ。桐生人・新井にとって折衷主義最高の手本は小池魚心の「芭蕉」なのだから、構造主義の手仕事といった訳もある「ブリコラージュ」概念なら献呈してもよい。新井は悠久の時に育まれた布の歴史に敬意を表するが、それを模倣することなく、みずからが属する伝統に固執するわけでもなくて、先端技術をもって新たなページを開こうとする。「クラフトの精神を知らずしてなんの先端ぞ」というわけである。その意味でなら、脱構築を含むポストモダン最良の体現者のひとりとすることもできる。

「人類の発明の中で、最も重要であった織物の世界の中で、ポスト・モダンは、エクレクティシズムは、どうなっているのだろう」(「天衣無縫」20、一九八八年)。このつぶやきを最後として、他の人々と同様、新井はポストモダンも折衷主義も問うことはなかったようだ。だが新井がユニークなのは、プリミティヴィズム、いや「プリミティヴであること」と「発明」は大事にしたことである。「プリミティヴ」は時代も様式も特定しない。

モダンとポストモダンを対比する「強い思考/弱い思考」「大きな物語/小さな物語」に関連しては、英国ロマン派の詩人、キーツの「消極的能力 = negative capability」に新井が反応したことを思い起こすべきだろう。新井は不確実で不可解な状態に沈潜することをこの造語から学ぶのだが、科学者のプリゴジンとスタンジェールが共著の『渾沌からの秩序』(一九八四年)によって広く認知され「新しい科学」となったのが、近代が排斥した「偶然性」と「不可逆な時間」であった。京都でのプリゴジンの講演会が満席だったことが思い出される。

新井の哲学的素養に関連して、英国人のアン・サットンはエリック・ギル、ウィリアム・モリス、メイナード・ケインズを列記する。毒舌をもって知られるバーナード・ショー★15を別の英国メディアがそれらに加えたことがあった。この人物については言及していなかったが、映画やミュージカルになった「マイ・フェア・レディー」のヒロインの言葉と衣装の変化に注目し、原作がバーナード・

ショーの戯曲『ピグマリオン』であることをエッセー（「天衣無縫」14）に書いた新井だ。専門媒体における新井の舌鋒の鋭さには警世の傾きもあった。

「デザイン書よりこの方が近しかった」として、新井がヴァレリーの『文学論』（堀口大学訳、一九四五年）を筆者の目の前に置いたことがある。このフランス詩人の戯曲の遺作が『わがファウスト』であることを、新井が人形劇「ファウスト」に魅せられたことと関連づけずにはいられない。「夢を見たと云ってはいけない。夢を見ると云うべきである」。新井がよく引用するこのフレーズはヴァレリー

⑯英国王立芸術大学（RCA）からの名誉博士号授与式
（アルバートホール、二〇一一年七月一日）。
日本人テキスタイルデザイナーでははじめての栄誉

による。敗戦の年の十二月に発刊されて紙質の悪い『文学論』は、新井の工房で二年後発刊の羽仁五郎の『歴史』に重ねられたのだった。

新井にとっての知の英雄は、時流に染まらず、一筋縄ではいかない者ばかり。それと同様、『モダンの五つの顔』の「モダンの観念」からして「理性―進歩―科学」の概念と「みずからに抵抗する伝統」の対立があるとされるのだから、五つ顔のそれぞれに対立項があって当然一筋縄では読みこなせない。たとえばモダンとプリミティヴは親和的であり対立的だ。新井の思索もまた、簡単に定義・図式化することは難しい。前項で新井が橋を架けたとしたのは、ファッション―インテリア―アートワーク、産業―芸術―教育、地場―国―世界。そうした項の一つひとつに歴史と構造とがあり、それらに対峙する人間は複雑性の塊そのものだからだ。

布というものの特性が定義しにくさに輪をかけているように思う。「歴史を持たないもののみが定義可能である」――カリネスクは最終章の「結論」においてニーチェのこの言葉を引用している。モダンの百五十年など一瞬にしてしまう布の歴史であるから、モダンデザインの物差しでそれを測ろうとしなくていいのかもしれない。

プロローグで書いたとおり、布、器、そして住居といった衣食住にかかわるつくり手たちは、様式という水甕《みずがめ》を破壊しようとのくわだてなしに、その水甕、すなわち歴史の一部になることがある。新井は想像力と創造力によってその秘儀を体現するひとりなのである。

「新井淳一の複数の顔」の方はどうだろう。ファッションデザイナーの伴走者、テクノロジスト、民族衣裳蒐集・研究家、布の伝導・教育者、エッセイスト――本書で描こうとしたのはこうした新井の複数の顔だ。それらに冠するのに、テキスタイルプランナーとテキスタイルデザイナーのどちらが適切なのだろうか。「彼の情熱は、現場に注がれている。それに対し、デザイナーは織り手や織機から離れてアトリエに陣取っている」として、プランナーなる名称を容認したのはアン・サットンだった。

「魔術師」、「思索者」、「詩人」、「幻視者」、「脱構築主義者」、「テクノロジスト」など、新井の形容は多々ある。だが、プロフェッションに関しては、評者や記者の多くがためらうことなく「デザイナー」としてきた。

デザイナーを自称しない新井こそが本来のデザイナーなのではないのか、との感慨が湧く。そうしたデザイナーがわが国で稀であるなら、不屈の「火の鳥」である新井を「来たるべきデザイナー」の雛形《ひながた》とすることができる。来たるべきデザイナーは、アルスとアートの統合、労働の第一の報酬は創造の歓び、手こそは人間の第二の脳と思い定め、「私たちにパンを、けれどバラも与えよ」と歌いながら行進する近未来の人々に、巨鳥ガルーダの翼の羽ばたきをもたらすことだろう。

エピローグに代えて

万華鏡について

新井淳一のエッセー「光と影」（一九八二年）は、「万華鏡について書く」で始まる。自作の万華鏡の記憶、机の上に置かれたニューヨークからの到来品である二種のそれ、若き作家の「キューブコスモス」がモチーフだ。新井お気に入りの「キューブコスモス」の遊びは、子供から大人までそれぞれ楽しく、そして悲しいのだという。なぜ悲しいのかは、「そこをのぞきこむ者の精神の旅は、永遠の彼方へと同時に、自己の内奥に向かわざるを得ない」、と暗示されているのみだ。

チャールズとレイのイームズ夫妻は映画「パワーズ・オブ・テン」（十の累乗）で、等身大の物質世界を極大、そして極小へと旅したが、新井は工房の卓にあって精神のかなたこなた、彼岸と此岸を行き来する。ミリミクロン単位のスリットヤーンから、創世の風景を現出させる布づくりまで経験するデザイナーならではの感慨かもしれない。

この本のタイトルを「布の思索の万華鏡」にしようと考えていたころ、資料を繰っていて「光と影」に気づいた。調べを進めると、「織物、布を主題とするスライドショーに現れる万華鏡に見入っていると、何万何千世代を積み重ねた遺産の中に、『未来』を見る思いにかられる」（「21世紀の布」、二〇〇〇年）といった文章もあった。

新井の作品に「萬華鏡」（Kaleidoscope）なる題名で短い文を寄せた二十年近く前

には、むろんこのエッセー「光と影」は読んでいない。アルミニウムを真空蒸着したポリエステルフィルムをプレスした布は「光と風と」(一九九五年)の出品作で、折鶴を縫いこんだような表情をしていた。執筆の機会はもう一度あり、「火の鳥」(Stainless Steal Fiber)なる短文はステンレス製の糸と織に関するもの。桐生市市民文化会館のアトリウムを飾る作品の素材としてお目見えし、灼熱の坩堝《るつぼ》を幾度くぐっても不死鳥として甦りそうな金属の糸、そして燃えない布であった。一方は限りなく軽やかで、もう一方はずっしり重い。テキスタイルコンテストの審査で人となりを知る前は、「萬華鏡」と「火の鳥」が筆者が新井に抱くイメージのすべてだったのだ。

先日立ち寄った丸善に万華鏡コーナーが特設されており、「キューブコスモス」について店員に訊ねた。かつて人気を博したミノリ・ヤマザキのものではないかと教えてくれたが、薄い製品カタログに写真が一枚あるだけで販売は終了とのことだった。その「キューブコスモス」は〝箱の中の宇宙〟を意味する「CUMOS」に進化しているようで、いつか見る機会があるかもしれない。

布衣の交わり

本書の執筆準備中に、三宅一生がディレクターをつとめる「REALITY LAB 再生・再創造」展(21_21 DESIGN SIGHT、二〇一〇年)がオープンした。

メーンの出品作は、リアリティ・ラボ・プロジェクト・チームがペットボトル等による再生ポリエステル素材を使用して開発した折紙のような服「132 5. ISSEI MIYAKE」——。帝人ファイバーのケミカルリサイクル技術を用い、糸は松山、織は福井、染色は石川と富山、縫製は山形と東京、箔転写が大阪といった具合に製作は産地をまたぐ。資源問題と繊維産地の弱体化に一石を投じることが意図されている。

三宅にとって「リアリティ・ラボ」とは、デザインの仕事の別名なのである。ラボであるのだから今あるデザインを「疑う」ことから始め、発想を現実化して使い手に届ける。三宅は、これまでの活動を支えてくれた「社会への恩返しをしたい」といった発言もしている。

現場を重視しつつデザインのミュージアムを切望することにおいて、新井と三宅は三十数年来、思いを同じくするようだ。「恩返し」といった心境でも重なるところがある。その三宅が「再生・再創造」展準備中の七月、ふらっと桐生の新井を訪れたことが地元新聞で報じられた。

同じころ、本書のデザインを杉浦康平と佐藤篤司が担当することに内諾を得た。拙著『まっしぐらの花――中川幸夫』『石元泰博――写真という思考』につづいてのことだ。金管楽器を思わせる杉浦の声、木管楽器に近い新井の声と、筆者にとって好ましい男声の代表として並び立っている両氏である。

一九三二年と同年生まれの新井と杉浦に接点は少なくない。専門を異にするという限りでなら、新井と三宅の関係同様、「布衣《ふい》の交わり」と呼んでいいかもしれない。

新井が私淑した小池魚心は購読した雑誌『銀花』を縦横にデザインする杉浦の才能を愛で、新井も小池と同じようにその雑誌に取り上げられて杉浦デザインの恩恵を享受した。また、新井がイスラムの布を大量に持ち込んだ都内某所での二人の対談については、「布一面に繰り広げられる万華鏡の如き刺繍、絣、縞を前にして絶句する時の何と長かったことか」(「天衣無縫」100)、とエッセーに書き残されている。

「康平さんという人は…」(一九九二年)でも新井はこの対談に言及し、自作に「綺＝あやぎぬ＝布そのものを模様にした布の仕事」との表現を与えた『銀花』に感謝の言葉を連ねた。アジアの図像に通暁している杉浦ならではの理解であり、新井ばかりでなく桐生はその雑誌でしばしば取り上げられた。

杉浦の『西蔵「曼荼羅」集成—チベット・マンダラ—』発刊を祝う展覧会と講演「二而不二《ににふに》」、『銀花』百号を記念する展覧会と講演「思考と試行」——新井はいずれの会場にも駆けつけ、その感動を桐生での杉浦の講演「二而不二の世界」として形にしたのだった。

石川県の小松でもたれた大掛かりな「園林遊戯《おんりんゆげ》—極楽遊び」(一九九四年)で座を張ったのが新井淳一、掛井五郎、杉浦康平という稀なる一夜……。その案内状は、日本デザインコミッティー事務局の土田真理子から筆者に届けられた。土田は大塚テキスタイルデザイン専門学校での新井の教え子である。

さらに、杉浦から送られた『円相の芸術工学』(神戸芸術工科大学、一九九五年)をかたわらに置いて、新井は円や球について考えこんだことがあった。奈良の元興寺の極楽坊前庭に、薄青、青、鼠色の布を紐状に縫って直径八メートルの渦巻き「発音《ほっとん》」を出現させたのは「想像の布・新井淳一展—新井淳一とその仲間たち—」(一九九八年)。「太陽と精霊の布展」(千葉市立美術館、二〇〇四年)併催の「円をめぐる六つのお話・おわりははじまり」では大渦を公開制作した。

これら二つの作品制作は民族衣裳の文様に加え、杉浦の献本を契機とする面がある。渦は円相の一態様であって、中心に赤大理石のリンガを据えた「発音」を、元興寺小比丘《びく》の辻村泰善は、「天地創造・須弥山・胎蔵曼荼羅と同格である」としたのだった。

杉浦康平も三宅一生も、宮澤賢治を引いて新井が「一旦、滅びねばならぬ」とした「職業デザイナー」を超越しているのは言うまでもない。その二人がディレクターとアートディレクターをつとめる初の展覧会がプロローグでふれた「うつわ展」で、筆者にとってはテキストを書くことで図録奥付のリストに名を連ねる二度とないだろう機会となった。

昨日と明日のテキスタイル

布と衣服については、女性ならだれしも、何がしか語りたくなる記憶をもっているものだ。それがどんなにささやかなエピソードだとしても——。

麻の原糸を指先で細い糸に裂き分け、一定の糸の太さにそろえて機結びする作業を、郷里の新潟では「苧績み＝おおみ」と呼んだ。障子戸から入る外光のもとでゆったりとその作業をつづける祖母の姿がわが家にあった。ユーモアのセンスを感じさせてくれる祖母だった。

長じては、東京の百貨店の催事場の緋毛氈《ひもうせん》に座って大叔母が苧績みを実演するのに駆けつけたことがある。祖母よりも大叔母の方が技術に長けることはみなが認めるところで、祖父の姉で近隣に嫁いだ大叔母は名人に近かったようだ。最晩年まで記憶がたしかで闊達《かったつ》、身ぎれいなその人を好ましく思ったものだった。小千谷、塩沢、十日町と、生家の通学・通勤圏内には縮《ちぢみ》と紬《つむぎ》と絹の里があった。

十歳ころまでは、母の手縫いの晒《さらし》の下着が当たり前だった。中学生になると、型紙をつくりミシンで縫った自作のブラウスを着て上野行きの上越線に乗った。生地はブルーに白の水玉のポリエステル製。同じころ、母の隣に座らされ、どこからか送られてきた久留米絣を、母の手順に倣って単衣《ひとえ》の着物に縫いあげたことがある（同じような年齢で新井は祖父から手織りを習っていたとは！）。これがただ一度の着物の仕立てとなったが、浴衣《ゆかた》として重宝したそれに袖を通すことがいまもたまにあるのは、堅牢な紺絣《こんがすり》のなせる技なのだろう。紺絣は紺飛白とも書き、満天の星、万華鏡を思わせないこともない。

桜の時期に中川幸夫とともに工房に同道した京都の作家・福本潮子の藍の布を居室にかけ、茶人であった石元泰博夫人、滋子の遺品の中から届けられた上等な着物を身にまとうのは、いつになることやら……。

「かつて、時が今のように早く過ぎ去らぬ頃、多くの布たちは美しかった」。そう書いたことのある新井からある日、真綿製の小振りのチョッキを手渡された。太平洋戦争直前に少年飛行訓練兵に与えられたもので、長野の某所に永らく保管されていたものの一枚だという。産衣から死出の装束のあいだに、非常なる境遇で心身をあたためる衣料があったことを伝えようとしたのだろうか。

大川美術館のショップで最近入手したのは、リコ夫人がデザインしたアイリス柄のスカーフ。綿とポリエステル交織でやさしい風合いであることこの上ない。

ささやかな買い物のもう一つは、銀と白の、ポリエステル製の「メルトオフポーチ」。同じメルトオフ技法によるロングスカーフをもし首に巻いたら、颯爽《さっそう》としたパイロットにもなれそうな気がする。「テキスタイルの仕事とは世に平和をもたらすこと」——そうあってほしいものだ。

この場を藉りて、新井淳一、新井リコ、新井求美、ならびに杉浦康平、佐藤篤司の各氏に深甚なる謝意を表したい。図版掲載ではポートレート提供者である桐生生まれの写真家・石内都の協力を得ることができた。桐生織塾で「桐生タイムス」の蓑崎昭子と一緒だった石内との初対面の二日後、着信音が響いた電話で「新井淳一の色気」について彼女と短い言葉を交わしたのだった。未発表資料としては、高崎市美術館の堤淑恵が二〇〇三年に新井にインタビューしたテープ起こしを参照させてもらった。

ジャパン・テキスタイル・コンテストに招いて布に目を開かせてくれた恵美和昭と審査員一同、資料整理にあたった江島快仁と翻訳の手助けをした上原若菜にはお世話になった。そして、ありがたくも本書発刊を即決された美学出版の右澤康之と黒田結花の、真摯かつ丁寧な編集作業にこころから感謝する次第である。ただし記述に誤りや重大な漏れがあれば、ひとえにテキスタイルを専門としない筆者の浅学非才に起因するため叱正いただきたい。年譜・書誌はまだまだ不完全である。

迷いつつデザインとアートを志す若者にとって、新井淳一研究の基礎資料を目指す本書が、みずからのデザイナー像を獲得する一助となればと思う。

いまは、新井淳一八十歳の年に始まる巡回回顧展をこころ待ちにするばかりだ。その会場で、まだ見ぬ布、来たるべきデザインの旗が翻《ひるがえ》るさまを視たいと願っている。

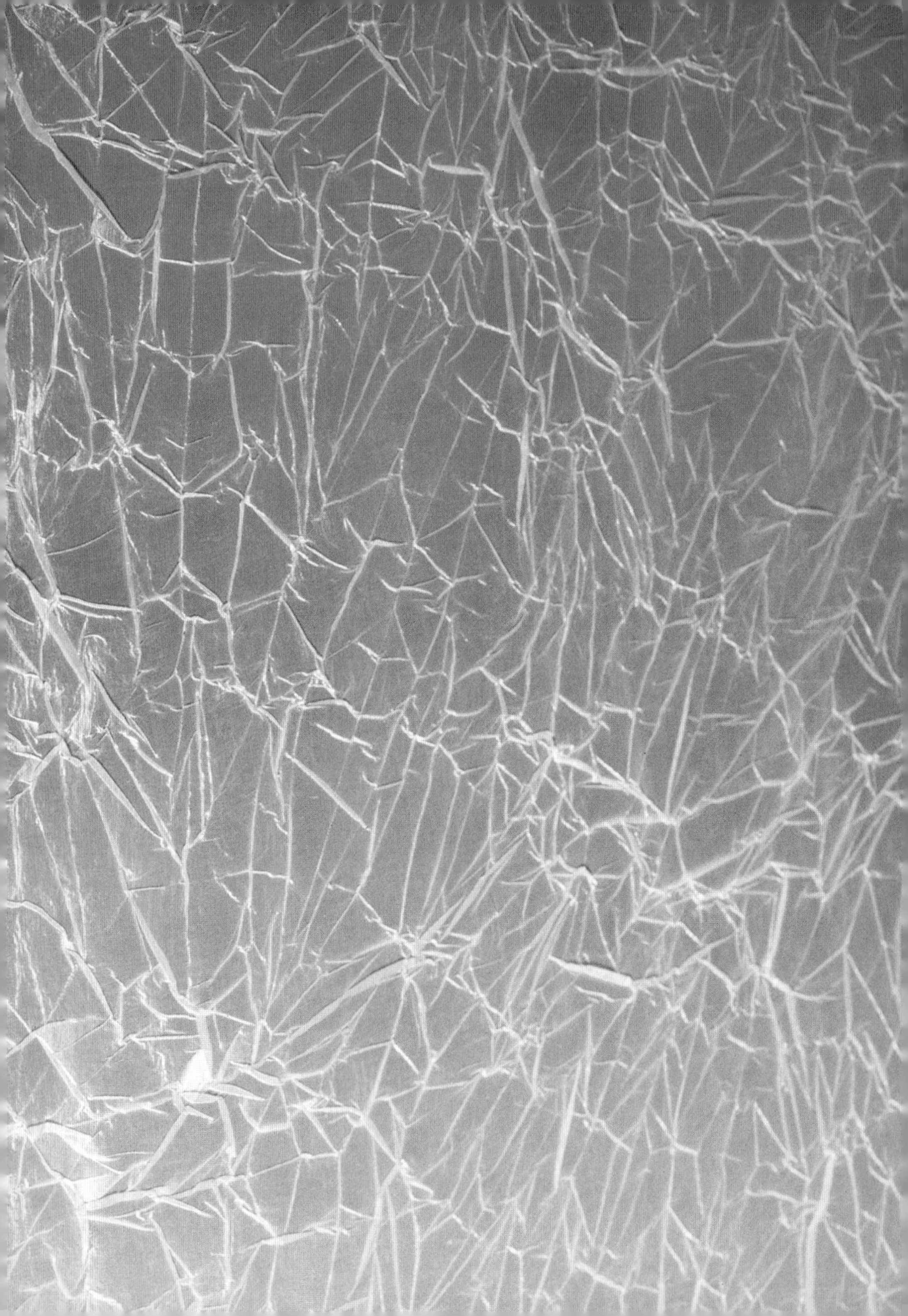

資料——新井淳一年譜・書誌＋引用文献・参考文献＋註

新井淳一年譜・書誌

【国内関連】＝▼個展、企画展　▲自筆文（インタビュー・対談・座談含む）▶他者文
【海外関連】＝■個展、企画展　□自筆文（インタビュー・対談・座談含む）◆他者文

00歳・昭和七年

1932——

三月十三日、群馬県山田郡境野村字関根に、妹四人、弟一人の六人兄弟の長男として生まれる。境野村は翌年桐生市に併合（現・桐生市境野町）。父・金三は一九〇五年、母・なか（仲とも表記）は一九〇七年生まれ。能登出身の曾祖父は桐生名物の水車作り、祖父は撚糸業、父は帯地を中心に織物業を営み、母の生家は十代つづく名家で当時は織物業を生業とする。

1938——

境野小学校入学、のちに国民学校となる。校内の記念館には境野村民の誇りである、日露戦争・日本海海戦で「敵艦見ゆ」と打信しつづけた信濃丸副艦長・丸橋彦三郎少将、第一次世界大戦でドイツ領チンタオ（青島）を占領した新井亀太郎中将が顕彰されていた。入学年の運動会で行進する小学生を撮影した16ミリフィルム映画が存在するほど、桐生は進取の気象に富んだ地域だった。

10歳・昭和十七年

1944——

桐生中学校（現・県立桐生高等学校）入学。課外活動として国防部海洋訓練班（水泳部）、演劇部長、文芸部員として活動。同郷の高村瑛子、長澤延子を通じて青年共産同盟に加入。十代は桐生の豪商森家に生まれた羽仁五郎、新井と同年生まれで桐生高等女学校卒業直後に十七歳で服毒自殺した「夭折の詩人」長澤延子の影響が大きい。

1947——

九月にキャサリン台風、カスリン台風とも呼ばれる台風九号が関東地方や東北地方に大災害をもたらす。戦前二十台ほどあった本体鉄製の織機は供出、中国から復員した父が購入したばかりの織機も台風のために損傷し、付帯設備が失われるという被害をこうむる。この被害によって大学進学の希望が断たれる。十七歳で新井夫人となる一歳年下の玉川利子と出会う。

1950——

群馬県立桐生高等学校卒業。伯父の工場に入り、三年のち家業の帯地生産にあたる。現場の職人の中に入って構造からデザインまで独力で習得し、既存の帯地、金襴、御召しの枠を超える創作に励む。そのかたわら、一九五〇年の人形劇団「ともだち座」創立に参加し、一九五五年の「オッペルと象」まで百回ほど公演。舞台芸術学院夜間部（東京、主宰＝秋田雨雀）に通う。

20歳・昭和二十七年

1952――

新作競技会等で入賞をつづける。一九五五―六五年には金銀糸を主として、織物並びに加工法に関する特許権および実用新案権の取得が、東レ、帝人、尾池工業等との共同出願により三十六件を数える。絹・綿・ウールなどの天然繊維を中心とする素材制作を手掛けるかたわら、プラスチックフィルムに金属を真空蒸着する金銀糸織物の開発に励み、多くの新技法を開発して輸出拡大に貢献する。五〇年代には佐々木元吉、野口勇三の元に通い、オパール加工の細部を修得する。

1958――

十月十日、玉川利子(現・リコ)と結婚。リコは一九三三年三月十四日、桐生市生まれ。生家は縫製業を営み、一九五二年三月桐生高等女学校(現・県立桐生女子高等学校)を卒業。卒業式で総代をつとめ、現役で東京藝術大学美術学部油絵科(林武研究室)に入学する。

1960――

第一回化学繊維グランドフェアで一九六一年度春夏物に対して通商産業大臣賞受賞。六〇年代には群馬大学の石井美治教授の元に八年間通って、オパール加工、「バーンアウト」(炭化除去)、「メルトオフ」(溶解)を研究する。

1961――

長女・求美誕生。武蔵野美術大学短期大学デザイン科卒業後、仏教大学文学部史学科を卒業し現在桐生織塾代表。次女・真理の誕生は一九六三年、多摩美術大学を卒業して福祉を仕事とする。リコは二人の娘の育児や祖父母・両親の介護をへて、リトグラフを中心に画家としての活動を再開して春陽会版画部会員、日本版画協会会員となる。

30歳・昭和三十七年

1963――

東レプラスチック販売部主催の金銀糸織物新作開発展示会に出品。六〇年代のヒット商品には、おもに輸出向けでナイロン製の生地「パピリオ」、レーヨン製のぼかしのゆかた帯がある。

1965――

長澤延子の遺稿集『海』(私家版)を共同編集、表紙の布を創作・提供。

1966――

父親の名前に由来する「新金織物工場」を解体してテキスタイルプランナーとして独立し「ARS=アルス」を設立。洋服用の広幅織物を中心とする。のちに両毛産地の織物技術アドバイザーとなる。

1969――

東レ・尾池工業の依頼で一月にメキシコへ出発し、金銀糸織物のクレーム処理と技術指導のために二カ月滞在する。インディオの染織に出合って民族衣裳の蒐集を始め、テクスチャーを究めることを決意。以後、スリットヤーンの技術指導のために東欧、東南アジア、インド、パキスタンなどを訪問して世界各地の染織を研究する。プラハで開催された国際人形劇人祭である第十回ウニマ大会に参加、モスクワ、リヨンに立ち寄る。

40歳・昭和四十七年

1972——
東レの松田豊の紹介で会った山本寛斎のコレクション用の生地制作に着手する。

1973——
ビギはじめデザイナーブランド数社と素材の共同開発を始める。国内外のデザイナーコレクションのために、天然繊維を中心とする素材製作を活発に行なうのは、一九七二―八七年のおよそ十五年間。厄年のこの年、急性胆嚢炎から急性肝炎となり入院。この入院中に同室の患者に請われて院内で司馬遼太郎『坂の上の雲』の朗読を披露。これを契機として朗読図書づくりを多数行なう。

1976——
三宅一生、皆川魔鬼子と出会い、テキスタイルプランナーとしてコレクション用素材の開発を行なう。このころ、デザイナーブランドとの契約は十数社にのぼる。

1977——
『竜馬がゆく』『坂の上の雲』全巻朗読といった盲人向け朗読図書づくりの活動に対して、日本盲人社会福祉協議会などから表彰される。

1979——
コンピューター・ワークによる紋織物製造法に着手、特殊紋織物の構造および脱構造の製織・整理作業に没頭する。「アルス」を解体、「アントロジー株式会社」（資本金二五〇万円）を設立して代表取締役となる。別に桐生の小規模織物業者に呼びかけてアントロジー会を組織。十代で出会った大塚末子との縁で大塚テキスタイルデザイン専門学校講師となり二〇〇〇年までつとめる。
▲「TEXTILE DESIGN NEWS「織る」と「折る」」、『大塚学院だより』九月二十日。

1980——
八月に桐生織維関係団体連絡協議会主催「民族衣裳と染織展」を新井實、武藤和夫と共にオルガナイズ、天然素材のみの世界六十カ国の染織品千点余を桐生市・産業文化会館全七室で展示し、二日間で七千人の参観者を得て話題となる。東京タイムスの「見たり聞いたりためしたり」欄に一九八〇年十月二日から八一年にかけてほぼ毎週八百字ほどの原稿を三十四回執筆・連載、二十年近くに及ぶ新聞・雑誌での執筆・連載の始まりとなる。
▲「織物関係者に衝撃　民族衣裳と染織展」座談会（新井淳一、新井實、武藤和夫）、桐生タイムス八月二十六日。「民族衣裳と染織展のこと」、「座談会　桐生の今、そしてこれから」（新井淳一、新井實、武藤和夫）、『上州路』八月号「特集　80年代の都市「桐生」の新生」。「わが街の染織展を終えて」、上毛新聞九月十一日。「ともだち座　30周年にあたって」、『人形劇のひろば』十一月号。東京タイムス「見たり聞いたりためしたり」欄の十月から翌年にかけた三十四回のタイトルは以下のとおり。リヨンのギニヨール、ボランティア旗揚げ、お静かに！、小さな渦、ウォークマン、朗読奉仕その他、嘘から出るまこと、仲間の歌、アンニヨン　ハシムニカ、十二年前のこと、「やればできる」、ある忘年会、初夢に思う、光と影、怒りを込めて、おんどりの歌、脳＝魔法の織機、なずな畑のもんしろちょう、無い袖は振れぬ、中途半端、この世でいちばん怖いもの、「ルバイヤートの服」、染織参考館の思想、大きな尻尾にご用心、平和の戦士たち、ダヴィデの文庫、ひと耳ぼれ、郡上紬、日常と非日常、

女のとむらい、観（地球風俗曼陀羅）、「祀り」のあと、中国少数民族服飾展、死んじまったウエのウタ。

1981——

上毛新聞で十月からエッセー「粋筆漫歩」を十二回執筆・連載。浜野安宏・三宅一生の紹介で会った歌手の加藤登紀子の舞台衣裳用に布を提供、以来親交がつづく。

▲「〝民族衣裳〟の意味するもの」、『母の友』一月号。上毛新聞「粋筆漫歩」欄に十月十日から十二月二十六日まで十二回連載のエッセーのタイトルは、ゆめものがたり——ゆめみるまえに、たまゆらのかげろい、ルバイヤートの服、こえをころもでかざられぬ、みどりへのみちしるべ、胸いっぱいの引き出物、燃え盛る炎も、わたらせの岸にむかいて、エロスの河、言葉を操るもの、こころ花にあらずんば、鳥に翼あるが如く。「染織参考館の思想」「民族衣裳と染織展ドキュメント」、『80年代の都市「桐生」の新生　民族衣裳と染織展記念集』、桐生染織研究会、十二月。

50歳・昭和五十七年

1982——

『月刊染織α』（染織と生活社）の「アルファ・アイ　生活工芸」欄で四月から翌年二月までエッセーを連載。

▲「壮烈な生と死」、週刊『スポーツライフ』二月十二日号、「くたばれジャパンテックス」、同二月十九日。『月刊染織α』四月号「歓喜への回帰」、六月号「小池魚心さんの創造」、十月号「風よ、おこれ」、十二月号「裸の眼」。「情報を産地につなぐ接点　インタビュー　新井淳一」、日本繊維新聞十一月八日。

1983——

第一回毎日ファッション大賞特別賞を受賞（審査委員長＝鯨岡阿美子、大賞＝川久保玲、新人賞＝菱沼良樹、企画賞＝大出一博、企画賞＝資生堂）。祝賀パーティーが三島彰を代表とする発起人会によってアクシスビルで開かれる。虎ノ門の「ギャラリー玄」で受賞記念の初個展開催、以降多くの個展を開催。ワシントンポスト紙、『ニューヨーカー』誌の記事の一部で取り上げられる。

▼個展「新井淳一織物展」（ギャラリー玄）開催。

▲「ゆめはまことか」、『月刊染織α』二月号。「百合子のぶっつけインタビュー〈4〉新井淳一氏」、日本寝装新聞十二月八日。

▶三島彰「ファッション時評　よれよれコットンへの熱い思い」、繊研新聞三月十五日。「脚光浴びる桐生織」、桐生タイムス三月三十日。「第一回毎日ファッション大賞　既成を拒め　個性よ光れ　受賞者の言葉と横顔」、毎日新聞九月十三日。「桐生産地に一躍脚光」「素材基地化に自信　新井氏囲む会に250人」、桐生タイムス九月。三島彰「ファッション時評　裏方にスポットライト」、繊研新聞九月三十日。書上誠之助「ファッション素材供給基地〝桐生〟」、群馬大学工業会報No.89、九月、群馬大学工業会。「テキスタイルの魔術師—アントロジー社長新井淳一氏」、日本経済新聞十月六日。

◆Nina Hyde, *'Fashion Notes'*, THE WAHIGTON POST, September 25./ Kennedy Fraser, *'PROFILES THE GREAT MOMENT'*, THE NEW YORKER, Dec.19.

1984——

四月三日、六本木アクシスビル地下一階にショップ「布＝nuno」をオープンし、ファブリック需要に対する新たな切り口として注目される。英国のピーター・コリンウッド夫妻が桐生を訪れ親交を深める。第八回上毛芸術奨励賞特別賞（上毛新聞）を受賞。日本民藝館の館展審査委員に就任して二〇〇六年まで織物部門担当、毎年『民藝』に講評掲載。『COLOR DESIGN』(日本繊維意匠センター刊)六月号—十一月号で「私の織物手帖」を六回執筆・連載。『サロン・ド・ボーテ・ヤスコ』にコラム「私のファッション考」を十回執筆・連載。
▼関西日仏学館稲畑ホール(現・京都日仏会館)で「新井淳一の布」展(五月七—十三日)。佐賀町エキジビット・スペースで「布空間・布人間 新井淳一作品展」(七月十四—二十九日)。
▲「ずいひつ 段取り八分 テキスタイルデザイナー 新井淳一」、『労働と経営』Vo.22、五月号。「座談会 バック・トゥ・カラー」(新井淳一・皆川魔鬼子、司会＝太作陶夫)、『流行色』六月号。『WAKE-UP』十月号の「布・宇宙」(詩＝高橋新吉)に作品が大きく掲載。「私のファッション考」執筆・連載。1冬来たりなば、2布＝NUNO、3徒花(あだばな)、4無いものねだり、5針の願い、6種蒔く人、7〝アフリカの椅子〟、8好みは、千の嫌悪よりなる(ヴァレリー)、9デザイン投資、10機口傳。『COLOR DESIGN』(日本繊維意匠センター)の「私の織物手帖」六—十二月に六回記事を執筆・連載、各回のタイトルはアフリカの寝台、スートラ(たて糸)とタントラ(よこ糸)、布で織った布、織物の尺度、赤と白の布と子供たち、布の命。「座談会 これからの布『印度の民藝(ヴィレッジ・アート)』展に因んで」(新井淳一、岩立広子、柳宗理、柚木沙彌郎)、『民藝』七月号第三七九号。
▲「素材 新井淳一」、『JALFIC (Japan Leather Fashion Information Center) 66 1984-85 AUTUM WINTER No.1』、一月。「TOKYO コンピューターで布を織る桐生から出たコスモポリタン テキスタイル・プランナー新井淳一」、読売新聞三月十日。書上誠之助「桐生はファッションタウン・キリウになりうるか?」、桐生倶楽部会報四月第四一号。「NEW THIRTIES 人間の肉体や思想を包む「布」がこれからはおもしろい——新井淳一」、『HONDA NOW』第六号、四月、本田技研工業。「新ライフスタイル考 ときには布に注目するのも面白い」、赤旗五月六日。『「布の詩人」の美の世界」、毎日新聞五月八日。赤澤基精「ライフ・シンセサイザー 情念の布を売る店『NUNO』」、『月刊FILING CAPSULE』八月号、日本コンサルタントグループ。「「布」への感動を具現化する21世紀の生活ワークショップ」、『週刊ウーマンズ・ウェア・デイリー・ジャパン』八月二十日。「ア・ラ・カルト 手のぬくもりのあるモノたち」、『クロワッサン』九月号。「Weekend Trial いい布の店見つけました」、『LEE』九月号。「エース登場 新井淳一 生命ある布を大衆に売る」、日経商品情報繊維版九月十七日。「コンピュータで新しい布を創造する〝織物職人〟」、『文藝春秋』十月号。「布・宇宙」、『WAKE-UP』十月号。「ふたつのいす 新井淳一・加藤登紀子」、日本繊維新聞十月二十七日。「shop〝布〟 人と共存共栄する布とは?」、『Le KIMONO』創刊号十一月、河出書房新社。「視点 原点 脱点 「布」は時代を織り成す」、『週刊ウーマンズ・ウェア・デイリー・ジャパン』十二月三日。「シリーズ ニュー・クラフトマン・シップ② 情念を秘めた生命体、新井淳一とアートテキスタイルの新しい風」、『AXIS』冬号。
◆Mazako Omori, '*PORTRAIT Junichi Arai, créateur d'étoffe*', gap JAPAN, Mai (May, French)./ '*LES TISSERANDS MAGICIENS*', marie claire, Mai (May, French)/ '*Materials*', NEW FASHION JAPAN.

1985——

東欧に二十二人で「七夕ツアー」。銀座松屋、西武百貨店、札幌に「布の見世」開店で計四店に。季刊『銀花』63号秋号で二十二ページの特集「布潮流・伝統から未来へ＝桐生・新井淳一の世界」が掲載される。
▼大阪・難波高島屋で「布・宇宙」展(四月二十五—三十日)、富山・米三で「布を活ける」展、香川・愛媛・福岡・長崎で「新井淳一布展」、

札幌市民ギャラリーで「構造と布」(三月十九—二十四日)、桐生で「桐生の布展」(アントロジー主催、六月十—十六日)、「新井淳一 布 PASSAGE」(芦屋市、八月十七—二十日)開催。「エミリオ・アンバース展」(アクシスギャラリー、四月十六日—五月六日)で布によるディスプレイを担当。

▲「しなやかTALK②」(新井淳一・平山和子・増田万喜子)、繊研新聞三月二十八日(東レファッション企画部広告)。「対談第13回 人と布」(新井淳一・藤本経子、司会=佐伯和子)、『JCDA会報』第33号、五月、社団法人日本クラフトデザイン協会。「きもの未来人。時代の風は、ニホン風」、繊研新聞五月二十九日(広告)。「ロマンと創意に満ちた物づくりに生きたい」(対談=新井淳一、岩田糸子)、繊研新聞八月十九日。「東欧見聞録 生きている機音村・シク」、『きもの』冬号別冊、十一月、日本繊維新聞社。「対談 布の冒険 布はどう布であり続けるのか」(新井淳一、東野芳明)、『KAWASHIMA』16号特集「染織の方位」。

▶「オーダーメイド復活の兆」、洋装産業新聞二月五日。「和装商況を見る 昭和の新しい織物の創造を」、西陣織たより三月一日。「ジャカード織り 創造性に高い評価 米国のテキスタイル展」、上毛新聞三月十二日。「新井淳一の風呂敷」、毎日新聞三月十五日。「コレクションを創る② 機屋が織りのデザイン」、読売新聞三月十六日。「布の造形変幻自在 桐生のデザイナー披露」、朝日新聞三月二十一日。「電算機で織る 新井淳一」、北海道新聞三月二十一日。「TEXTILE 東レと新井淳一の気になる関係」、『週刊ウーマンズ・ウェア・デイリー・ジャパン』四月八日。「桐生の新井さん コンピューターで織物」、読売新聞四月十六日。「ワッすごい人! 生きた布との出逢い 新井淳一「布・宇宙」展」、『ファッション情報』No.474、五月十八日、ファッション情報社。「新井淳一さん 須藤玲子さん」、『SOPHIA』九月号。

■米国ロード・アイランド・スクール・オブ・デザイン(RISD)美術館の「FABRIC FOR THE 80's」にパネリストおよび出品者として招待される。RISD行きと合わせMoMAで開催中の「二十世紀美術におけるプリミティヴィズム」展(一九八四年九月二十七日—八五年一月十五日)を最終日に訪れる。米国FIT(Fashion Institute of Technology)資料室に作品が所蔵される。

◆Deborah Cannarella, *'Fabric About Fabric: Junichi Arai's computer creates a textile for the 80s'*, Threads Magazine, October/November.

1986——

『月刊染織α』八—十月号で「東欧見聞録」を三回執筆・連載。ウールを「テーマ素材」とする第一回テキスタイル・デザイン・コンテスト(ファッション振興財団)で、森英恵、三宅一生、小倉栗太郎と審査員をつとめる。

▼東京・アクシスギャラリーで東レと「布・パラダイム」展開催(四月二十四—二十七日)。「新井淳一の布と土佐の紙展」(伊野町紙の博物館、三月二十八日—四月一日)開催で高知新聞にエッセー執筆。「新井淳一の布市場と藍染展」(徳島市)開催。

▲「土佐と龍馬と紙と布」、高知新聞三月二十七日。「新井淳一 コンピューターで布に息吹を与える」、『機内誌Winds』五月号「自然がはぐくんだ上州人の気力・活力・発想法」、日本航空。「布の手触り 着ごこちと見せごこち」、『学術誌 衣生活』十月号、衣生活研究会。

▶「織物の世界に新境地『新井淳一布展』始まる」、高知新聞三月二十九日。「新井淳一 現代の布の文体」、『デザインの現場』四月号、別冊『美術手帖』。「新しい合織の世界提案 東レ「布・パラダイム」展 新井淳一と共同で」、日本繊維新聞四月十八日。「新井淳一氏と共同企画 東レ「合織"布"再発見」提案」、繊研新聞四月十八日。

櫛引さかえ「美の表現者たち　華麗な布の思想　新井淳一」」、『ハウジングレヴュー』五月号、ワイズマン・システム・ボード。

1987——

アントロジー株式会社倒産、新井クリエーションシステムを設立。英国王室芸術協会から名誉会員に推挙されHon. R.D.I.（一九三六年創設、オノラリー・ロイヤル・デザイナーズ・フォー・インダストリー）の称号授与で、ヴィクトリア&アルバート・ミュージアムに作品が収蔵される。結城紬技術アドバイザー就任。ＲＩＳＤ美術館に作品が収蔵される。「国際テキスタイル・コンペティション'87京都」の審査員をつとめる。新井がプランした布を売るショップが高知市で開店。

▲「モノトーンの持つ魅惑的な色感」、『流行色』一月号。

▲「布による空間づくりを　新井淳一さん来高」、高知新聞二月二日。「英国王室芸術協会　〝布の詩人〟名誉会員に　新井淳一氏」、毎日新聞十一月二十一日、東京新聞十一月二十一日。「テキスタイルデザイナー新井淳一氏　英国王室芸術協会の名誉会員に」、日経産業新聞十一月二十一日。「英国王室芸術協会の名誉会員に　新井淳一さん　織物技術を評価　日本で3人目」、サンケイ新聞十一月二十一日。「桐生の新井さん　英国王室芸術協会の名誉会員に　繊維業界で日本初」、上毛新聞十一月二十一日。三島彰「服飾時評　日本産地の名誉　世界の拍手にこたえる創造を」、繊研新聞十二月二十九日。

◆Peter Popham, *'MAN OF THE CLOTH'*, BLUEPRINT, December.1987–January.1988.

1988——

群馬県桐生織の技術アドバイザーとなる。「メタライズド・ウール」の開発に着手。ＩＷＳ（世界羊毛事務局）主催の「マテリアル9」および「JAPAN WOOL FAIR」等でインベンティブ・テキスタイル・コーナーを提案。季刊『銀花』七四―七七号（一九八八年夏―八九年春号）で作品写真とともに各回七ページ相当の記事「布の詩」を四回執筆・連載。『週刊ウーマンズウェア・デイリー・ジャパン』（ＷＷＤ、流行通信社）に九四年まで一四八回に及ぶ「天衣無縫」の連載を開始する。第三回インターナショナル・テキスタイル・デザイン・コンテスト（日本ファッション振興財団）の審査員をつとめる（第三―五回）。多摩美術大学染織デザイン専攻客員教授（一九九八年まで、以降は生産デザイン科テキスタイルデザイン専攻で継続）。

▲「地方　現代の布の魔術師　新井淳一」（インタビュー）、三島彰『「モード・ジャポネ」を対話する』、フジテレビ編成局調査部、一月。『銀花』での執筆・連載のタイトルは、蠶婦（さんぷ）、沖縄、英国、アメリカのアフリカ。「ぷろふぃーる　新井淳一　服に拮抗する力を持つ布を作る」、『にっけいでざいん』二月号。「かりそめの身振り」（対談＝東野芳明、新井）、『美術手帖』二月号特集「ファイバー・ウェーブ——布の発想、布の提案」。『ＷＷＤ』の「天衣無縫」初年度として一―二十五回執筆・連載（六―十二月）。各回のタイトルは以下のとおり。1連載にあたって想うこと、2手仕事に篭められるもの、3教えることと教えられること、4 Crosscurrents at Chicago、5結城紬の今日と明日、6勝山・アートフルの会、7第1回金の糸賞を受賞したコンスタンチーヌ、8シカゴの「シティ」、9アメリカの宝石箱、10 ART TO WEAR、11 NOT FOR SALE、12仕事着、13鯨岡さんの特別賞の重み、14 Conversation、15日本民藝館の「インド民藝」展、16明日の東京物語、17テキスタイル・デザイン・コンテスト、18見衣、19エクレクティック桐生、20 Structure of Weaving、21袈裟とSACRA、22工芸と民藝、23待たれるテキスタイルシンポジウム、24艶屋物語、25審査を終えて。

▶柳宗理「新しい布」（図版＝新井作品）、『民藝』五月号。「山際淳司の

「車座」3　絹織物の町・桐生で、コンピュータを駆使する新井淳一の二進法芸術」、『週刊ポスト』九月三十日号。〈現場の思考〉2：構造としての織物　新井淳一氏に聞く」（ゲスト＝伊東豊雄＋ゴピカ・ナース／構成＝市川浩）、『季刊思潮』第二号。

■シカゴで開催された「convergence 88 chicago」（七月八―十五日）にスピーカー、出品者、「Golden Thread Award」（金の糸）審査員として参加、シカゴ・カンサスシティ・サンフランシスコで展示会と講演会を行なう。ＲＩＳＤの美術館で「Textile by Junichi Arai」展開催（十二月九日―八九年三月十二日）、美術館での初の個展となり、帰路ロサンゼルスのパシフィック・デザイン・センターを訪問。

◆Peter Popham, '*THE TRUMPET OF A PROPHECY*', THE MAGAZINE Vol.3 No.1 January./ '*PROCEEDINGS*', R.S.A.JOURNAL. March./ Jackie White, '*A special way with fabric: Mexican art inspires designer*', The Kansas City Star, July 24.

1989――

「桐生織塾」発足（三月三日披露）に尽力、塾長となった武藤和夫は元・群馬県繊維工業試験場部長。『怪夢譚　横田稔銅版画集』（草原社、六月）の装幀用に布を提供。六月、北海道・岩見沢の「夏の布市場」に合わせ講演「布交遊録」を行なう。『創造の美学テキスタイル・クリエーション［1］』『同［2］』に四本の論文執筆。クーパー・ヒューイット美術館に作品が収蔵される。

▼「マテリアル9」（国際羊毛事務局）の「イノベーティブ・ファブリックコーナー」を担当して作品出品。

▲『ＷＷＤ』の「天衣無縫」26―68回を執筆・連載（一―十二月）。26アメリカ布談義、27星の時間、28染色参考館、29朧型（ウブルガタ）、30虚から出た実、31もんぺ讃歌、32おもいとわざ、33「複数の胃袋」、34テキスタイル・デザイン、35目と掌、36櫻、37 3つの顔、38「共働」ということ、39風を孕んで、40 5年経って、41森と良樹、42街と都会、43アジアのテキスタイル、44北ホテル、45南の風、46カーライフとデザイン、47刺子足袋、48 BEST & ONLY、49七夕（たなばた）、50シャモーゼ、51ピンチ、52袖を振る、53刺繍、54棉（わた）と綿（わた）、55よむ、56きく、57参考館、58見なかった「ファウスト」、59光とあかし、60インターナショナル・テキスタイル・デザイン・コンテスト、61時間、62藍布、63不易流行、64 KARADA、65現場、66道具、67ファッション繊維、68「ホノホ」。「第1章―2創造の秘密を解き明かす」「第4章―1クリエーションの土壌を耕せ」、「第8章―1蘇れ、旧技術、蘇れ、古き情熱」「第8章―3古くて新しい糸、スリットヤーン」「第8章5―21世紀を開く鍵を求めて」、『創造の美学テキスタイル・クリエーション［1］』『同［2］』、現代構造研究所編集、繊維工業構造改善事業協会発行、十二月。

▲「機屋と芸術の狭間で」、四月十二日（新聞名不明）。長濱雅彦「らんさいど　K&Tとハイテク織物」、『にっけいでざいん』八月号。

◆Kyoko Mimura, '*the Mystical Master Of Cloth*', MAINICHI DAILY NEWS, February 27.

1990――

大川美術館に作品が収蔵される。大東紡と共同開発して新バイオテック・ウール発表。「ジャパンウールフェア」（十月十六―十八日）で新井が開発した新世代ウールを菱沼良樹が作品化して発表。「QUEST NEW STANDARD FORUM IV　日本のライフスタイルのロマンを追って」（十二月六日）に石津謙介らとパネリストをつとめる。

▼ケイテー記念館で個展「布ストリーム」（六月十一―二十四日、福井県勝山市）。「ラスト・ディケイド1990デザインのサンプリング」（日本デザインコミッティー主催、銀座松屋、九月）に出品。福井県立美術館の「繊維新展」（十二月十二―十六日、初日に記念講演と菱沼良樹との

対談)をプロデュース。
▲『WWD』の「天衣無縫」69—108回を執筆・連載(一—十二月)。69星の時間、70ラ・エスペーロ、71年賀状、72 Contemporary Fabrics、73織塾、74裏は表、75卒業制作、76ふらんす亭、77壁抜け、78分裂と融合、79衣(ころも)がや、80非常の人、81'68—'89、82コレクション、83D&D'、84 GLASGOW ART SCHOOL、85桐生新町、86流用と創造、87人材育成、88空豆と呼んだ蚕豆、89アンニョンハシムニカ、90織塾のあたり、91布ストリーム、92新世代、93風合、94産学共働、95五つの川、96ボランティア、97紬のこと、98アーミッシュ・キルト、99シーラ・ヒックスの仕事、100布はアートたりうるか、101ラスト・ディケイド、102福井「繊維新」、103明日館講堂、104第5回の審査を終えて、105新しい芽生えのために、106布のひろがり、107青のこと、108引目鉤鼻。
▶「ジャパンウール・フェア・コレクション　不思議さに魅せられて　新井淳一」日本繊維新聞十月八日。「新井淳一氏による新世代ウール　IWS「ニューアプローチコレ」完成」、日本繊維新聞十月十五日。「ジャパンウールフェア初日　新世代ウール400点披露」、日本繊維新聞十月十七日、これら以外にも新バイオテック・ウール関係記事多数。
■米国サン・ノゼ開催のHGA(ハンド・ウィーバーズ・ギルド・オブ・アメリカ)に講師として参加、サンフランシスコでは現代キルトによるファッションショーを行ない(フォーク・アンド・クラフトミュージアム)、「アーミッシュ・キルト」展に感銘を受ける。ニューヨークのクーパー・ヒューイット(現・デザインミュージアム)「Color, Light, Surface」展(四月三日—九月二日)に出品作家代表として招待され基調講演およびシンポジウムの司会をつとめ、作品が『Hand woven』十一・十二月号に掲載。
◆*'Junichi Arai at the Museum for Textiles'*, SURFACING Vol.12, No.2. June. / Debby Adams, *'A Tale of Two Shops'*, CITY LIFE NEWS, August 1./ Peggy Marion, *'DESIGN TODAY: An artist vision, an engineer's technology'*, HOME TEXTILES TODAY, August 6. / Heather Smith Macisaac, *'Arai Arrives'*, HOUSE & GARDEN, August./ Joel Kotkin, *'CREATORS OF THE NEW JAPAN'*, INC., October./ Lisa Hammel, *'JUNICHI ARAI: A Magician with Textiles'* FIBERARTS, Vol.17, No.3 Nov/Dec./ Nell Znamierowski, *'Color, Light, Surface: Contemporary Fabrics'*, Hand woven Nov/Dec.

1991——

「HEIME TEXTIL'91」(一月九—十二日、フランクフルト国際見本市会場)出展の常磐商事に協力。一月、新井オリジナルの生地を使用したレディース専門店「スレッズ」(泰道リビング)が代官山にオープン。「センイ・ジャーナル」六月三日—七月十二日「菱沼良樹VS.新井淳一ファッショントーク〈ものづくりの心〉」が対談形式で十三回掲載。ロンドン・リバティ百貨店で「nuno」オープン。米国シアトルのThe Surface Design Association主催の「環太平洋からの展望」会議に講師として招待参加。
▼群馬県立美術館の「染と織・現代の動向展」(九月)に三点出品。「風合い　構造としての布」(十月二十六日—十一月二十四日、監修=市川浩、手で見るギャラリー・TOM)に協力・出品。
▲『WWD』の「天衣無縫」109—120回を執筆・連載(一—十二月)。109新年所感、110 U.F.A.C.、111寄る、112生命の樹の實〈threads〉、113春、114遅れたレポート、115産業考古学、116環太平洋への展望、117風合(其の後)、118ファッションセンターとリソースセンター、119韓國の布、120シースルースルー。センイ・ジャーナル「菱沼良樹VS.新井淳一〈ものづくりの心〉ファッショントーク」を六月三日—七月十二日ま

で十三回連載（各回タイトルなし）。「ジャパン・クリエーション　第三次産業革命の中のテキスタイル」、『ファッションビジネス』一月、ファッションビジネス学会。「第三の時代にかかわる布の「質感と風合」」、『流行色』No.406 一月号、社団法人日本流行色協会。「シルクテキスタイルとクリエーション」、『季刊ＪＡＩＣ』No.42春号、二月、日本アパレル産業協会。「私の一着　忘れていたものを取り戻した「黒い太陽」」、繊研新聞三月十六日。「生命の樹、そしてペーズリーのこと」、『染織デザイン資料誌 Vol.2　植物文様Ⅱ』、桐生地域地場産業振興センター、三月。「現代のプリミティブ、インフォメーション・アート」、日本繊維新聞九月十八日。

■Wing Luke Asian Museum（ウイングルーク美術館）で「Junichi Arai」展開催（七月九日―八月五日）。ワシントン大学校庭でSusan Singleton（スーザン・シングルトン）と巨大なインスタレーション「モンゴロイドの幡」（七月九―十七日）を行なう。

◆Angi Bates, '*DESIGN NEWS DREAM WEAVES*', INTERIORS, June./ Chloe Colchester, '*HIGH-TECH AND TEXTURE*', CRAFTS, September/October./ Dorothy Mackenzie, '*7 TEXTILE DESIGN case study Junichi Arai fabrics, Japan*', TEXTILE DESIGN.

60歳・平成四年

1992――

繊研新聞六月六日―九四年三月二十六日までほぼ毎週、「新布考」を八十九回執筆・連載。新井クリエーションシステム会長（社長＝横江昭、設立は一九八七年）となる。国際絞り会議の海外からの参加者三十人超が新井、桐生織塾などを訪問。「92年テキスタイル産地フォーラム」（五月二十一―二十四日、東武電車内）に参加。那覇で講演「素材の伝統と革新」（那覇伝統織物協同組合主催）、「国際絞り会議」でワークショップ（十一月二十三日）を行なう。米国『メトロポリス』誌九月号が「Dream Weaver」と題して九ページの特集を組む。国際繊維学会（THE TEXTILE INSTITUTE、本部＝マンチェスター）から日本人初のデザイン・メダル（テキスタイルデザイナー勲章）受章。

▼個展「新井淳一の布　手とテクノロジー」（三月七―二十五日、主催＝朝日新聞社）を東京・有楽町朝日ギャラリーで開催（図録は新井クリエーションシステム発刊）、延岡（九月十一―二十日）、仙台（十二月二―六日）に巡回。

▲『ＷＷＤ』の「天衣無縫」121―132回を執筆・連載（一―十二月）。121テキスタイル・グルメ、122セーフティーベルト、123ディコンストラクション、124いちやりば、ちょうでぇぃ、125生きとし生けるもの、126テキスタイル産地に託すこと、127ファッション産業における人材、128ゆらぎの世界、129線香七夕、130手とテクノロジー in 延岡、131椅子、132ムサシ。「新春デザイナーインタビュー　新井淳一さん　手とテクノロジーの融合」、日本繊維新聞一月十七日。「原宿クエスト・ニュースタンダード・フォーラム　これからのテキスタイルデザインの可能性を語る」（パネリスト＝三島彰、新井淳一、池谷昭三、中川原哲治、太田伸之）、日本繊維新聞一月二十一日。「生きとし生きるもの」、『染織デザイン資料誌 Vol.3 動物文様』、桐生地域地場産業振興センター、三月。「ファッションとーく　ポスト登録制――産地の明日どう切り開く」、日本繊維新聞五月二十七日。繊研新聞「新布考」全八十九回の執筆・連載開始（六―十二月）。各回のタイトルは以下のとおり。1テクスチャー（上）ウィピールに衝撃、2同（下）一重多組織織り登場、3羅とファンシー・ゴース（上）インカの布を再現、4同（下）夢を夢とせず実現、5アフリカの布たち（上）無名の工人の思い、6同（中）反復の美――巨大布、7同（下）布目柄と一生氏、8絞り（上）「絞りの人」と出会う、9同（中）迷路の入り口、10同（下）複合

のパズル、11印金更紗(上)民族染織と出合う、12同(中)真空蒸着法の開発、13同(下)リヨンで評価される、14吉田コレクション(上)古今の染織の優品、15同(中)生育者との出会い、16同(下)美術館作りを願う、17エンブロイダリー(上)刺しゅうの寛斎、18同(中)「ビギ」での挑戦、19同(下)現代の棒金を使い、20続・絞り(上)揺れる鏡のよう、21同(中)ウールの縮絨、22同(下)ウールの溶解、23経絣(上)織り柄の妙技、24同(中)横線をきった青、25同(下)スンバ島の括り絣、26ビーズ(1)多種多様な驚き、27同(2)人間の表徴として、28同(3)子安貝のこと、29同(4)親の祈りの結集。「ファッションとーく 一つしかない未来のために 実学のすすめ」、日本繊維新聞八月二十六日。「康平さんという人は…」、桐生タイムス十二月十日。

▲「新井さんが新作個展」、桐生タイムス二月二十一日。「逆転の経営 織物産地に都会の実力」、日経産業新聞十月三十日。「新井さんにTIメダル 布のアート性評価」、桐生タイムス十一月七日。「米『メトロポリス』新井さんを特集」、桐生タイムス十一月十日。「世界の染織家 桐生へ」、上毛新聞十一月十三日。「絵を見るように布を見てほしい」、朝日新聞(宮城版)十二月三日。「「新井淳一の仕事」仙台で華麗に布展」、桐生タイムス十二月十日。

■トロント・テキスタイルミュージアムで「Junichi Arai Textile Exhibition」開催。

◆Nomi R. Pollock, '*dream weaver*', METROPOLIS, September.

1993——

七月八日、第一回産業デザインセミナー(岡山県産業デザイン協会、岡山県新技術振興財団主催)で講演「今日的デザイン活動のあり方」およびパネリストをつとめる。日本繊維学会の大会(軽井沢)で講演「ハイテクをクラフトに引きよせる」(九月)を行なう。ギンザ・コマツのクリスマスオブジェ「ノエル・ダンサー」がDDI(日本ディスプレイデザイン協会)奨励賞を受賞。

▼今立美術館(福井)で「新井淳一の布世界展」。「「布」・温故知新」(ニッケコットンプラザ、六月九—十五日)。

▲『WWD』の「天衣無縫」133—143回を執筆・連載(一—十二月)。133継続は力、134茶番狂言、135 15年目の節、136民族衣裳における記号としての抽象、137プッシィング・ザ・リミット、138ひとつしかない未来をめざして、139有鄰館のこと、140アフリカ病、141桐生の横浜ばなし、142ハイテクノロジーと感性=繊維学会に学ぶもの=、143「銀座」。繊研新聞「新布考」を執筆・連載(一—十二月)。30タパ(上)コンピューターで再生、31同(中)時代の移行、32同(下)締めつけから脱却、33リボン(上)おしゃれの三種神器、34同(中)自信に満ちた色柄、35同(下)文様を交互に接ぐ、36キルトとパッチワーク(上)繰り返す作業の重み、37同(中)ラクダの腹がけ、38同(下)現代の創造の喜び、39フレア(上)絶妙なネーミング、40同(中)民族が競合し表現、41同(下)数百枚はいだ"塊"も、42ショール(上)新世代ウールで挑戦、43同(中)ウールを絹織物で、44同(下)脱構築への興味、45紐(上)衣服の起源、46同(中)文化形態も変わる、47同(下)民族のシンボル、48花嫁衣裳(上)生命の賛歌と未来、49同(中)命をかけた誇り、50同(下)共通項が多い、51枕(上)詰め物と布、52同(中)美しい木枕、53同(下)概念を超えて、54注染(上)身近な染色法、55同(中)表裏のない面白さ、56同(下)アジアの布の心、57熱転写(上)1928年に特許出願、58同(中)木綿、ウールも可能、59同(下)厚い生地にも可能、60異形の者(上)カルチャーショック、61同(中)仮面衣装の秘事、62同(下)布は生成りと藍、63カット・ベルベット(上)高級服地の一つ、64同(中)職人の精緻な技、65同(下)招来の革新に期待、66風通(上)千変万化の表情、67同(中)予想を超えた美、68同(下)無限の可能性も、69幡(上)構図のたのもしさ、70同(中)バリ島の手がき更紗、71同(下)平安と豊饒を祈念、72袋(上)シャム・バッグ、73同(中)ショルダー、74同(下)さま

ざまな工夫、75続・袋(上)二つの袋、76同(中)ショルダー、77同(下)韓国・農民の袋、78帽子(上)インディオの誇り、79同(中)花笠に魅せられた。「記号としての抽象」、『染織デザイン資料誌 Vol.4 抽象文様Ⅰ』、桐生地域地場産業振興センター、三月。

▶「世界をステージに活躍するクリエイターたち〈デザイナー編〉新井淳一」、『FASHION PLAN Special Issue　ファッション・クリエイターの世界へようこそ』No.449+450合併号、十二月、ファッション・プラン。

■ヘルシンキ装飾美術館で個展「Junichi Arai Textile Exhibition」、イエーテボリ装飾美術館（スウェーデン）で個展開催。ロサンゼルスのPacific Design Centerの「Hand and Technology」展出品、クーパー・ヒューイット（現・デザインミュージアム）で個展「Pushing the Limit」開催。

1994——

桐生タイムスで一九九四年一月二十二日—九六年四月十三日まで「縦横無尽」を五十回執筆・連載。日本文化デザイン会議'94福岡（十月二十八—三十日）の「アジアのリズム・日本の布」で田中優子、岡本光平、吉本忍とともに座談会を行なう。シンポジウム「日本のファッションの未来を語る」（江戸東京博物館ホール、十一月十日）のシンポジウムでパネラーをつとめる。

▼「小松に遊ぶフォーラム'94　園林遊戯（おんりんゆげ）」で「極楽遊び」（十月一・二日、新井・掛井五郎・杉浦康平）、「布と彫刻展」（掛井五郎・新井、本陣記念美術館、九月二十七日—十月十日）開催。「蘇れ秩父の布たち　新井淳一とその弟子たち」（ギャラリー具、十二月十八—二十五日）。

▲『WWD』の「天衣無縫」144—148回を執筆・連載（一—四月）。144ガラスペン、145思うと同時、146+46 33、147明日からが問題だ、148バーチャル・ミューゼアムとバーチャル・エデュケーション。繊研新聞「新布考」を執筆・連載（一—三月）。80帽子(下)中東のフェルト帽、81真空セット(上)かかせぬ技術、82同(下)まだ見ぬ布たち、83ベスト(上)戦時の思い出、84同(中)マリオンのベスト、85同(下)呼称のあいまいさ、86まだ見ぬ布(1)古いものに学ぶ、87同(2)ギルの思想継ぐ、88同(3)現代の技術で再現、89同(4)蘇れ古き情熱。桐生タイムス「縦横無尽」を1—25回（一—十二月）執筆・連載。1旅のはじまり、2東と西の街、3ソニア・ドローネからオノサト・トシノブ、4+46 33と二つの鋏、5手わざの道具、6手人の情熱、7開かれた図書館、8変わったこと、変わらないこと、9地球サイズの夏期学校、10一つぶの火花、11六月には霊歌が聴こえる、12ガラスの椅子、13生まれ出るものへの讃歌、14加賀山満のこと、15ミューゼオロジー、16教えにきて教えられる、17わざ以前のこと、18緑のバラ、19小松に飛んだ有鄰館の種子、20桐生再演の磁場、21甦る原始美術、22「相似」との再会、23桐生紙の波紋、24モンデール大使公邸にて、25待たれる秀島由己男展。「生命の象徴」、『染織デザイン資料誌Vol.5 抽象文様Ⅱ』、桐生地域地場産業振興センター、三月。「布と向き合うテキスタイルの未来へ　スウェーデン・ボローズのテキスタイルミュージアムを訪ねて」、繊研新聞四月二十三日。「新井淳一のファッションとーく　桐生工芸工場の出発をのぞんで」、日本繊維新聞六月八日。

▶「不思議な空間創造　布と彫刻展が開幕」、北國新聞九月二十八日。田中優子「デザイン会議に寄せて　日本の布　世界的視点からの研究必要」、西日本新聞十月二十七日。

■ボローズのThe Museum of Textile History（スウェーデン）で二人展「Textile Magician Sheila Hicks—Junichi Arai」（一月二十三日—三月二十日）開催で、パンフレットの序文はアストリッド・サンペが書く。セントルイス美術館「Textile of the world」の最終室に作品が展示される。ハンブルク美術大学(ドイツ)で「新井淳一の布展」開催。コペンハーゲンのデンマーク・デザイン・スクールでワークショップと講演を行なうため五週間滞在。ロンドンのCraft Council Gallery 開催の「Textiles and new technology」(九月十五日—十一月十三日)に出品し、二年半にわたりオランダ、イギリスを巡回。フィラデルフィア美術館「JAPANESE DESIGN, A SURVEY SINCE 1950」(九月二十五—十一月二十日)に多数出品。

◆Ann Sutton, '*Jun'ichi Arai IS THE BEST WEAVE PLANNER*', Textiles Forum, April./ Sarah Braddock, '*Respect for tradition, curiosity for technology*', "*Textiles and new technology*" edited by Marie O'Mahony and Sarah Braddock, Crafts Council, London, September.

1995——

石川県小松市でテキスタイルコンテスト「SURFACING」をオルガナイズ(十月九日審査会)。文部省のアパレル人材育成産学協議会委員として「ファッション教育研修会」(大阪、十月十二日)で講師をつとめる。

▼桐生織塾の「縞展パートⅢ」に出品(三月三—四日)。足利市立美術館で熊井恭子との二人展「光と風と」(十一月十四日—九六年一月十五日)開催、この会場でステンレススチール繊維の開発依頼を受ける。

▲桐生タイムス「縦横無尽」26—43回(一—十二月)を執筆・連載。26思考と試行、27ガネシア神、28デザインリポート、29「縞」展にみる織塾、30デザイン・タイム、31鈍感な日本人、32ニューミューゼアム、33風吹き、旗翻る、34ひびいていこう、35機械と人のコミュニケーション、36桐生の「ウール」、羊の國へ、37ブーメラン、38無窮はな咲く街の新聞　ザ・キリウ・タイムズ、39アンニョンハシムニカ、40極地に立つ織物産業、41創造性の共有、42トエンティ、43布の宇宙。「「霊歌(影)」に励まされて」、「企画展No.25　魂の叫び秀島由己展」、大川美術館、一月。「祈りの形象」、『染織デザイン資料誌Vol.6 抽象文様Ⅲ』、桐生地域地場産業振興センター、三月。「シンポジウム 日本のファッション立国と江戸文化」(パネラー=新井、越川禮子、深井晃子、望月照彦、司会=藤原肇)、『「日本のファッションの未来を語る」実施報告書』、すみだファッション推進協議会、八月。「アジアのリズム・日本の布」(座談会=田中優子、新井淳一、岡本光平、吉本忍)、『団談文庫11　アジア的・日本的』、日本文化デザインフォーラム編集、栄光教育文化研究所、九月。「大和の色と形とは——」、『大和からデザインを考える』、奈良デザイン協会、十二月。

▶戸矢崎満男「新井淳一のテキスタイル」、『〈92—94 特別研究報告書〉コンピュータによる新しいテキスタイルデザイン　くりかえさないパターン』、神戸芸術工科大学、六月。高橋睦郎「旅・この出会い　さまざまの糸・手提げ袋」、『ARCAS』No.70、八月号、日本エアシステム。「世界の漆織　輝き一堂に」、北國新聞十月八日。

■ドイツ『デザインリポート』誌一—二月号で八ページの記事が掲載される。ドイツの「ブレーメン・デザイン・タイム」出品、アムステルダム国立デザイン研究所にて日米欧で前年から継続の「新井淳一とそのマスタークラス」展を行なう。シドニー、メルボルン(オーストラリア)で作品展示と講演を、キャンベラ・スクール・オブ・アートでワークショップとウールの展示会「Challenging ideas of Cloth」(七月十四—二十九日)を行なう。ニューヨークのAmerican Craft Museumで「Junichi Arai One Person Exhibition」、RISD(ロード・アイランド・スクール・オブ・デザイン)およびパーソンズ・スクール・オブ・デザインでワークショップと特別講師。ソウルの建国大学でのワークショップ「漆の質感を求めて」に参加。アメダバードの「世界絞り会議」(インド)で展示、ワークショップ、基調講演を行なう。

◆Karen Hobson, '*A textile designer who knows no boundaries*', CT, 9. July. / Meredith Hinchliffe, '*Cloth artists penetrate social* fabric', CT, 24. July. / Priscilla Henderson, '*Contemporary Cloth*', Helen Musa, '*Clip and ship*', Muse, August./ Louise Haigh, '*JUNICHI ARAI IN AUSTRALIA　Challenging Ideas of Cloth*', AUSTRALIAN COSTUME+TEXTILE, August./ Rita Reif, '*Sorcery in Fabric and Computers*', THE NEW YORK TIMES, Sunday, August 6./ Rita Reif, '*Magic in Weaving and Computers*', HERALD TRIBUNE, August 8./ Kim Shuefftan, '*Dream Weaver, The World of Junichi Arai*', 翼の王国WINGSPAN. No.315, September./ Zsuzsi Dahlquist, '*Junichi Arai: Textile Engineer*', FIBERARTS. Vol.22 No.3 Nov./Dec.

1996——

ミクロン単位のステンレススチール長繊維集束糸を使った新分野に着手。翌年竣工の桐生市市民文化会館のアートワーク計画に参画し、ステンレススチール繊維作品をオルガナイズ。群馬県制作の小栗康平監督映画「眠る男」に布を提供。多摩美術大学客員教授となる。カリフォルニア大学デイビス校で講演「Science and Sorcery: Innovative Fabric Design」(四月四日)、フィラデルフィアでワークショップ、バークレーで公開講座を行なう。

▼フィラデルフィア美術館主催の巡回展「made in japan　世界に花開いた日本のデザイン」(五月二十三日―七月十一日、サントリーミュージアム[天保山])に〈織「Korean Carrot」〉〈ニット「蜘蛛の巣」〉はじめ六点を招待出品。

▲桐生タイムス「縦横無尽」44―50回(一―四月)を執筆・連載。44桐生の瀧、45インフィナティ(無限)、46円相、47曲り角、48春の鼓動、49デザインの素、50前衛アメリカの自信。「宇宙に浮かぶ地球界における桐生の布たち」、『染織デザイン資料誌 Vol.7 抽象文様Ⅳ』、桐生地域地場産業振興センター、三月。「座談会 インド・布の文化について(一)」(新井淳一、岩立広子、小西正捷、司会=柳宗理)、『民藝』第520号、四月号。

▶「image resource　萬華鏡」、『日経デザイン』一月号。篠﨑昭子「創造性の共有へ　桐生/ティルブルグ〈1〉―〈6〉」、桐生タイムス四月十六日―。「桐生の伝統 ハイテクで新生　新井淳一さん」、赤旗五月十一日。「MOOK人間図鑑 テキスタイルプランナー新井淳一氏」、『ぐんまMOOK Vo.1 AUTUMN '96―WINTER'97』、上毛新聞TRサービス。

■「テキスタイル・マジシャン」巡回展(ザ・イスラエル・ミュージアム、十一月から翌年一月)。

◆Maria Tolukas, '*SURFACING: Lacquered Textile Content '95 in Komatsu, Japan*', SURFACE DESIGN JOURNAL Vol.20 No.4 SUMMER.

1997——

桐生市市民文化会館(五月十一日オープン)のためにステンレス織によるタペストリー「未来からの要請」を監修、アートワーク展(七月二十七日―八月十七日)に作品「Mineral」出品。

▲「ロビー」、『月刊 繊維情報』No.239、六月。

▶「市民文化会館に緞帳さがる　布による巨大抽象作品」、桐生タイムス二月十七日。「銀の光沢 新シルク」、読売新聞二月二十六日夕刊。「銀の輝きで世界に売り込み　新シルク「メルトオフ」「ニューアプローチコレ」」、読売新聞二月二十七日。松尾武幸「カラーバリエーションのあるステンレスファイバー」、『繊維学会誌 FIBER』No.53、七月号。「image resource　火の鳥」、『日経デザイン』七月号。桜井敬三「リポート　ステンレス織物　新素材とクラフツマンシップの競宴」、『日経デザイン』八月号。「新素材ステンレススティール糸による金属長繊維を用いた巨大タペストリー」、『月刊染織α』

九月号。「テキスタイルクリエーターコース　中国女性が面接第1号」、桐生タイムス十月四日。「桐生初の金属繊維 パリコレへ」、桐生タイムス十月九日。「新素材が織り成す未来」、『AXIS』Vol.69、十月。

■Indira Gandhi National Centre for the Arts (IGNCA) 開催の「JAPANESE TEXTILE DESIGN EXHIBIT」に出品およびプレゼンテーション（二月八日—三月二日）。University of California at Davis校で「Junichi and Riko Arai」夫妻展を開催し、一週間にわたるワークショップと講演を行なう（三月三十一日—四月九日）。オランダの国立テキスタイル・ミュージアムで「新井淳一と布の鼓動」（三—四月）開催。カンサスシティのケンパー現代美術館で「Arai Glistening Fabrics」（四月十九日—六月十五日）展開催。ソウルの弘益大学で「新井淳一織物展」（十一月二十四—三十日）を開催しワークショップと特別講義、釜山の東亜大学で特別講義を行なう。

◆'*Japanese Designer to Discuss International Textile Trends*', JAPANESE AMERICAN DAILY Nichi Bei Times, April 4./ '*Top Japanese textile designer visiting UC Davis this spring*', THE DAVIS ENTERPRISE, April 4./ Robert Senecal, '*Caught in a web: Arai pair bring works to art center*', The California Aggie, April 4./ Patricia Beach Smith, '*Joyful lessons from a textile master*', THE SACRAMENTO BEE, April 5./ Anne Bican, '*Textiles 101 UC Regents' Lecturer Arai shares textiles technology with campus*', The California Aggie, April 11./ '*Art Wednesday*' '*Glistening Fabrics*'', The Wednesday Magazine, May 25./ '*NEW TECHNOLOGY SOFT, METALLIC MELT-OFF*', LOOK JAPAN, OCTOBER, 1997.

1998——

「Peter Collingwood—Master Weaver」（Minorities Art Gallery、一月十七日—三月十四日）図録（発刊は前年）に「Appreciation」を寄稿。有限会社ジョーヴィアン・クリスティー会長に就任。

▼元興寺極楽坊（国宝、奈良）前で「想像の布・新井淳一展—新井淳一とその仲間たち—」（十月二十七日—十一月八日）を開催し注目を集める。

▲上毛新聞で「連載 パンとばら」執筆、〈1〉「現代の"ばら"つむぐ織り人に」一月十二日、同〈2〉「世界に通じる群馬の絹に」一月十九日、〈3〉「沖縄の新しい仲間と協力」一月二十六日。「現代の暮らしと刺し子」、『津軽こぎんと刺し子　はたらき着は美しい』、INAX出版、九月。「連載・作家の仕事場　20世紀デザインの証言　新井淳一」（インタビュー＝佐山一郎）、『デザインニュース』三月号。

▶「加藤登紀子さんにインタビュー　衣装も自分でデザイン」で新井と桐生に言及、桐生タイムス一月二十八日。「布地と国宝の美しい出合い　きょうから新井淳一さん個展」、奈良読売十月二十七日。「ハイテク使った作品60点　元興寺極楽坊新井淳一展」、朝日新聞十月二十八日。「布地デザインに注目　目引く新井氏の作品「構造と表面—現代日本のテキスタイル」」、上毛新聞十二月五日。

■ニューヨーク近代美術館開催「構造と表面——現代日本のテキスタイル」（十一月十四日—九九年一月二十八日）に出品。

◆Matilda Mcquaid, '*The Nature of Contemporary Japanese Textiles*', MoMA, the magazine of The Museum of Modern Art, Nov/Dec.

◇Junichi Arai, '*Appreciation*', "*Peter Collingwood: Master Weaver*", Minories Art Gallery, A firsite publication, Colchester.

1999——

桐生市の「一店一作家運動」の一号店として秋に工房兼ショップ「Jun-ichi Arai」（本町六丁目商店街）をオープン。

▼「鉱物の布」展（松屋銀座のデザインギャラリー1953、三月十七日—四

月五日)開催。「絹の染織工芸展—絹の郷からのメッセージ—」(桐生市市民文化会館、十月三十日—十一月十四日)に五点出品。

▲「第三次産業革命の中のテキスタイル」、『ファッションビジネス』Vol.6、一月号、ファッションビジネス学会。

▼「群馬初!・新井淳一オリジナルブランド発表展」、朝日ぐんま一月二十九日。「新井淳一さん「鉱物の布」」、桐生タイムス三月二十六日。川上典子「MOMAで開催された「Contemporary Japanese Textile」展を見る」、『デザインニュース』245号、三月号。

■北京の中央美術学院(現・人民大学美術学院)で展示会「シルクよりスチール」、メルトオフのワークショップと講演を行なう。ニューヨーク近代美術館での「日本のテキスタイル展」(セントルイス美術館に巡回)に参加し代表講演。桐生市と姉妹都市であるコロンバス市(米国ジョージア州)より金属繊維使用の巨大モニュメントの制作依頼を受けて同市訪問、二〇〇三年のグランドオープンまで計五回訪問する。デリーにおける「日本芸術祭」に「新井淳一織物展」で参加し基調講演を行なう。

2000——

「染織　大人の学校」を群馬県繊維工業試験所などの協力で立ち上げる。沖縄県石垣島のリゾートホテル「クラブメッド・カビラ」のために地元と協力してミンサー織のインテリアファブリックを二年がかりで完成。unicefの『2001 Postcard Calendar』の表紙に、新井所有の渦巻形の金属クラフト(苗族のもの)が大きく掲載される。ブランド「Junichi Arai」創設。

▼「展覧芝居　天使の庭Ⅱ」(六本木ストライプハウス、二月四日—二十日)に参加。

▲「きもの談談 Vol.7　新井淳一さん　テキスタイルとは、衣裳そのもの」、『FB PRESS　FASHION BUSINESS PRESS』22号、二月。「21世紀の布」、『婦人之友』五月号。「新井淳一さんから高橋英子さんへ　伝統の布から未来の布へ」、『別冊太陽　おとなの学校②』、五月。「秀島由己男展に寄せて〈上〉」、熊本日日新聞十月六日。「ミンサーで夢をつかんだ」、『民藝』第574号、十月号。

▼「"垣根"こえ「展覧芝居」」、桐生タイムス二月。「高麗屋の女房・藤間紀子　大きな布をストールに」(ストール=新井淳一)、『ミマン』十二月号。「本六商店街から世界へ　新井淳一さんの新しい布」、桐生タイムス十二月二十九日。

■パリのエスモード学園で展示会と特別講義。アトランタ日本人会(米国)でJunko Sato Pollackとの展覧会と講演。ランカシャー大学(英国)で個展と講演を行なう。

◆Pamela Blume Leonard, '*FABULOUS FIBERS*', Q8, Sept. 8./ '*Textile innovator goes with the flow*', The Atlanta Journal-constitution, Sept.24./ Janet Bealer Rodie, '*Quality Fabric of The Month—Junichi Arai*', ATI America's Textile Industries. Vol.29. No.11, Nov.

2001——

ニューヨークのツインタワー崩落の日である九月十一日にNHKのETVシリーズ「親友　加藤登紀子+新井淳一」収録(放映は十月二十九日)。

▼松屋銀座のデザインギャラリー1953で日本デザインコミッティー主催の新井淳一コレクション—Part1「纏・アフリカンソウル」(七月十八日—八月十三日)開催。東京国立近代美術館工芸館の「現代の布—織と染の造形思考」展(九月二十二—十一月十八日)に〈万華鏡〉〈径〉〈メルトオフ〉〈割れた鏡〉〈地殻〉〈樹根〉を出品。織物生活五十周年を記念する「アシャンティ」展(桐生の工房兼ショップ「Jun-ichi Arai」、一月五—八日)開催、東京、米国、ドイツなどを巡回。

▲「ニューミレニアムスペシャル特集　特別寄稿 手とテクノロジー

の融合＝未来へ送る布の本＝新井淳一」、『キルトジャパン』一月号。「新井淳一のクリエイティブ・スピリッツから　創作の過去と未来　第3回切伏せ」、『キルトジャパン』九月号。「現代の布―染と織の造形思考　プリミティブ・エージ」、『現代の眼』十月号、東京国立近代美術館。

▲「新素材を求めて　金属繊維、新旧手法を織り交ぜる」、『技人ニッポン』、日経ビジネス人文庫、六月。「21世紀群馬の100人〈67〉新井淳一さん　桐生織、最先端を彩る」、毎日新聞（群馬）九月六日。

◆Judith Schonbak, *'A New Aesthetic: Reflective Fabric Sculpture by Junichi Arai & Junko Sato Pollack'*, THE MAGAGINE OF TEXTILES FIBERARTS, Vol.27 No.5 Mar/Apr./ Sandra Okamoto, *'River Center will display Japanese artist's creation called…Reflections'*, COLOMBUS LEDGER-ENQUIRER, Dec.15./ Crisa McCarty, *'River Center is not entirely about performing arts'*, River Center of the Performing Arts a special publication of COLUMBUS.

70歳・平成十四年

2002――

肺がん、次いで胃がんのため手術を受ける。中国人民大学客員教授となり訪中数度、十二月には人民大学で講演「シルクからステンレススチール」を行なう。「ジャパン・テキスタイル・コンテスト」（愛知県一宮市、二〇〇八年まで）、「世界キルトコンテスト・メッセージキルトコンテスト」で審査委員をつとめる。

▼松屋銀座のデザインギャラリー1953で新井淳一コレクション―Part 2「冠・ヘッドドレス」（二月二十日―三月十八日）、同Part 3「面・祝祭のかたち」（十二月二十七日―二〇〇三年一月二十日）開催。

▲「連なる渦」、『「目の眼」別冊 西洋アンティーク オクルス』No.14、七月、里文出版。

▶「新井淳一さんが語る　アジアの布に見る美しさと力強さをインテリアに生かして」、『婦人生活家庭シリーズ　アジアインテリアが新鮮』、婦人生活社、五月。

■Harris Museum and Art Gallery（英国・プレストン）で個展。「インターテック上海」（上海新国際博覧会センター、十月九―十一日）に作品十七点を出展。「新井淳一、秦泉寺由子　Textile Quilt展」（韓国、Chojun Textile・Quilt Art Museum, 十一月二十九日―十日月二十一日）開催。

◆*'Art out of material world'*, Evening Post (Preston), March 8.

2003――

難燃性フィルムPPS（ポリフェニレンサルファイド）による金銀糸を開発、公共スペースでのインスタレーション、消防服等の実用製作に関わる。福井県丸岡町繊維産業振興会の招きで当地でセミナー（二月）。京都工芸繊維大学の第十一回伝産研究会で特別講演「シルクよりステールまで」（十一月六日）。繊維産業の活性化に対して群馬県知事表彰を受ける。桐生の姉妹都市である米国コロンバスで金属繊維使用の巨大モニュメント「REFLECTION」が設置される。ザ・ロンドン・インスティテュート（現・ロンドン芸術大学）よりの名誉博士号授与のため夫妻で渡英。

▼高崎市美術館で「新井淳一布展――透明と反射」（四月十六日―六月一日）開催。「新井淳一・未来へのVINTAGE展」（九月二十三日―十月二日、真木テキスタイルスタジオ）開催。東北芸術工科大学で講演「プリミティブとテクノロジー」およびエントランスホールでの展示とパフォーマンス「布と光」を行なう。

▲「異彩対談　新井淳一＋小島昭　センイはどこに行く」、『上州風』夏号、上毛新聞社。

▶「コ市に新井淳一さん作品「光触媒」使ったアート」、桐生タイムス二月七日。烏丸知子「中国に花開け最先端テキスタイル　インターテックス上海と新井淳一の夢」、『月刊染織α』二月号。「よりよき未来へ　布の可能性を求める　テキスタイル・クリエイター新井淳一さん」、『グラフぐんま』七月号、アイディアセンター。「新井淳一さんと共同制作を　英の織物作家が来桐」、桐生タイムス七月二十五日。「ポシェット　布造形「原点」が一堂に」、朝日新聞九月二十六日。染谷滋「現代群馬の美術家⑤　天衣無縫　テキスタイルプランナー新井淳一」、『上州文化』十一月号、群馬県教育文化事業団。

■Surrey Institute（英国）で開催の「Through The Surface」に招待出品し基調講演「What is the Future」を行なう。翌年、同大学から『Junichi Arai—Tim Parry-Williams 表現を通して　through the surface, Collaborating textile artists Britain and Japan』が発刊される。

2004——

国際交流協会斡旋のロシアからのファッション視察団二十人に新井宅で小講演を行なう。一九五〇年創設「ともだち座」の仲間が集い交流（九月二十日）。中部国際空港エントランスに飾るキルトによる3×3メートルの渦巻模様のタペストリーを製作指揮し披露（十二月二十一日）。ソウルのKSFB（Korea Society of Fashion Business）主催の国際シンポジウムで日本代表として基調講演、建国大学校（Konkuk University、ソウル）で特別講演を行なう。

▼銀座松屋のデザインギャラリー1953で新井淳一コレクション—Part 4「飾・身体を彩るジュエリー」（一月二十八日—二月二十三日）開催。千葉市美術館「太陽と精霊の布展」（七月十三日—八月二十九日、宮城県立美術館展は翌年一月二十二日—三月二十七日）併催の「円をめぐる六つのお話・おわりははじまり」展で大渦を公開制作。「ファイバーアート美術展「発光する布」'Glowing Fabric'」（桐生市有鄰館、九月十一—二十三日）に出品。名古屋での世界キルトカーニバルにおいて、エントランスホールでインスタレーションと新井淳一個展を行なう。「through the surface: 表現を通して—現代テキスタイルの日英交流」（京都国立近代美術館、四月十九日—五月二十二日）に出品し、図録に「現代の布の文体を求めて」を執筆。

▲「新井淳一」、佐山一郎『作家の仕事場　25人のデザイン・ジャイアント』（インタビュー集）、インフォバーン、三月。「「太陽と精霊の布」展によせて—連なる渦—」、「太陽と精霊の布」展図録、千葉市美術館制作、マンゴスティン発行、七月。

▶「築250年の蔵と「発光する布」桐生で作品展」、朝日新聞九月二十一日。「新井淳一さん　渦をテーマに　千葉とフランスで展示」、上毛新聞八月二日。「桐生の人形劇団「ともだち座」半世紀の時超え集う」、桐生タイムス九月二十一日。「朗読　戯れですヨ　新井淳一さんの場合」、桐生タイムス十一月十二日。「中部国際空港で万博客迎える　新井さん指揮のタペストリー完成」、桐生タイムス十二月二十二日。「空港飾る渦巻き」、朝日新聞十二月二十三日。

■ギャラリーGEN（ニューヨーク）で個展「One thread to the future!（この一本の糸が未来へ）」（三月三十一日—五月十五日）。OKHRA色彩資料館（フランス）で国際流行色協会主催の「Metal Style」展（九月、フランス・ルシヨン、パリに巡回）に日本代表として出品。

◆Liz Hoggard, '*surface treatment, through the surface*', DECORATIVE AND APPLIED ARTS crafts No.187 March/April./ Craig Kellogg, '*TEXTILES Explorations In Tie-Dye And Titanium*', THE NEW YORK TIMES, April 1./ Daniela Gilbert, '*Material Things, Dream Weaver*', WWD, May 4.

◇Paul Makovsky and Mary Murphy, '*Jun-ichi Arai: The Futurist of Fabric*', METROPOLIS, Nov.

2005——

「新・あすへの遺産　桐生の織物を伝え残す連続講演」最終十一回目を桐生倶楽部で行なう(二月十九日)。桐生地域地場産業振興センターで開催されたマテリアルライフ学会第十六回研究発表会で特別講演「時の中の布」実施。

▼群馬県立近代美術館で「新井淳一　進化する布」(四月十六日—五月十五日)展開催、アーティストトークは四月二十日と五月七日。「Fiber As Art—進化するかたち—」展(千疋屋ギャラリー、五月十六—二十八日)に出品。

▶「紬ぐ者たち　新井淳一さん　斬新な素材開発意欲は旺盛」、東京新聞一月八日。「織人連載　桐生人　テキスタイルプランナー　新井淳一」、『織人 Vol.4』桐生中央商店街振興組合、三月。「新井淳一さん特別展示　空間全体が作品に」、桐生タイムス四月十九日。「新井淳一さんが創作信条語る　県立近代美術館」、毎日新聞ぐんま四月二十二日。「新井淳一　進化する布　光に満ちた豊かな空間」、朝日新聞ぐんま五月七日。「布が織りなす独特の世界へ」、読売新聞五月十一日。「燃えない金銀糸夢広がる　桐生織物の救世主に」、産経新聞五月十三日。「繊維学会夏期セミナー　新井氏、〝PPSテキスタイル〟を発表」、日本繊維新聞九月二十七日。

■「THE CUTTING EDGE FASHION FROM JAPAN」(Powerhouse Museum, Sydney〟九月二十七日—二〇〇六年一月二十九日)に出品。

2006——

繊維学会第三十六回夏期セミナー(新潟・湯沢、九月七—九日)で講演、PPSテキスタイルを発表。

▼調布市市民文化センターでの「新井淳一の布」(一月七日—二月十二日)展でワークショップおよびスライド&トークショーを行なう。ギャラリー・シンド(東京)で「新井淳一の布展」(二月七—十九日)開催。トヨタテクノミュージアム産業技術記念館(名古屋)で「布ものがたり・新井淳一の世界」展(八月二十二日—九月二十四日)を開催しスライド&トークショーを実施。第六回有鄰館芸術祭で熊井恭子、眞田岳彦との三人展「時を読む布」(桐生市有鄰館、九月十五—二十四日)に出品、トークショー出演および人形劇・朗読会などを企画。

▲「インタビュー　新井淳一　創作は、「信頼できる人たち」との「ネットワーク」づくりから始まる。」、『館報 No.41』、トヨタテクノミュージアム 産業技術記念館、八月。「〝手〟をめぐる四百字　最終回①新井淳一」、季刊『銀花』冬号、十二月。

▶「〝民〟と〝芸〟が一堂に　新井淳一氏「クロス・クローズ—布の世界」」、日本繊維新聞一月六日。「布の世界展きょうから」、読売新聞一月七日。「布が織りなす美空間」、朝日新聞一月十五日。「新井淳一作品展　調布の若手商店主が企画」、繊研新聞一月二十日。「布、風神を宿す　桐生発・航研機伝説　下」、桐生タイムス二月三日。「テキスタイル・アートの現場から(39)不死鳥のように布の可能性に挑み続ける新井淳一のテキスタイル創造」、『月刊染織α』四月号。「名古屋で〝新井ワールド〟原点から最先端まで」、桐生タイムス八月十六日。「企画展「布ものがたり〜新井淳一の世界展」二枚の布、様々な表情」、日本経済新聞八月三十一日。「「布」テーマに競演　新井淳一さん、熊井恭子さん、眞田岳彦さん3人展」、桐生タイムス九月一日。「特攻の遺言　織物で世界に」、「連載　人・脈・記　Tokyo・モード」(9)、朝日新聞九月十一日。「有鄰館芸術祭あす開幕」、桐生タイムス九月十四日。「「時を読む布」新井淳一・熊井恭子・眞田岳彦3人展　24日まで桐生・有鄰館」、朝日ぐんま九月十五日。「繊維分野の3作家競演「時を読む布」芸術祭」、上毛新聞九月十五日。「エンジョイ金　戯れのコラボ　新井淳一さんと島崎憲司郎さん」、桐生タイムス九月十五日。「有鄰館芸術祭「時を読む布」開幕」、桐生タイムス九月十六日。「写真特集　第6回有鄰館芸術祭　時を読む布」、桐生タイムス九月二十日。「企画展 布ものがたり～伝統からの飛翔～新井淳一の世界展」、『館報No.42』、トヨタテクノミュージアム産業技術記念館、十二月。

■五月に北京の清華大学美術学院で講演とワークショップ、十一月には「芸術と科学・国際作品展」に参加し、基調講演を行なう。

2007――

▼桐生ファッションウィークのイベント「色彩、光を織る」(有鄰館、十一月三―四日)に出品。「四人四様フロシキ展」(新井淳一、石垣昭子、手島絹代、原口良子、九月八―十六日、ギャラリーSIND)に出品。

▲「ほっとインタビュー 人・未来・視点 「はじめに言葉(テキスト)ありき」思いつきではいけない。」、『ほっと』六月号、生活協同組合コープぐんま発行。「民藝の明日を示唆する「二つの国の二人の仕事」」、「無地 縞 格子」展パンフレット、日本民藝館、九月。

▲「名画の扉 大川美術館収蔵作品「道」新井淳一」、桐生タイムス十月三十一日。

■七月、オノ・ヨーコによるロングアイランドのイベントで会場エントランスを飾る布を提供、ニューヨークのギャラリーGENで「Transparency & Reflection/透明と反射」(―七月二十八日)展を開催。

◆Elaine Louie, '*TEXTILES Crocodiles of Wool, River of Gold*', THE NEW YORK TIMES, June 28.

2008――

「9条世界会議」(幕張メッセ、五月四―六日) 開催の呼びかけ人となり、会場用の布を提供。『QUILT ARTISTRY Yoshiko Jinzenji』に英文の序文を掲載。

▼「新井淳一 生成の布展」(真木テキスタイルスタジオ、三月七―十八日、レクチャーは三月八日)。第十六回伊豆高原アートフェスティバル「今伊豆に舞う 新井淳一の布展」(ヒロ画廊伊豆高原、五月一―三十日)。

▲「FOREWORD」、『QUILT ARTISTRY Inspired Designs From The East Yoshiko Jinzenji』(普及版は『創作のキルト 秦泉寺由子』)、講談社インターナショナル、十二月。「長澤延子の生まれた桐生 その風土と私たちのかかわり」、『江古田文学』第68号特集「長澤延子」、日本大学藝術学部江古田文学会、八月。「微笑みの人・奥澤淳子様」、『奥澤淳子 追悼集』、私家版。

■The Hong Kong POLYTECHNIC UNIVERSITY(香港理工大学)で開催された国際繊維学会で基調講演を行なう。

◆Shane Fergussen, '*Shapely Textile Traditions and Inspirations*', 翼の王国WINGSPAN. No.473, Nov.

2009――

人形劇団ともだち座一同(代表=新井淳一、堀田英夫)および久保田穣が発起人となって「長澤延子六十回忌・高村瑛子五回忌」(五月三十一日、桐生市水道山記念館)を行なう。研究者が集結しての大部の『自己組織化ハンドブック』(B5判九四〇ページ)に執筆。

▼「群馬の美術1941―2009」(群馬県立近代美術館、九月十九日―十一月十五日)にリコとともに出品。文化性や創造性をテーマとしたモレスキンのプロジェクト「Detour(デトゥア)東京」(十月十六―十一月四日、MoMA Design Store、渋谷)に出品。

▲「瀧澤久仁子さんからの贈り物」、『瀧澤久仁子コレクション 祈りをつづける染と織タイの美しい布』展(千葉市美術館)パンフレット、マンゴスティン、六月。「羊毛と交織布の加工における自己組織的な模様の発生」(石井克明と共著)および「タンブラー・一分勝負」(単著)、『自己組織化ハンドブック』、エヌ・ティー・エス、十一月。

▲「全国公演に桐生の布 30年来の交流で実現」、上毛新聞五月三十

日。
■香港理工大学美術館で個展「Innovative Cloths 新井淳一」（五月五―二十九日）および二人展「Junichi Arai & Kinor Jiang」（十一月）開催。

2010——

ぐんまキャパシティビルディング事業の一環として講演者・藤原大と対談（桐生織物会館、一月二十日）。「桐生織塾初夏の企画展　中国少数民族染織品」（四月二十九日―五月一日）に出品し初日にレクチャーを行なう。
▶「テキスタイルデザイナー、〝原点〟が語る、日本の布の過去と未来」、日本繊維新聞一月八日。「デザイナー三宅一生さん　20年ぶりに来桐　新井さん、武藤さんと再会」、桐生タイムス七月九日。
■清華大学美術館の大展示室で「新井淳一の布——五十年の軌跡」展（四月七―十四日）を開催し、四月十八日に中國日報ネット放送もあり注目を集める。九月には繊維団体の招きにより上海で特別講演を行なう。

2011——

英国の王立芸術大学（Royal College of Art）より日本人では四人目となる名誉博士号（Honorary Doctorate）を授与され、七月一日の授与式のため夫妻で渡英。十月、米国よりのジャック・ラーセン一行を桐生に迎え展示会を催す。
▼「日本現代ファイバーアート展　共鳴する繊維」に「Noren」出品（多摩美術大学美術館、六月四日―七月三日、八月にニューヨークに巡回）。
▶「新井淳一さんに名誉博士号　英国王立芸術大から」（朝日新聞六月三十日）。ＮＨＫ・ＢＳ放送の海外向け番組「TOKYO FASHION EXPRESS」の特集「世界が認めるテキスタイルクリエイター　新井淳一」に出演（十一月二十二日放映・翌年再放送）。

◆Joe Earle, '*Fiber Futures : Japan's Textile Pioneer*', Shuttle Spindle & Dyepot, Fall 2011.

◎パーマネントコレクション

ファッション・インスティテュート・オブ・テクノロジー資料室／ヴィクトリア&アルバート・ミュージアム／ロード・アイランド・スクール・オブ・デザイン美術館／クーパー・ヒューイット美術館／セントルイス美術館／フィラデルフィア美術館／イエテボリ美術館／ダラス美術館／ニューヨーク近代美術館／パワーハウス美術館／アメリカンクラフト美術館／カーネギー美術館／メトロポリタン美術館／大川美術館／足利市美術館／高崎市美術館ほか

引用文献・参考文献

展覧会・展示会の図録、リーフレット

「布空間・布人間」(佐賀町エキジビットスペース、一九八四年)
「布ストリーム」(ケイテー記念館/福井、一九九〇年)
「繊維新展」(福井県立美術館、一九九〇年)
「Color, Light, Surface」(クーパー・ヒューイット/現・デザインミュージアム、一九九〇年)
「風合い　構造としての布」(ギャラリーTOM、一九九一年)
「新井淳一の布　手とテクノロジー」(朝日ギャラリー、一九九二年)
「Pushing the Limit」(クーパー・ヒューイット/現・デザインミュージアム、一九九三年)
「Textile Magicians Sheila Hicks—Junichi Arai」」(ボローズ/スウェーデン、一九九四年)
「光と風と　新井淳一・熊井恭子二人展」(足利市立美術館、一九九五年)
「Challenging ideas of Cloth」(キャンベラ・スクール・オブ・アート、一九九五年)
「made in Japan 1950-1994　世界に花開いた日本のデザイン」(サントリーミュージアム[天保山]、一九九六年)
「JAPANESE TEXTILE DESIGN EXHIBIT:NEW DELHI 1997」(Indira Gandhi National Centre for the Arts = IGNCA、一九九七年)
「想像の布・新井淳一展—新井淳一とその仲間たち—」展(元興寺/奈良、一九九八年)
「構造と表面——現代日本のテキスタイル」(ニューヨーク近代美術館、一九九八年)
「絹の染織工芸展」(群馬県立美術館、一九九九年)
「現代の布——染と織の造形思考」(東京国立近代美術館工芸館、二〇〇一年)
個展(Harris Museum and Art Gallery/英国・プレストン、二〇〇二年)
「透明と反射」(高崎市立美術館、二〇〇三年)
「Through The Surface」(Surrey Institute/英国、二〇〇三年)
「ファイバーアート美術展[発光する布]'Glowing Fabric'」(有鄰館/桐生、二〇〇四年)
「太陽と精霊の布」(千葉市美術館ほか、二〇〇四年)
「表現を通して through the surface」(The Surrey Institute of Art & Design、二〇〇四年)
「One thread to the future」(「この一本の糸が未来へ」)、ギャラリーGEN/ニューヨーク、二〇〇四年)
「THE CUTTING EDGE FASHION FROM JAPAN」(Powerhouse Museum/シドニー、二〇〇五年)
「進化する布」(群馬県立美術館、二〇〇五年)
「through the surface:表現を通して—現代テキスタイルの日英交流」(京都国立近代美術館、二〇〇五年)
「THE CUTTING EDGE FASHION FROM JAPAN」(ニューヨーク近代美術館、二〇〇五—〇六年)
「布ものがたり・新井淳一の世界」(トヨタテクノミュージアム産業技術

記念館、二〇〇六年）
「Transparency & Reflection（透明と反射）」（ギャラリーGEN／ニューヨーク、二〇〇七年）
「Innovative Cloths　新井淳一」（香港理工大学、二〇〇九年）
「Junichi Arai & Kinor Jiang」（香港理工大学、二〇〇九年）

引用文献・参考文献

新井が執筆または新井に言及した文献は年譜・書誌を参照。ここに記すのは原則、新井に言及しないものに限る。

第一章

アレックス・カー『犬と鬼――知られざる日本の肖像――』（講談社、二〇〇二年）
ディヤン・スジック『川久保玲とコム デ ギャルソン』（生駒芳子訳、マガジンハウス、一九九一年）
三宅デザイン事務所『一生たち ISSEY MIYAKE & MIYAKE DESIGN STUDIO 1970-1985』（旺文社、一九八五年）
田中忠三郎『物には心がある』（アミューズ・エデュテイメント、二〇〇九年）
『日経デザイン』一九九四年一月号特集「いま、職人に学ぶこと」（日経BP社）

第二章

『日経デザイン』一九九五年十月号百記念特集「日本のデザイン1970→2000」（日経BP社）
田中優子『布のちから　江戸から現在へ』（朝日新聞出版、二〇一〇年）
「戦後文化の軌跡1945-1995」展カタログ（目黒区立美術館ほか巡回、一九九五―九六年）

第三章

『浜野安宏のファッションジオグラフィティ　地球風俗曼陀羅』（構成・文＝浜野安宏、写真＝内藤忠行、神戸新聞出版センター、一九八一年）
『新・あすへの遺産　桐生織物と撚糸用水車の記憶』（桐生市老人クラブ連合会、二〇〇三年）
竹原あき子「20世紀末はモリスの手のひらにある」（「日経デザイン」一九九六年十一月号特集「世紀末デザインガイド」）

第四章

細井和喜蔵『女工哀史』（岩波文庫、一九五四年）
柳宗悦『手仕事の日本』（岩波文庫、一九八五年）
中村隆英『昭和史Ⅰ 1926-45』（東洋経済新報社、一九九三年）

第五章

「今後の繊維・ファッション産業のあり方」（経済産業省、二〇一〇年）
尾原蓉子「FB40年―これまでとこれから―」（繊研新聞二〇〇八年十二月九日）
竹原あき子「東西・縞の文化考」（『ミステリアスストライプ―縞の由来―』、INAXギャラリー、二〇〇二年）
竹原あき子『縞のミステリー』（光人社、二〇一一年）
船曳建夫『「日本人論」再考』（講談社学術文庫、二〇一〇年）

北澤憲昭『眼の神殿』(美術出版社、一九八九年)
水尾比呂志『評伝　柳宗悦』(ちくま学芸文庫、二〇〇四年)
木田元『反哲学入門』(新潮文庫、二〇〇七年)

第六章

『日経デザイン』一九九一年十一月号特集「揺れるテキスタイル産業」および「いんたびゅー　マリオ・ベリーニ氏」(日経BP社)
半藤一利『坂口安吾と太平洋戦争』(PHP研究所、二〇〇九年)

第七章

橋本治『小林秀雄の恵み』(新潮文庫、二〇〇七年)
常見美紀子「バウハウスの織物工房」、『アートとデザインの構成学―現代造形の科学―』(朝倉書店、二〇一一年)
『日本の染織・テキスタイルデザイン』(日本テキスタイルカウンシル＝JTC編、用美社、二〇〇九年)
『TOKYO FIBER'07――SENSEWARE』(ジャパンクリエーション実行委員会編、朝日新聞社、二〇〇七年)
マテイ・カリネスク『モダンの五つの顔――モダン・アヴァンギャルド・デカダンス・キッチュ・ポストモダン』(富山英俊＋栂正行訳、せりか書房、一九九五年)

註

第一章

★1―**ニナ・ハイド**(Nina Hyde　一九三二―九〇年)
ワシントンポスト紙のファッション記者。著書に女流写真家に関する『ティナ・モドッティ　そのあえかなる生涯』があり、新井も愛読。がんに冒され、死の前年にジョージタウン大学病院メディカルセンターに二百万ドルを投じて乳がん研究のためのニナ・ハイドセンター設立。

★2―**三島彰**(みしまあきら)
生年不詳、東京大学でドイツ法学を学び、卒業後、毎日新聞社で「エコノミスト」誌の編集を仕事とする。西武百貨店に転じてファッション事業部長として現場を率いた後、評論家として現代構造研究所を主宰。『ファッションビジネス新時代　80年代の分析と課題』などの著書があり、ジャパン・テキスタイル・コンテスト審査委員長ほか多数の公職を歴任。

★3―**三宅一生**(みやけいっせい　一九三八年生まれ)
ファッションデザイナー。多摩美術大学図案科卒。仏米でファッションの研鑽を積んだのち、一九七〇年に三宅デザイン事務所開設。七三年からパリコレに参加し、「一枚の布」のコンセプトによって世界的な評価と尊敬を得る。七六年度毎日デザイン賞受賞。その後、「プリーツ・プリーズ」「A-POC」「132 5.」を発表、三宅一生デザイン文化財団理事長。二〇一〇年文化勲章受章。

★4―**皆川魔鬼子**（みながわまきこ）
テキスタイルディレクター。一九六九年京都市立芸術大学美術学部染織科卒。七二年に三宅デザイン事務所に参加して活動。九〇年に第八回毎日ファッション大賞鯨岡阿美子特別賞を、九六年には毎日デザイン賞を受賞。多摩美術大学生産デザイン学科テキスタイルデザイン専攻の客員教授および教授、ジャパンクリエーションテキスタイルコンテスト審査委員をつとめる。

★5―**鯨岡阿美子**（くじらおかあみこ　一九二二―八八年）
ＹＷＣＡ駿河台女学院卒。一九四二年毎日新聞社入社、五三年に日本テレビに移籍してディレクターとして活躍。六四年にアミコ・ファッションズを設立して服飾評論家、プロデューサーとして活動、繊研新聞でファッションエッセー「アミコの目」「アミコからの提案」を連載。没後、審査委員長をつとめた毎日ファッション大賞に鯨岡阿美子特別賞が設けられる。

★6―**山本寛斎**（やまもとかんさい　一九四四年生まれ）
ファッションデザイナー。日本大学文理学部英文科中退。コシノジュンコなどのデザイナーの下で働いた後、一九七一年「やまもと寛斎」を設立。同年、ロンドンで日本人初となるコレクション「Kansai in London」を発表、七三年にはデビッド・ボウイのステージ衣装も手掛け、七五年にはパリコレに参加。九三年の「ハロー!!ロシア」をはじめとするイベントプロデューサー。

★7―**川久保玲**（かわくぼれい　一九四二年生まれ）
ファッションデザイナー。慶應義塾大学文学部哲学科卒、旭化成宣伝部に在籍したのちフリーランスのスタイリストとなる。一九七三年にコム デ ギャルソンを設立、八一年にパリコレに初参加。八三年に第一回毎日ファッション大賞の大賞、二〇〇一年に芸術選奨を受賞。ディアン・スジャック『川久保玲とコム デ ギャルソン　その創造と精神』（一九九一年）がある。

★8―**田中忠三郎**（たなかちゅうざぶろう　一九三三年生まれ）
民俗学者、民俗民具研究家。下北アイヌの調査、縄文遺跡の発掘をはじめとして、江戸―昭和に至る衣服や民具の収集・保存活動を展開。約三万点の収集品のうち七八六点が国指定有形民俗文化財の指定を受け、国立民族学博物館に保存される。映画「田園に死す」「夢」などへ古布を提供。二〇〇九年、アミューズミュージアム名誉館長に就任。

★9―**ジャック・レナー・ラーセン**（Jack Lenor Larsen　一九二七年生まれ）
アメリカ人のテキスタイルディレクター。ラーセン社の創業者でありラーセン財団設立。『beyond craft』の共著者で、作品はニューヨーク近代美術館はじめ世界の二十ほどの美術館に永久コレクションとして収蔵。モンデール駐日日本大使がラーセンのためにパーティーを開いた九四年には新井も招待される。ニューヨーク近郊に九一年、アーティストとしての表現を集大成するための施設を完成。

★10―**松下弘**（まつしたひろし　一九三六年生まれ）
名古屋の貿易会社をへて一九六四年に岐阜で大松毛織を設立。ＩＷＳ賞（国際羊毛事務局）等で受賞を重ね、八一年に織物研究舎とする。コムデギャルソンのパリコレ参加を機に同ブランドの生地を専属的に引き受ける。九〇年、毎日ファッション大賞に創設された鯨岡阿美子特別賞を皆川魔鬼子とともに受賞。

★11―**倉俣史朗**（くらまたしろう　一九三三―九一年）インテリアデザイナー。桑沢デザイン研究所卒、三愛、松屋勤務をへて六五年にクラマタデザイン事務所を設立。一九七〇年に「変形の家具」を発表、三宅一生のブティックのデザインは百店に及び、わが国におけるインテリアデザインの確立者。八一―八三年には、ソットサス率いるメンフィスに参加。二〇一一年「倉俣史朗とエットレ・ソットサス展」（21_21DESIGN SIGHT）開催。

★12―**マリアノ・フォルチュニイ**（Mariano Fortuny　一八七一―一九四九年）スペインに生まれヴェニスに住み、絵画、彫刻、写真、ファッション、舞台芸術などで活躍した表現者。古代ギリシャ彫刻にヒントを得て、絹地に細かいプリーツを施したドレス「デルフォス」のプリーツは、自然と体に添い、布そのものにデザイン性を求めた点が高く評価される。

★13―**レイモンド・ローウィ**（Raymond Loewy　一八九三―一九八六年）デザイナー。パリ生まれでニューヨークへ渡り、ファッション・イラスト、グラフィックの仕事を開始。デザイン事務所の草分けとなり、ペンシルベニア鉄道の電気機関車GG1の流線型デザインは時代の表現として流行。アメリカ市民権を取得して一四〇社もの企業のデザインコンサルタントをつとめる。煙草「ピース」のパッケージ、著書『口紅から機関車まで』でわが国でも著名。

★14―**マリアンヌ・ストラウブ**（Marianne Straub　一九〇九―九二年）スイス生まれ、チューリッヒでテキスタイルを学び、イギリスで活躍したテキスタイルデザイナー。一九三二年にテキスタイルの街、英国のブラッドフォードに移り住んで織とプリントに独自の境地を開き、五〇―七一年にはエセックスにあるワーナー社で働く。英国王室芸術協会会員に推挙されデザイナー・フォー・インダストリーの称号を与えられる。

★15―**秋岡芳夫**（あきおかよしお　一九二〇―九七年）工業デザイナー、童画家、著述家、教育者。東京高等工芸学校（現・千葉大学）卒、工芸指導所に勤務したのち、工業デザインの会社として草分け的存在となる「KAK」を金子至、河潤之介と設立。大量生産・大量消費に疑問をもち「暮らしのためのデザイン」を標榜、デザイン運動体「モノ・モノ」代表となる。「日本の手仕事道具―秋岡コレクション」があり、二〇一一年に目黒区美術館で「秋岡芳夫展　モノへの思想と関係のデザイン」開催。

★16―**堤清二**（つつみせいじ　一九二七年生まれ）西武グループ創業者である堤康次郎の次男で、西武百貨店社長・会長を歴任。東京大学経済学部卒。セゾングループ総帥として斬新な広告を展開、また美術館、劇場、映画館、ホール、出版社などを運営して「セゾン文化」を推進する。辻井喬の筆名で詩人・作家活動を行なって受賞を重ね、芸術院会員となる。

第二章

★1―**シーラ・ヒックス**（Sheila Hicks　一九三四年生まれ）ファイバーアーティスト。米国生まれ。大学卒業後、南米、中近東、インドなどの民族織物を研究し多様な素材でタペストリーを制作して国際的に活躍。『beyond craft』で取り上げられ、新井との二人展はスウェーデンでの「Textile Magicians」（ボローズ、一九九四年）、桐生市民文化会館のための作品は「FLOWERING FUTURE＝花咲く未来」（一九九七年）。

★2―**ウィリアム・モリス**（William Morris　一八三四―九六年）
英国生まれ。ジョン・ラスキンの『ヴェニスの石』に感銘を受けて芸術家と職人が未分化だった中世に目を開かれ、産業革命後の物作りに反旗を翻す。一八六一年に仲間のバーン・ジョーンズらとモリス・マーシャル・フォークナー商会（のちにモリス商会）を興して生活すべてに美をもたらす製作を進める。晩年はケルムスケット・プレスを設立して理想の書物の刊行に没頭。「レッドハウス」は一八五九年結婚のモリスのために友人が設計した住居。

★3―**ピーター・コリンウッド**（Peter Collingwood　一九二二―二〇〇八年）
織物作家。ロンドン生まれ、メディカルスクールで学んだのち複数の工房で働き、一九五二年にロンドンでテキスタイル工房を設立。一九六四年から英国、ノルウェー、デンマーク、オーストラリア、日本で個展開催。著書は『The Techniques of Rug Weaving』『Textile and Weaving Structures』など。哲人織師と呼ばれ、桐生市市民文化会館用にタペストリーを制作、翌年の個展「Peter Collinwood―Master Weaver」図録に新井は「Appreciation」を執筆。

★4―**大塚末子**（おおつかすえこ　一九〇二―九八年）
大塚学院創設者。敦賀高等女学校卒。文化服装学院で洋裁を学び、洋裁雑誌記者をへて高島屋の専属デザイナーとなる。戦後は現代的な「改良きもの」を発表、着物に化学繊維、広幅ウールなどを導入。五六年に第一回ファッションエディターズクラブ賞を受賞。大塚末子きもの学院、大塚テキスタイルデザイン専門学校設立。主著は『もんぺ讃歌　生きて、愛して、おしゃれして』。

★5―**杉野芳子**（すぎのよしこ　一八九二―一九七八年）
ドレスメーカー女学院（現・ドレスメーカー学院）創設者。千葉県立高等女学校卒。一九一四年から六年間アメリカで洋裁と服飾デザインを学ぶ。一九二六年、日本初の洋裁学校「ドレスメーカースクール」開設。ファッションショー開催やデザイナー養成科発足も戦前。「ドレメ式」の型紙と学校のチェーン化で一九五〇年代に最盛期を迎え、一九五七年に衣裳博物館開館。

★6―**田中千代**（たなかちよ　一九〇六―九九年）
田中千代服飾専門学校創設者。双葉高等女学校卒。文化学院、アテネ・フランセをへて一九二八年から四年間、ヨーロッパに留学。三二年に服飾デザイナーとして鐘紡に勤務するかたわら洋裁グループを立ち上げる。一九三七年に田中千代洋裁学園を設立、民俗衣裳の収集にも熱心で八九年に民俗衣裳館を開設。

★7―**松田　豊**（まつだゆたか　一九二九―二〇〇八年）
京都市立美術専門学校（現・京都市立芸術大学）工芸科卒。東レに入社し、流行予測と色彩デザイン業務を担当。シャーベットトーン企画のヒットが有名。この間、東京芸術大学、金沢美術工芸大学などの講師をつとめ、著書に『色彩のデザイン』、『カラーハーモニーコレクション』などがある。

★8―**ミルドレッド・コンスタンティーヌ**（Mildred Constantine　一九一三―二〇〇八年）
米国生まれの評論家、キュレーターでメキシコの造形に造詣が深い。ニューヨーク大学で修士号取得、一九四三―七〇年にニューヨーク近代美術館のキュレーターおよび顧問として、ポスター、テキスタイル等の展覧会を企画。書籍、論文を多数執筆し、『beyond craft』の共著者、メキシコの女流写真家『ティナ・モドッティ　そのあえかなる生涯』（翻訳本は八五年刊）の著者。八八年にシカゴで「第一回金の糸賞」を受賞。

★9—**稲葉賀恵**（いなばよしえ　一九三九年生まれ）
ファッションデザイナー。東京生まれ、文化学院美術科で学び一九六四年に服飾のアトリエを開設。菊池武夫、大楠裕二とともに「ビギ」を設立、七二年にブランド「モガ」、八一年に「ヨシエ・イナバ」を発表、日本航空など大手企業の制服デザインでも評価が高く、民営化後のグッドデザイン賞審議委員をつとめる。

★10—**田中優子**（たなかゆうこ　一九五二年生まれ）
日本近世文化史、アジア比較文化を専門とし法政大学社会学部教授。神奈川県生まれ。『江戸の想像力』で芸術選奨文部大臣新人賞、『江戸百夢』で同大臣賞を受賞、二〇〇五年に紫綬褒章受章。『きもの草子』があり、近著は二〇一〇年刊の『布のちから　江戸から現在へ』で、染織と着物に関心が深い。

★11—**平賀源内**（ひらがげんない　一七二八—八〇年）
江戸中期に活躍した博物学者、作家、画家、陶芸家、発明家で、多くの分野で才能を発揮して「日本のダ・ヴィンチ」とも呼ばれる。高松藩足軽の三男として生まれ、本名は国倫（くにとも）。藩命により長崎に留学して蘭学を修め、次いで江戸で本草学を学ぶ。静電気発生装置「エレキテル」が有名だが、羊を飼っての毛織物生産、〝燃えない布〟火浣布（かかんぷ、石綿）といった発明品も知られる。香川県に「財団法人平賀源内先生顕彰会」がある。

★12—**熊井恭子**（くまいきょうこ　一九四三年生まれ）
ファイバーアーティスト。東京生まれ、東京芸術大学工芸科ビジュアルデザイン専攻卒業。大分県立芸術短期大学、長岡造形大学教授を歴任。一九八三年の個展「風の道」を皮切りに、「ステンレスティール線を織る」、「ニューヨーク近代美術館プロジェクト・シリーズ28」などの個展・企画展出品多数。九三年に足利市立美術館で「光と風と　新井淳一・熊井恭子二人展」を開催。

★13—**エリック・ギル**（Eric Gill　一八八二—一九四〇年）
英国生まれ。チチェスター工芸大学、中央美術工芸学校などで学び、彫刻家、タイポグラファー、エッチングの版画家として活動し、アーツ・アンド・クラフツ運動に参画。書体「ギル・サン」「ジョアンナ」、著書『衣裳論』が著名。英国王室芸術協会のRoyal Designers for Industry（RDI）のために新設されたFaculty of Royal Designer for Industryの設立メンバーとなる。河野三男『評伝　活字とエリック・ギル』がある。

★14—**東野芳明**（とうのよしあき　一九三〇—二〇〇五年）
美術評論家。東京大学文学部卒。多摩美術大学教授となり一九八一年に芸術学科を創設。アートの枠をこえてファッション、テキスタイルなどにも言及する。ヴェネチア・ビエンナーレの日本館コミッショナー、美術評論家連盟会長を歴任。著書は『グロッタの画家』『現代美術　ポロック以後』『ジャスパー・ジョーンズ　そして／あるいは』『マルセル・デュシャン「遺作論」以後』など。

★15—**伊東豊雄**（いとうとよお　一九四一年生まれ）
日本統治下の朝鮮（現・ソウル市）に生まれる。東京大学工学部を卒業して菊竹清訓設計事務所に勤務。一九七一年にアーバンロボット（現・伊東豊雄建築設計事務所）を設立。『中野本町の家』や自邸『シルバーハット』などの禁欲的でミニマルな作風で注目を浴び、日本を代表する建築家となる。高松宮殿下記念世界文化賞、ＲＩＢＡゴールドメダル、グッドデザイン大賞など多数受賞。

★16―**ラ・フォンテーヌ**(Jean de la Fontaine　一六二一―九五年)
フランス古典主義時代の代表的作家。イソップ寓話をもとにした寓話詩で知られる。ルイ14世の王太子のために書かれた六巻一二四話からなるものが、その後も書きつづけられ全十二巻の大作となった。寓話とともに知られるのが箴言で、「すべての道はローマへ通ず」「火中の栗を拾う」などが有名。

第三章

★1―**山辺知行**(やまべともゆき　一九〇六―二〇〇四年)
染織研究の第一人者。東京生まれ。大学卒業後、東京帝室博物館(現・東京国立博物館)に勤務。退官後、多摩美術大学教授、遠山記念美術館館長などを歴任。日本、インド、インドネシアの染織品・人形のコレクターとしても知られる。著作に『能装束文様集』など。

★2―**谷川徹三**(たにかわてつぞう　一八九五―一九八九年)
哲学者。愛知県生まれ、京都帝国大学(現・京都大学)卒。雑誌『思想』編集者、『婦人公論』主幹、東京国立博物館次長をへて法政大学総長となる。西田幾太郎の感化を受け、哲学、美術、文芸、宗教、社会など幅広い評論活動を行ない『谷川徹三選集』三巻がある。長男は詩人の谷川俊太郎。

★3―**武原はん**(たけはらはん　一九〇三―九八年)
日本舞踊家。徳島県生まれで本名は幸子。大阪で山村流の上方舞を修得、上京して六世藤間勘十郎らに師事。上方の座敷舞を舞台芸術に高める独自の世界を創造したと評され、一九八五年芸術院会員、八八年文化功労者となる。高浜虚子に師事し、俳号をはん女として『武原はん一代句集』を残す。

★4―**ボードレール**(Charles Baudelaire　一八二一―六七年)
フランスの詩人、評論家。青春の放浪をへて一八五七年に『悪の華』を発刊するも風俗を乱すとの理由で訴追を受ける。代表作はほかに散文詩集『パリの憂愁』、美術論集『審美渉猟』など。象徴主義に先駆け、ヴィクトル・ユゴーから「新しい戦慄の創造者」と評される。芸術至上主義、頽廃主義の代表者であり、影響は多大。

★5―**アン・サットン**(Ann Sutton　一九三五年生まれ)
英国生まれで、一九七〇年代からコンピューターを活用した織機を使用しての作品で注目を浴び、想像力豊かな多数の著作をもち、織の指導者でもある。ディアン・シーハンとの共著『IDEAS IN WEAVING』では新井の作品を多数収録、作品集『Anne Sutton (Contemporary Draft Series)』がある。

★6―**浜野安宏**(はまのやすひろ　一九四一年生まれ)
ライフスタイルプランナー、プロデューサー。京都生まれ、日本大学芸術学部映画学科卒。一九六五年に浜野商品研究所設立、七〇年『ファッション化社会』発刊。ポートピア'81共同館ファッションライブシアターの総合プロデューサーをつとめ、内藤忠行の写真による『浜野安宏のファッションジオグラフィティ　地球風俗曼陀羅』刊行、『アクシス』初代編集長。八一年度毎日デザイン賞受賞。

★7―**小池魚心**(こいけぎょしん　一九〇七―八二年)
民芸品の収集家、版画家・染色家、商業美術家、そして腕利きの料理人。一九三七年に東京・日本橋で開店した「趣味の洋食・芭蕉」を桐生で引き継ぎ、内装をみずから手掛けて「異国調菜・芭蕉」としたレストランは桐生名物。若き日から新井が私淑して趣味と思想に感化され、桐生への国内外からの来訪者を必ず誘ったのがこの「芭蕉」。

★8―**新井 實**（あらいみのる　一九三二年生まれ）「桐生織」伝統工芸士。群馬大学工学部繊維工学科卒。登録商標である「絵画織」の技法で特許を取得する。二〇〇五年第一回ものづくり日本大賞優秀賞を受賞し、経済産業大臣認定の「ものづくり名人」となる。桐生織物協同組合常務理事、新伊美術織物研究所主宰、アライデザインシステム有限会社会長をつとめる。

★9―**武藤和夫**（むとうかずお　一九三二年生まれ）テキスタイルプロデューサー。群馬県繊維工業試験場で絣や紬など伝統技術の研究や指導を行ない、一九八〇年の民族衣裳展を新井實、新井淳一と企画。九〇年に工房「桐生織塾」開設、「北の国の布展」「南の島の染織展」「縞展」「絣展」「絞展」「桐生と銘仙展」などの展示会を開催する。銘仙研究会の会長もつとめ、二〇〇五年に桐生ファッションタウン大賞受賞。

★10―**梅棹忠夫**（うめさおただお　一九二〇―二〇一〇年）生態学者、民族学者。京都生まれ、京都大学理学部卒。大阪市立大学、京都大学での教職をへて、一九七四年に国立民族学博物館初代館長となる。『知的生産の技術』『文明の生態史観』『美意識と神さま』などで知られ、一九八三年にパリで『Le Japon à l'ère Planétaire』を発刊。一九八八年にフランス共和国パルム・アカデミーク勲章コマンドール章、一九九九年に勲一等瑞宝章を受章。

★11―**杉浦康平**（すぎうらこうへい　一九三二年生まれ）グラフィックデザイナー。東京生まれ、東京芸術大学建築科卒。一九六〇年世界デザイン会議のグラフィックデザイン、東京オリンピックの「デザイン・ガイド・シート」作成に参加。一九六四―七年、ウルム造形大学の客員教授。雑誌『遊』『銀花』などで革新的なエディトリアルデザインを行ない、アジアの図像研究の成果として『かたち誕生』『生命の樹・花宇宙』などの著書多数。二〇一一年「杉浦康平・脈動する本」展開催。

★12―**新川和江**（しんかわかずえ　一九二九年生まれ）詩人。茨城県結城市生まれ、結城高等女学校時代に疎開中の西条八十に師事。東京に移り住み、詩や小説を発表。土、火、水に寄せる三つのオード集が有名。一九八三年に吉原幸子と季刊詩誌『ラ・メール』を創刊、十年間編集と後進の指導を受け持つ。二〇〇〇年に『新川和江全詩集』刊行。結城市は名誉市民の新川を名誉館長として寄贈資料「新川和江コレクション」を展示。

★13―**外村吉之介**（とのむらきちのすけ　一八九八年―一九九三年）染織研究者として活動し、一九四八年に倉敷民藝館の初代館長、六五年に熊本国際民藝館の館長に就任。関西学院大学神学部卒。著書に『沖縄の民藝』『西欧の民藝』『日々美の喜び　民藝五十年』『喜びの美・亡びの美　民藝六十年』などがあり、二〇一一年に『少年民藝館』が復刊される。

★14―**平良敏子**（たいらとしこ　一九二一年生まれ）沖縄の喜如嘉（きじょか）に生まれ、岡山県倉敷市で外村吉之介に師事した後、沖縄で織物製作に従事。一九六三年に本格的な芭蕉布織物工房を開設する。一九七四年に喜如嘉の芭蕉布が国の重要無形文化財となり、二〇〇〇年に重要無形文化財保持者（人間国宝）に認定される。

★15―**石垣昭子**（いしがきあきこ　一九三八年生まれ）沖縄県竹富島出身、琉球政府立那覇高等学校卒。京都で志村ふくみに師事。一九八〇年に西表（いりおもて）島に移住し、「紅露工房」を主宰。沖縄染織の伝統を受け継ぎながら最先端の表現を達成。九八年のニューヨーク近代美術館「現代日本テキスタイル展」出品、二〇〇四年の龍村仁監督作品「地球交響曲第五番」に出演する。

★16―**竹原あき子**（たけはらあきこ　一九四〇生まれ）
静岡県生まれ、千葉大学工学部工業意匠学科卒。キヤノンで工業デザイナーとして勤務後、政府給費留学生としてフランスで学ぶ。和光大学芸術学科教授としてプロダクトデザイン、衣裳論などを講じる。著書に『立ちどまってデザイン』『環境先進企業』『ソニア・ドローネ』『パリの職人』等があり、二〇一一年に『縞のミステリー』を上梓。

★17―**中野重治**（なかのしげはる　一九〇二―七九年）
詩人、小説家。福井県生まれ、東京帝国大学（現・東京大学）独文科卒。日本プロレタリア芸術連盟、ナップ、コップの結成に参加、一九三一年に共産党入党。戦前の代表作は『歌のわかれ』、戦後は『新日本文学』を創刊。平野謙らとの「政治と文学論争」は有名で、旺盛な創作・評論活動を展開。一九四七―五〇年参議院議員。

第四章

★1―**柳 宗悦**（やなぎむねよし　一八八九―一九六一年）
思想家、宗教哲学学者、日本民藝館初代館長。東京生まれ、旧制高校時代に『白樺』創刊に参加。東京帝国大学哲学科卒。朝鮮陶磁器の美しさに魅せられ、一九二五年に「民藝」の新語をつくって民藝運動を本格的に始動。三四年に日本民藝協会設立、三六年に日本民藝館を開設して初代館長に就任。著書多数、一九五七年に文化功労者に選ばれる。

★2―**芹沢銈介**（せりざわけいすけ　一八九五―一九八四年）
型染作家、型絵染の人間国宝。静岡県生まれ、東京高等工業学校（現・東京工業大学）工業図案科卒。静岡県立工業試験場勤務、柳宗悦の『工芸の道』に感銘を受けて民藝運動に参加、沖縄で紅型の技法を修得する。一九七六年にパリの国立グラン・パレで個展開催、『芹沢銈介全集』全三十一巻がある。正四位勲二等瑞宝章が贈られる。

★3―**ジョン・ラスキン**（John Ruskin　一八一九―一九〇〇年）
イギリスの評論家、美術評論家。富裕なワイン商人の子としてロンドンに生まれ、オックスフォード大学で学ぶ。ターナーやラファエル前派と交流を持ち、『近代画家論』を発表。中世のゴシック美術を賛美する『建築の七燈』『ヴェニスの石』は影響が大。晩年は文化財保護運動、ナショナル・トラストの創設などに関わる。

★4―**濱田庄司**（はまだしょうじ　一八九四―一九七八年）
陶芸家、「民芸陶器」の人間国宝（一九五五年第一回重要無形文化財保持者）。神奈川県に生まれ、東京高等工業学校を卒業して京都市陶磁器試験場に入所。「京都で道を見つけ、英国で始まり、沖縄で学び、益子で育った」と本人が語るとおりの経歴の持ち主。柳宗悦、河井寛次郎とともに民藝運動を推進。蒐集品は益子参考館に収める。

★5―**柳 宗理**（やなぎそうり　一九一五―二〇一一年）
プロダクトデザイナー。柳宗悦の長男として生まれ、東京美術学校（現・東京芸術大学）洋画科卒。一九五三年に財団法人柳工業デザイン研究会を設立、生活用品から橋梁まで手掛けた作品は幅広い。一九五七年のミラノ・トリエンナーレに出品してゴールドメダル獲得。七七年に日本民藝館の第三代館長就任。

★6―**掛井五郎**（かけいごろう　一九三〇年生まれ）
彫刻家。静岡県生まれ、東京芸術大学彫刻専攻を修了して同大助手となる。新制作協会会員、一九六八―七〇年メキシコ・ベラクルス大学客員教授。「バンザイ・ヒル」で第七回中原悌二郎賞最優秀賞、「蝶」で第二回高村光太郎大賞展優秀賞を受賞。一九九一年に桐生に移り住む。『AT WORK KAKEI 掛井五郎作品集』（二〇〇九年）発刊。

★7―**河野鷹思**（こうのたかし　一九〇六―九九年）
グラフィックデザイナー。東京生まれ、本名＝孝。東京美術学校図案科卒。松竹宣伝部に在籍、日本工房の『NIPPON』に参加してデザインの傑作を生み出す。一九五七年に八幡製鐵の出資でデスカ設立、一九六〇年世界デザイン会議のシンボルマーク制作。愛知県立芸術大学学長。八三年、日本人初の英国王室芸術協会名誉会員（R.D.I.＝ロイヤルデザイナーズ・フォー・インダストリー）となる。

★8―**司馬遼太郎**（しばりょうたろう　一九二三―九六年）
小説家。大阪生まれ、大阪外国語学校蒙古語科卒。産経新聞記者をへて作家となる。一九六六年に『竜馬がゆく』『国盗り物語』で菊池寛賞、『坂の上の雲』は一九六八―七二年に産経新聞夕刊に連載された。一九九三年文化勲章受章。没後の九八年に司馬遼太郎賞が設けられる。

★9―**ヴァレリー**（Paul Valéry　一八七一―一九四五年）
二十世紀を代表するフランスの詩人。南仏のセートに生まれる。マラルメの象徴詩の理論を推し進めて純粋詩の理論を確立。一八九五年に『レオナルド・ダ・ヴィンチの方法』、翌年に『テスト氏との一夜』を発表して二十年間沈黙する。代表作は詩集『若きパルク』『海辺の墓地』、評論『ヴァリエテ』、対話篇『ユーパリノス』。

★10―**坂口安吾**（さかぐちあんご　一九〇六―五五年）
小説家。新潟生まれ、東洋大学卒。純文学、歴史小説、推理小説、エッセーなどで旺盛な活動を展開。終戦直後に発表した『堕落論』『白痴』で時代の寵児となる。近年、桐生に仮寓した最晩年が半藤一利の『坂口安吾と太平洋戦争』（二〇〇九年）で描かれ、ハルキ文庫で『堕落論』（二〇一一年）が出る。

★11―**羽仁五郎**（はにごろう　一九〇一―八三年）
歴史家、政治運動家。桐生の企業家である森家に生まれ、東京帝国大学独法科中退。羽仁説子と結婚後に同大国史科を卒業、日本大学教授として史学科創設。「人民史観」の持ち主で、一九三三年に治安維持法違反で検挙された。四七年に参議院議員に当選、国立国会図書館設立などに尽力する。『都市の論理』をはじめ、著書多数。

★12―**原口統三**（はらぐちとうぞう　一九二七―四六年）
日本統治下の朝鮮（現・ソウル市）に生まれ、『二十歳のエチュード』草稿を残して逗子海岸で入水自殺を遂げた夭折詩人。旧制一高で清岡卓行、橋本一明、中村稔と親交を深め、ランボーに傾倒。没後の一九四八年に『二十歳のエチュード』発刊、二〇〇五年にちくま文庫『定本　二十歳のエチュード』が刊行される。

★13―**大川英二**（栄二　おおかわえいじ　一九二四―二〇〇八年）
大川美術館理事長兼館長。桐生生まれ、桐生高等工業学校（現・群馬大学工学部）卒。三井物産勤務、エフワン代表取締役、ダイエー副社長、サンコー（現・マルエツ）社長、ダイエーファイナンス会長をへて勇退。一九八九年、桐生に財団法人大川美術館を設立して理事長兼館長となる。著書は『美の経済学』、『美術館の窓から』など。

★14―**宮澤賢治**（みやざわけんじ　一八九六―一九三三年）
詩人、童話作家。古着・質商の父と県下有数の商家の一族である母の長男として岩手県に生まれる。盛岡高等農林学校（現・岩手大学農学部）在学中から短歌、童話を発表。教師、農業指導者であり、生前刊行されたのは詩集『春と修羅』、童話集『注文の多い料理店』のみ。『銀河鉄道の夜』『雨ニモマケズ』が有名。

★15―**山中鏆**（やまなかかん　一九二二―九九年）
慶応義塾大学卒。伊勢丹で「ファッションの伊勢丹」の基礎を築き、その後松屋、東武百貨店に転じて百貨店の再建請負人と呼ばれる。一九九二年設立の財団法人ファッション人材育成機構（IFI）の初代理事長。同財団のIFIビジネススクールは九八年正式開校、IFI総合研究所は二〇〇〇年設立。

第五章

★1―**加藤登紀子**（かとうときこ　一九四三年生まれ）
シンガーソングライター。旧満州ハルピン生まれ、東京大学文学部卒。在学中に歌手としてデビューし、ヒット曲は「ひとり寝の子守唄」「知床旅情」「百万本のバラ」など。二〇〇〇年UNEP（国連環境計画）親善大使、二〇〇八年の「9条世界会議」では全体会のフィナーレを飾る。城西大学観光学部ウェルネスツーリズム学科客員教授。新井淳一の布を舞台衣装用に愛用。

★2―**T・S・エリオット**（Thomas Stearns Eliot　一八八八―一九六五年）
二十世紀を代表するイギリスの詩人、劇作家、文芸評論家。アメリカで生まれ、ハーバード大学、ソルボンヌ大、マールブルク大、オックスフォード大で学ぶ。代表作は「四月は残酷きわまる月」で始まる五部からなる『荒地』（一九二二年）、詩論集『詩と劇』など。詩作品は詩の歴史に依拠するのであって、詩人の個人史には依拠しないと主張した。一九四八年にノーベル文学賞を受賞。

★3―**いいだもも**（飯田　桃　一九二六―二〇一一年）
評論家。東京に生まれ東京大学法学部卒、日本銀行入行。結核のため退職し新日本文学会などに参加。綱領論争で一九六七年に日本共産党から除名処分を受け、ベ平連、思想の科学研究会で活動。一九七九年に『季刊クライシス』を創刊し編集代表をつとめる。『モダン日本の原思想』（一九六三年）など著書多数。

★4―**秀島由己男**（ひでしまゆきお　一九三四年生まれ）
画家、版画家。熊本県水俣市に生まれる。石牟礼道子と反水俣病の活動をともにする。一九六六年に南天子画廊で第一回個展、七四年に石牟礼道子と詩画集『彼岸花』を出版。国内外の企画展に出品。一九九五年に大川美術館で『「魂の叫び」秀島由己男展』、二〇〇〇年に熊本県立美術館で「秀島由己男展『魂の詩』」開催。新井淳一が所持するのは一九六八年作の「霊歌〈影〉」。

★5―**オノサト・トシノブ**（小野里利信　一九一一―八六年）
抽象画家。長野県に生まれ、群馬県立桐生高等学校卒業。一九三五年に二科展に入選。太平洋戦争に従軍し、一九四八年にシベリア抑留から生還。代表作は「相似」「同心円」「32個の丸」などで、国際的評価を受ける。一九九二年に桐生にオノサト・トシノブ美術館設立、二〇〇〇年に群馬県立近代美術館で大規模な回顧展開催。

★6―**棟方志功**（むなかたしこう　一九〇三―七五年）
木版画家。青森県生まれ、柳宗悦に見出され、一九五六年にヴェネチア・ビエンナーレ国際美術展で日本人初の国際版画大賞を受賞。代表作は「大和し美し」「釈迦十代弟子」など、著書も『わだばゴッホになる』『板極道』など多数。一九七〇年に文化勲章受章。

★7―**岩立広子**（いわたてひろこ）
インド染織研究家。女子美術大学在学中の一九五五年に柳悦孝、柚木沙弥郎に師事して染織を志す。一九七〇年からインド全域を訪ね歩いて布を研究・蒐集する。一九八四年に『インド　沙漠の民と美』を発刊し、日本民藝館で「印度の民芸」展開催。翌年、ギャラリーとショップ併設の「カディ岩立」設立。主著は『インド　大地の布』。

★8―**内田義彦**（うちだよしひこ　一九一三―八九年）
経済学者。愛知県に生まれ、東京帝国大学大学院修了。一九四八年に専修大学教授となる。アダム・スミス、カール・マルクス、近代日本思想史が専門で、八八―八九年に岩波書店から『内田義彦著作集』全十巻が発刊され、『学問への散策』（一九七九年）は第六巻に収録。『学問と芸術』『形の発見』といった著書もある。

★9―**キーツ**(John Keats　一七九五―一八二一年)
イギリスのロマン主義の詩人。ロンドンで馬丁の子として生まれる。二十二歳で処女詩集『詩集』発刊。翌年、結核を発症しイタリアで療養する。一八一九年、代表作『秋に寄せて』『ギリシャの古壷のオード』などを発表。ローマにて二十五歳で死去し、墓碑銘は「その名を水に書かれし者ここに眠る」。

★10―**ニーチェ**（Friedrich Wilhelm Nietzsche　一八四四―一九〇〇年）
ドイツの哲学者。古典文献学者として出発し、キリスト教倫理思想を批判して生の根源にある権力意志の権化を「超人」と定義する。伝統的形而上学を否定しては「神の死」を提起し、実存主義やポスト構造主義に多大な影響を与える。著書に『悲劇の誕生』『ツァラトゥストラはかく語りき』『善悪の彼岸』などがある。

★11―**丸山眞男**（まるやままさお　一九一四―九六年）
政治学者、思想史研究家。長野県に生まれ、東京帝国大学法学部卒。近代的視座からの『日本政治思想史研究』をはじめ、「歴史意識の『古層』」を含む『忠誠と反逆』、『日本の思想』などの著書があり著作集、海外での翻訳出版も多数で、「丸山思想史学」の影響は大きい。東京大学法学部教授、一九七六年日本学士院会員となる。

第六章

★1―**川尻泰司**（かわじりたいじ　一九一四―九四年）
人形劇演出家・脚本家、人形劇団プーク代表。東京出身、東京府立第八中学校在学中に兄の川尻東次の影響で人形劇に関心をもつ。兄の没後、人形クラブ（現・人形劇団プーク）を引き継ぐも戦争で中断。戦後活動を再開し、一九五三年に日本最初のカラー人形映画「セロ弾きのゴーシュ」などを制作、六一年人形劇「逃げだしたジュピター」で文部省芸術祭演劇部門奨励賞。七一年に念願のプーク人形劇場を開設し「青い鳥」などを上演、人形劇関連の著書多数。

★2―**鳥居ユキ**（とりいゆき　一九四三年生まれ）
ファッションデザイナー。一九六二年に母君子のコレクションに参加。七〇年に婦人服製造卸の株式会社トリキを設立し、七五年にパリコレに初参加、以来パリと東京で定期的にコレクションを発表する。一九九四年にはメンズに進出、ライセンスアイテムも数多い。

★3—**シュテファン・ツヴァイク**(Stefan Zweig　一八八一—一九四二年)
オーストリアのユダヤ系作家・評論家。父親は裕福な織物工場主で、ウィーン大学で哲学と文学を修める。ザルツブルク滞在中の一九二七年に書かれたのが歴史書『人類の星の時間』、評伝に『マリー・アントワネット』『メアリー・スチュアート』がある。三四年にイギリスに亡命、四〇年に米国、翌年にブラジルに移住。遺著は『昨日の世界』。

★4—**花森安治**(はなもりやすじ　一九一一—七八年)
『暮しの手帖』発行人、アートディレクター。兵庫県生まれ、東京帝国大学美学科卒。企業の宣伝部をへて大政翼賛会宣伝部に所属。一九四六年に衣裳研究所設立、四八年『暮しの手帖』を創刊する。『風俗時評』は一九五三年東洋経済新報社刊。著書『一銭五厘の旗』で第二十三回読売文学賞受賞。

★5—**中西夏之**(なかにしなつゆき　一九三五年生まれ)
美術家。東京生まれ、東京芸術大学絵画科(油画専攻)卒。一九六三年の第十五回読売アンデパンダン出品作が「洗濯挟は攪拌行動を主張する」。同年、高松次郎、赤瀬川原平らと「ハイレッド・センター」を結成して多くのイベントを実践する。舞踏の舞台美術・装置も担当。一九九六—二〇〇三年、東京芸術大学教授。

★6—**ダニー・レーン**(Danny Lane　一九五五年生まれ)
ガラス作家。米国イリノイ州で生まれ、一九七五年にガラス工芸と絵画を研究するために英国に移る。八〇年代はロンドンで活動するが、新井が出会ったのはロンドン時代、脚光を浴びる前のレーンだ。作品は巨大でガラスの立体作品としては世界最大級、モニュメンタルかつ野性的作風で、ガラスの家具も制作する。

★7—**石津謙介**(いしづけんすけ　一九一一—二〇〇五年)
「VAN」の創業者、ファッションデザイナー。岡山県生まれ、明治大学商科卒。在学中に航空部も創部したのが桐生でのグライダー操縦指導に生きたようだ。一九五一年に「ヴァンヂャケット」を設立し「アイビールック」の流行をつくる。東京オリンピック日本選手団の赤い公式ブレザーを担当。日本メンズファッション協会最高顧問。「TPO」ほかファッション用語を多数創出する。

第七章

★1—**メイナード・ケインズ**(John Maynard Keynes　一八八三—一九四六年)
イギリスの経済学者。キングス・カレッジ(ケンブリッジ大学)卒。ジャーナリスト、思想家、投資家、官僚としても活動。需要理論、乗数理論、流動性選好理論を柱とする一九三六年刊の主著『雇用・利子および貨幣の一般理論』などによってマクロ経済学を確立。ケインズおよびケインズ学派はその後の経済政策に多大な影響を与える。『ケインズ全集』(東洋経済新報社)全二十七巻がある。

★2—**柚木沙弥郎**(ゆのきさみろう　一九二二年生まれ)
テキスタイル作家、版画家、絵本作家。東京生まれ、東京帝国大学文学部中退。芹沢銈介に師事して静岡で活動する。一九五七年ブリュッセル万博で出品作の壁紙が銅賞受賞。国画会会員、女子美術大学・同短期大学学長をつとめる。絵本にスイスの「子供の宇宙」国際図書賞を受けた『魔法のことば』、『トキとグーグーとキキ』がある。

★3―**藤本經子**（ふじもとつねこ　一九二七年生まれ）
テキスタイルデザイナー、アーティスト。東京生まれ、イトウコスチュームデザイン学園、多摩美術大学、クランブルックアカデミー・オブ・アートで学ぶ。一九六八―八六年の剣持デザイン事務所勤務ののち、東京造形大学教授。七一年「染織の新世代」展出品、一九九〇年個展「名のない組織展」開催。

★4―**山口道夫**（やまぐちみちお　一九三四年生まれ）
テキスタイルデザイナー。東京生まれ、一九五八年にアトリエ・ヤマグチ設立。七〇―八三年ドムス株式会社で企画デザインを担当、大阪芸術大学教授。ドイツのハイムテキスタイル展、世界のインテリアデザイナー作品展、IFI国際的スタイル展等に出品。Gマーク制定二十周年記念特別賞受賞。

★5―**粟辻 博**（あわつじひろし　一九二九―九五年）
テキスタイルデザイナー。京都に生まれ、京都市立美術専門学校を卒業して鐘紡入社。一九五八年に粟辻博デザイン室を設立、五年後からフジエテキスタイルのデザインを始める。毎日産業デザイン賞準賞、第三回テキスタイルトリエンナーレ展（ポーランド）銀賞を受賞、一九八八年東京でデザインハウス・アワを開設。多摩美術大学教授。著書は『粟辻博のテキスタイルデザイン』。

★6―**脇阪克二**（わきさかかつじ　一九四四年生まれ）
テキスタイルデザイナー。京都生まれ。伊藤忠商事繊維意匠課、鮫島テキスタイル・デザイン・スタジオをへて、フィンランドのマリメッコ社、ニューヨークのラーセン社でデザイナーとして活躍。一九八五年に帰国してインテリアファブリック、和紙の壁紙、絵本などを手掛ける。京都造形芸術大学客員教授。パブリックコレクション多数。

★7―**わたなべひろこ**
生年不詳、テキスタイルデザイナー、ファイバーアーティスト。多摩美術大学名誉教授、中国人民大学客員教授。一九五七年多摩美術大学を卒業しフランス、フィンランドに留学。一九六〇年にわたなべひろこデザインルーム、六五年テキスタイルアートスタジオ、八四年ギャラリースペース21開設。展覧会「ファイバー・アズ・アート」、国際絞り会議を組織するなどオルガナイザーとしても活躍。

★8―**森口邦彦**（もりぐちくにひこ　一九四一年生まれ）
友禅作家、人間国宝。京都に生まれ、京都市立芸術大学日本画科卒。フランス政府留学生となり、フランス国立パリ高等装飾美術を卒業した後、父親の森口華弘のもとで友禅を始める。一九六七年日本伝統工芸展入選でデビュー、ローザンヌ市立装飾美術館、デンマーク工芸博物館などで個展開催。八八年にフランス政府よりレジオンドヌール勲章シュヴァリエ章、二〇〇一年紫綬褒章受章。二〇〇七年 重要無形文化財「友禅」保持者に認定。

★9―**山脇道子**（やまわきみちこ　一九一〇―二〇〇〇年）
テキスタイル作家。東京に生まれ、東京女子高等師範学校付属高等女学校卒。一九三〇―三二年、山脇巌と渡独し、デッサウのバウハウスでテキスタイルを学ぶ。帰国翌年「山脇道子バウハウス手織物個展」開催、帝国美術院展覧会、実在工芸展などに出品。新建築工芸学院、自由学園工芸研究所、昭和女子大学などでテキスタイル、被服美学を講じる。著書は『バウハウスと茶の湯』。

★10―**上野リチ**（Felice "Lizzi" Ueno-Rix　一八九三―一九六七年）
テキスタイルデザイナー。ウィーンに生まれ、ウィーン工芸学校でヨーゼフ・ホフマンに師事し、ウィーン工房勤務。

上野伊三郎夫人となった一九三〇年ころから京都を中心に制作活動。京都染織試験場および群馬県工芸所嘱託をへて夫妻で満州に滞在。京都市立芸術大学退職後の六三年に夫妻でインターナショナルデザイン研究所設立。プリント地、壁面クロスで活躍。

★11―**マイヤ・イソラ**(Maija Isola　一九二七―二〇〇一年)
フィンランドのテキスタイルデザイナー。ヘルシンキのスクール・オブ・アプライド・アートでテキスタイルを学ぶ。一九四九年にマリメッコ(Marimekko)の前身であるプリンテックスのためにデザインを始め、八七年までインテリアファブリックのヘッドデザイナーをつとめる。製品数五〇〇とも言われ、マリメッコの名声を高めた。

★12―**ミース・ファン・デル・ローエ**(Ludwig Mies van der Rohe　一八八六―一九六九年)
建築家。ドイツのアーヘンに石工の子として生まれる。一九二九年の万博向け「バルセロナ・パビリオン」「バルセロナ・チェア」で評価を獲得、三〇年にバウハウス第三代校長となる。アメリカに亡命してイリノイ工科大学キャンパス、シーグラムビルなどを設計。ル・コルビジュエ、フランク・ロイド・ライトとともに近代建築の三大巨匠と呼ばれる。「Less is more」(より少ないことはより多いこと)と主張。

★13―**ロバート・ヴェンチューリ**(Robert Venturi　一九二五年生まれ)
アメリカのポストモダンを代表する建築家。プリンストン大学卒、ローマに留学。作品に「母の家」、シアトル美術館、メルパルク霧降(現・大江戸温泉物語湯屋日光霧降)などがあり一九九一年プリツカー賞受賞。著書『建築の多様性と対立性』、共著『ラスベガス』などでポストモダンを提唱。またミースの標語「Less is more」を「Less is bore」(少ないことは、退屈である)と皮肉った。

★14―**ディーター・ラムス**(Dieter Rams　一九三二年生まれ)
インダストリアルデザイナー。ドイツ生まれ、建築と大工技術を習得。ブラウン社に入社し、三十年ほどデザイン部門の責任者として機能主義的デザインを実践。みずからのデザインアプローチを「Less, but better」(より少なく、しかしより良く)と説明する。二〇〇九年日本で、「純粋なる形象ディーター・ラムスの時代―機能主義デザイン再考」展開催。

★15―**バーナード・ショー**(George Bernard Shaw 一八五六―一九五〇年)
アイルランド出身、イギリス近代演劇の確立者。イプセン研究から出発し、戯曲『ウォレン夫人の職業』『シーザーとクレオパトラ』『人と超人』『傷心の家』などで世界的な戯曲家となり、一九二五年にノーベル文学賞を受賞。劇評家、音楽評論家としても活動、ロンドン・スクール・オブ・エコノミクス創設者にして、「フェビアン協会」に属する社会主義者でもあった。

【著者略歴】

森山明子 MORIYAMA Akiko　デザインジャーナリスト、武蔵野美術大学教授

◎一九五三年新潟県生まれ。一九七五年東京芸術大学美術学部芸術学科卒業。
特許庁意匠課審査官、財団法人国際デザイン交流協会勤務をへて、
一九八六年日経マグロウヒル社（現・日経BP社）入社。「日経デザイン」の創刊にかかわり、
一九九三―一九九八年同誌編集長。昭和デザイン史三部作として、『パイオニア編／デザイン遣唐使のころ』
『エポック編／てんとう虫は舞い降りた』『プロダクト編／メイド・イン・ジャパンの時代』を編集・発刊。
一九九八年から現職、デザイン情報学科所属。NHKハート展詩選考委員、グッドデザイン賞審査副委員長、
芸術工学会副会長・名誉理事、公益財団法人三宅一生デザイン文化財団理事、
公益財団法人日本デザイン振興会理事などをつとめる。
◎編著書には、『型而工房から　豊口克平とデザインの半世紀』（共同編集、美術出版社、一九八七年）、
『内田繁と松岡正剛が開く――デザイン12の扉』（編著書、丸善、二〇〇一年）、

『カラー版　日本デザイン史』（竹原あき子と共同監修・共著、美術出版社、二〇〇三年）、

『魔の山　中川幸夫作品集』（編集、求龍堂、二〇〇三年）、『まっしぐらの花――中川幸夫』（単著、美術出版社、二〇〇五年）、

『Gマーク大全　グッドデザイン賞の五〇年』（監修・共著、日本デザイン振興会、二〇〇七年）、

『石元泰博［多重露光］』（企画・監修・共著、武蔵野美術大学 美術館・図書館、二〇〇九年）、

『石元泰博――写真という思考』（単著、武蔵野美術大学出版局、二〇一〇年。第四十五回造本装幀コンクール東京都知事賞）

などがある。

新井淳一――布・万華鏡

二〇一二年三月十三日　初版第一刷発行

著者――森山明子

発行所――美学出版
東京都国分寺市本町四―十三―十二―四〇七　〒一八五―〇〇一二
[電話]…〇四二―三二六―八七五五　[ファクシミリ]…〇五〇―三五五二―二〇八一
[E-mail]…info@bigaku-shuppan.jp

造本――杉浦康平＋佐藤篤司

本文組版――佐藤和泉子

印刷・製本――創栄図書印刷株式会社

©MORIYAMA Akiko 2012　ISBN 978-4-902078-30-5　Printed in Japan